مزید حماقتیں

شفیق الرحمٰن

سنگِ میل پبلی کیشنز، لاہور

891.4397 Shafiq-ur-Rehman
Mazeed Hamaqtain/ Shafiq-ur-Rehman. - Lahore : Sang - e - Meel Publications,2001.
287p.
1. Urdu Adab - Tanz-o-Mazah
I. Title.

2001.
نیاز احمد نے
سنگ میل پبلی کیشنز لاہور
سے شائع کی۔

ISBN 969-35-1227-8

Sang-e-Meel Publications
25 Shahrah-e-Pakistan (Lower Mall), P.O. Box 997 Lahore-54000 PAKISTAN
Phones: 7220100-7228143 Fax: 7245101
http://www.sang-e-meel.com e-mail: smp@sang-e-meel.com
Chowk Urdu Bazar Lahore. Pakistan. Phone 7667970

کمبائن پرنٹرز، لاہور

فہرست

دیباچہ

یہ دستور ہے کہ کتاب کہیں بھی لکھی گئی ہو مصنّف اگر ایک مرتبہ بھی ولایت گیا ہے تو دیباچہ ضرور لندن کا لکھا ہوا ہو گا۔ ان دنوں مَیں لندن میں ہوں اِس لیے مجبور ہوں کہ اِس روایت کو قائم رکھوں۔ ویسے مَیں کوئی خاص بات نہیں کہنا چاہتا سوائے اِس کے کہ یہ دیباچہ ہے جسے مَیں نے لندن میں لکھا۔

اگست 53ء

شفیق الرّحمٰن

16۔ہال روڈ'

سینٹ جانزوُڈ

لنڈن'این'ڈبلیو8

تزکِ نادری عرف سیاحت نامۂ ہند

رقم زدہ۔۔۔ اعلیٰ حضرت جناب نادر شاہ، سابق شہنشاہ، سابق ابنِ شمشیر ابنِ شمشیر، سابق مرحوم و مغفور، سابق وغیرہ وغیرہ۔

پیش لفظ۔ عرف کرنا مرتّب اس تزک کا ہمارا

آج جو اتفاق سے پرانی پوستین کو جھاڑا، تو متعدد اشیاء کے ساتھ ہمارے خود نوشتہ اوراقِ کرم خوردہ بھی زمین پر گر پڑے، جنہیں ہم نے وقتاً فوقتاً لکھا تھا۔ پڑھا تو حیران رہ گئے۔ سوچا کہ سیاحتِ ہند کے بعد معترضین نے ہم پر جو طرح طرح کی افترا پردازی کی ہے، کیوں نہ اس کے جواب میں یہ اوراق پیش کیے جائیں۔ اگرچہ ہم مقامی مؤرخین کی لگام بندی فرما چکے تھے۔ تاہم غیر ملکی پریس نے واویلا مچا کر جو غلط فہمی پیدا کر دی ہے، اس کا ازالہ بہت ضروری ہے۔ تصویر کا یہ رُخ دکھا کر کیوں نہ معترضین کو ہمیشہ کے لیے خاموش کر دیں۔ اور پھر ہمیشہ لوگوں کو گلہ بھی رہا ہے کہ تاریخ عموماً غلط پیش کی جاتی ہے، تبھی ہمیشہ تاریخ کی غیر جانبدار اور مستند کتابوں کی کمی محسوس کی گئی ہے۔

خدا گواہ ہے کہ ہم ہندوستان محض حملے کی غرض سے ہرگز نہیں گئے۔ دراصل ہمیں اپنی دُور اُفتادہ پھوپھی محترمہ سے ملاقات مقصود تھی، حملے کا خیال ہمیں راستے میں آیا۔ تختِ طاؤس اور کوہِ نور ہیرا ہم نے زبردستی ہرگز نہیں ہتھیایا۔ عزیزی محمد شاہ عرف رنگیلے میاں نے بصد منت و سماجت ہمارے سامان میں یہ چیزیں بندھوا

دیں۔ اور قتل عام؟ قتل عام کس مسخرے نے کرایا تھا؟ وہ تو ایک معمولی سالاٹھی چارج تھا' یہ اور بات تھی کہ اہلِ ہند نحیف و نزار ہونے کی وجہ سے اس کی تاب نہ لا سکے۔ سنا ہے ہمارے متعلق لوگوں نے طرح طرح کی کہاوتیں گھڑلی ہیں۔ مثلاً شامتِ اعمالِ ما با صورتِ نادر گرفت۔ ہمارے دل کو خصوصاً اس مثل سے سخت صدمہ پہنچا ہے۔ یعنی اگر اس نادر سے مراد ہم ہیں' تو ہم یقین دلاتے ہیں کہ یہ نادر کوئی اور شخص تھا۔ اگر ہمیں علم ہوتا کہ ہماری سیاحت کے بعد اس قدر غل غپاڑہ مچے گا' تو واللہ کبھی ہند کا رُخ نہ کرتے۔ اور اگر دلّی میں پتا چل جاتا تو وہاں سے کبھی نہ لوٹتے۔

والیٔ کابل سے ناچاقی

مدت سے ارادہ تھا کہ والیٔ کابل کی گوشمالی کریں۔ وہ لگاتار بلا کسی وجہ ہمارے خلاف زہر اُگل رہا تھا۔ جب ہم نے خط لکھ کر اس خواہ مخواہ پروپیگنڈے کی وجہ پوچھی تو اور بھی زیادہ زہر اُگلنے لگا۔ چنانچہ موسم کو مناسب پا کر حملہ آور ہوئے۔ غالباً ان لوگوں کو ہماری قوت کا غلط اندازہ تھا۔ ہم نے دریائے ہلمند کو جگہ جگہ سے کاٹ کر ان کے ہوش ٹھکانے لگا دیئے۔

دریائے ہلمند نہایت خوشنما دریا ہے۔ فرمانبردار خاں معروض ہوا کہ شاہان سلف کا رواج رہا ہے کہ حملہ کرتے وقت جو دریا راستے میں آئے تیر کر عبور کرتے ہیں۔ اس کے کہنے پر غلطی سے ہم نے بھی چھلانگ لگا دی اور شاہانِ سلف میں شامل ہوتے ہوتے بال بال بچے۔ کنارے کی طرف آنے کی بہت کوشش کی۔ ہم پوستین کو چھوڑتے تھے' لیکن پوستین ہمیں نہ چھوڑتی تھی۔ بمشکل ہمیں باہر نکالا گیا۔ بڑے پشیمان ہوئے۔ تہیہ کیا کہ جب تک تیراکی کے ماہر نہ ہو جائیں' پانی میں کبھی قدم نہیں رکھیں گے۔

شہباز خاں کو خطاب کا عطیہ

مقامی باغ میں چند اُلّو دکھائی دیئے۔ یہاں کا اُلّو ایرانی اُلّو سے بڑا اور بہتر ہوتا ہے۔ اُلّوؤں کا ایک جوڑا ہمارے ساتھ ہو لیا۔ شام کو ہماری قیام گاہ کے پاس بسیرا کرتا

اور رات بھر ہاؤ ہو مچاتا۔ ہم نے فرمانبردار خاں سے پوچھا کہ یہ جوڑا کیا چاہتا ہے؟ وہ بولا گستاخی کرتا ہے اور ہمیں واپس جانے کو کہتا ہے۔ ہم بے حد خفا ہوئے اور فرمانبردار خاں کو پاپوش مبارک سے زدوکوب کر کے سرفراز فرمایا۔ ساتھ ہی شہباز خاں کی رائے دریافت کی۔ وہ جاں نثار معروض ہوا کہ فال نیک ہے' اُلّو جیسا منحوس پرندہ بھی ہم سے بلند طالع شہنشاہ کی آمد پر خوش آمدید کہتا ہے۔ ہم اس جواب پر خوش ہوئے اور نمک حلالی کی قدر کرتے ہوئے اُس کو اُلّو شناس کے لقب سے نوازا اور اس کے ہم جنسوں میں اس کی عزت افزائی فرمائی۔

سیاحتِ ہند کا ارادہ

کابلی افواج کے ساتھ ہماری جنگ خاصی رہی۔ یہ ان تمام خصوصیات کی حامل تھی' جس نے نادر شاہی جنگوں کو اس قلیل عرصے میں اس قدر حیرت انگیز شہرت بخشی۔ اب ماشاء اللہ نادر شاہی حکم 'نادری قہر 'نادر موقعے اور نادری حکومت بچّے بچّے کی زبان پر ہیں۔ والیٔ کابل اپنے کیے پر نادم تھا۔ اس نے وفاداری کا حلف اتنی مرتبہ اٹھایا کہ ہم نے تنگ آ کر منع کر دیا۔

شہباز خاں اُلّو شناس ہر روز ملک ہندوستان کی خبریں سناتا کہ کابل سے میوہ جات کثیر مقدار میں ہند بھیجے جاتے ہیں اور اس کے بدلے تجّار ہینگ 'بھنگ 'چرس و دیگر تفریحات لاتے ہیں۔ ہم نے اس ذکر میں دلچسپی لی تو اُلّو شناس بھی چست ہو گیا۔ اس نے ہمیں پھوپھی محترمہ کی یاد دلادی' جو غالباً ہند میں مقیم تھیں۔ حقیقت یہ تھی کہ ہم نے اپنی پھوپھی کا محض ذکر ہی سنا تھا۔ نہ کبھی انہیں دیکھا تھا اور نہ شرفِ ملاقات بخشا تھا۔ گستاخ فرمانبردار خاں کا خیال تھا کہ ہماری کوئی پھوپھی تھیں ہی نہیں۔ خیر! چونکہ کابل کی مہم اندازے کے خلاف بہت جلد ختم ہو گئی' سوچا کہ یہ بیکار وقت کیوں نہ سیاحتِ ہند میں صرف کیا جائے۔

ہمیں بتایا گیا کہ حملہ آوروں کی سہولت کے لیے اہل ہند نے دو راستے صاف کر رکھے ہیں:

براہِ افغانستان: خیبر ایجنسی۔ پشاور۔ لاہور۔ پانی پت۔ دلّی

براہِ بلوچستان: سمہ سٹہ۔ بٹھنڈہ۔ دلّی

ہم نے پہلا راستہ پسند فرمایا' کیونکہ بلوچستان کے راستے میں جیکب آباد پڑتا ہے' جو دنیا کے گرم ترین مقاموں میں سے ہے۔

کابل سے کوچ

چار گھڑی گزرنے پر کابل سے کوچ کیا۔ عمائدینِ شہر فصیل تک بلکہ جلال آباد تک چھوڑنے آئے۔ وہ آگے جانے نہ دیتے تھے۔ والیٔ کابل مفارقت کا سوچ کر روتا تھا اور ہمارے ہمراہ سیاحتِ ہند میں شریک ہونے کی اجازت طلب کرتا تھا۔ لیکن ہم جانتے تھے کہ یہ رونا پیٹنا دکھاوے کا ہے' یہ لوگ بڑے کائیاں ہیں۔ ہمارے رخصت ہوتے ہی پروپیگنڈا دوبارہ شروع کر دیں گے۔ اور پھر ہم اہلِ ہند پر مہمان نوازی کا زیادہ بوجھ ڈالنا قرینِ مصلحت نہیں سمجھتے تھے۔ چنانچہ اسے سمجھایا کہ جب ہم سیاحتِ ہند سے واپس لوٹ آئیں' تب اس کا جانا زیادہ موزوں ہوگا۔ وہ پھر بھی روتا تھا۔ اسے ازراہِ غریب پروری ایک ریشمی رومال آنسو پونچھنے کے لیے مرحمت فرمایا اور بڑی مشکل سے پیچھا چھڑایا۔

اس منزل سے کوچ کر کے درۂ خیبر میں پہنچے۔ نہایت پُر فضا مقام ہے۔ سکندر یونانی' محمود غزنوی اور دوسرے نامی سیاح بھی اسی راستے سے گزرے تھے۔ ہم نے بھی ان کے نقش قدم پر چلنے میں بہتری سمجھی۔ اس درے میں پرند' چرند' درند' انسان' بلکہ نباتات و جمادات تک نظر نہیں آتے۔ خداوندِ باری تعالیٰ کی کیا قدرت بیان کی جائے۔

مغل فوجدار نے پشاور سے کچھ ورے آ کر سعادتِ آستاں بوسی حاصل کی اور مشورہ دیا کہ ہمارا واپس چلا جانا بہتر ہوگا' کیونکہ اس موسم میں سیاحت لطف نہیں دیتی۔ اس نے دو سو مہر طلائی نذر کیں اور ایک مرصّع گھوڑا بطور پیشکش گزرانا۔ ہم نے بھی ازراہِ مروّت ایک دُنبہ عنایت کر کے ٹالا۔ پشاور سے آگے شیر ملا۔ پہلی دفعہ دیکھا تھا۔ طبیعت بڑی خوش ہوئی۔ بندگانِ درگاہ تو بھاگ گئے' ہم وہیں کھڑے رہے۔ ہم کو کھڑا دیکھتا رہا۔ یہ ایک گربہ کی مثال ہوتا ہے۔ نہایت نفاست پسند اور بورژوا قسم کا

چوپایہ ہے۔ کچھ دیر ہمیں دیکھنے کے بعد اس درجہ مرعوب ہوا کہ بھاگ نکلا۔ اگلے روز ہمیں کسی نے بتایا کہ وہ شیر نہیں تھا کوئی اور چیز تھی۔ واللہ اعلم بِالصّواب!

سفر کا حال

دریائے سندھ عبور کرنے کا ارادہ کر رہے تھے۔ معلوم ہوا کہ سید بایزید ابن یزید یزدانی آستانِ بوسی کی سعادت کے متلاشی ہیں۔ جب بلایا' تو دیکھا کہ فقط ایک آدمی تھا۔ ہم نے ازراہِ تلطّف اُسے گلے لگالیا اور پیار سے بھینچا۔ وہ بے ہوش ہو گیا۔ اُسے فوراً باہر لے گئے۔ لخلخہ سنگھایا گیا۔ مالش کی گئی۔ دیر کے بعد اُسے ہوش آیا تو وہ نذریں جو پیش کرنے لایا تھا' لے کر رفوچکر ہوا۔ ہم نے اہل کاروں کو اس کے پیچھے دوڑایا کہ اگر خود نہیں آتا' تو نذریں تو بھجوادے' مگر اس کا کوئی پتا نہ چلا۔

قلعے کا فوجدار ہماری سواری کے لیے ایک عجیب و غریب چوپایہ لایا' جسے ہاتھی کہتے ہیں' نہایت پُر شوکت فیل جسم جانور ہے۔ اس کے دو دانت ہوتے ہیں' جو صرف دکھانے کے لیے ہیں۔ ناک' جس کو سونڈ کہا جاتا ہے' زمین کو چھوتی ہے۔ ہاتھی پر چڑھ کر آدمی دوسروں کے گھروں کے اندر سب کچھ دیکھ سکتا ہے۔ ہم نے سواری کا قصد کیا اور باگ ہاتھ میں لینی چاہی۔ وہ بولا اس کی لگام نہیں ہوتی۔ ڈرائیور علیحدہ بیٹھتا ہے۔ ہم نے ایسے بے لگام جانور پر سواری سے انکار کر دیا۔

لطیفہ

سندھ کے علاقے سے وفد آیا کہ وہاں کے عمائدین بے تاب ہیں کہ ہم اُن کو سرفراز فرمائیں۔ ساتھ ہی ایک مشہور خانقاہ کی گدی کی پیشکش بھی تھی۔ ہمیں بتایا گیا کہ اس ملک میں عجیب دستور ہے۔ کوئی گھاگ چند ہتھکنڈے دکھا کر بھولے بھالے انسانوں کو رام کر لیتا ہے۔ یہ شخص پیر کہلاتا ہے اور معتقدین مرید کہلاتے ہیں۔ مرید اپنی آمدنی کا ایک حصہ پیر کو باقاعدگی کے ساتھ نذر کرتے ہیں۔ پیر کوئی خاص کام نہیں کرتا۔ سوائے اس کے کہ کبھی کبھی کاغذ کے پرزوں پر کچھ لکھ دیتا ہے' جنھیں تعویذ کہتے ہیں۔ ان تعویذوں سے بوڑھوں کے ہاں اولاد ہو سکتی ہے اور

اولاد کے سرپرستوں کا انتقال بھی ہو سکتا ہے وغیرہ وغیرہ۔ یہ لطیفہ سن کر ہم بہت ہنسے کہ کسی نے کیا بے پر کی اڑائی ہے۔

لیکن جب اُلّو شناس تین چار پیروں کو ہماری ملاقات کے لیے لایا تو ہمیں معلوم ہوا کہ لطیفہ دوسروں پر نہیں ہم پر ہوا ہے۔ پیروں کی زندگی کی طرح طرح کی دلچسپیاں اور ان گنت مشغلے۔ ہمارے منہ میں پانی بھر آیا۔ اپنی گزشتہ زندگی پر بڑا افسوس ہوا کہ ناحق خراب ہوتے پھرے۔ اگر پہلے سے پتا ہوتا تو سیدھے ہندوستان پہنچ کر پیر بن جاتے اور مزے لوٹتے۔

ایسا سنہری موقع ملنے پر ہم نے خداوند تعالیٰ کا لاکھ لاکھ شکر ادا کیا اور وفد کے ہمراہ چلنے کا قصد ظاہر کیا۔ لیکن اُلو شناس نے رائے دی کہ سندھ کے سیاسی حالات ہمیشہ کچھ ایسے ویسے ہی رہتے ہیں۔ چنانچہ اس تجویز کو التوا میں رکھا۔ اگر خدانخواستہ شہنشاہی کامیاب نہ رہی' تو ضرور بضرور پیر بن جائیں گے اور دل کی ساری امنگیں پوری کریں گے۔

انشاءاللہ العزیز!

اختر شماری

کل رات اختر شماری کی۔ دو سو پچاسی تارے گنے ہوں گے کہ نیند آگئی۔ باقی بشرط زندگی کل گنیں گے۔

شُتر غمزے

مقامی قلعہ دار کی دعوت پر اس کے ساتھ گئے اور شُتر غمزے ملاحظہ فرمائے۔ کافی محظوظ ہوئے' کیونکہ ایران میں یہ چیز نہیں ہوتی' اور اس ملک میں عام ہے۔

ایک مفید رسم

جہلم کے قریب ایک قلعہ دار نے ہم پر دھاوا بول دیا۔ لیکن فوراً ہی پھرتی سے قلعے میں محصور ہو گیا۔ ارادہ ہوا کہ اس کو اسی طرح محصور چھوڑ کر آگے بڑھ

جائیں، لیکن الّو شناس ملتمس ہوا کہ نیا ملک ہے۔ یہاں پھونک پھونک کر قدم رکھنا چاہیے۔ ہم نے فرمایا کہ اس طرح قدم رکھے تو دلّی پہنچنے میں دیر لگے گی۔ اسے ڈر تھا کہ کہیں یہ لوگ عقب سے آ کر تنگ نہ کریں۔ اس روز ہمیں نزلہ سا تھا اور قصد لڑائی بھڑائی کا ہرگز نہ تھا۔ الّو شناس کے اصرار پر دو دن تک قیام کیا لیکن کچھ نہ ہوا۔ تنگ آکر ہم نے پوچھا کہ کوئی ایسی تجویز نہیں ہو سکتی کہ یہ معاملہ یونہی رفع دفع ہو جائے۔ الّو شناس گیا اور جب شام کو لوٹا تو اس کے ساتھ ایک ہندی سپاہی تھا۔ الّو شناس کے کہنے پر ہم نے سپاہی کو پانچ سو طلائی مہریں دیں۔ ابھی گھنٹہ نہ گزرا ہو گا کہ قلعے کے دروازے کھل گئے۔ ہم بڑے حیران ہوئے۔

ہند میں یہ ایک نہایت مفید رسم ہے۔ جب کٹھن وقت آن پڑے یا مشکل آسان نہ ہو تو متعلقہ لوگوں کو ایک رقم یا نعم البدل پیش کیا جاتا ہے۔ تحفے کی مقدار اور پیش کرنے کے طریقے مختلف ہوتے ہیں، لیکن مقصد ایک ہے — اسے یہاں رشوت کہتے ہیں۔ کس قدر زود اثر اور کارآمد نسخہ ہے۔ اگر لاکھوں کے اٹکے ہوئے کام ہزار پانچ سو سے سنور جائیں، تو اس میں ہرج ہی کیا ہے۔ رشوت دینے دلانے کا سب سے بڑا فائدہ یہ ہے کہ اس عمل سے کرنسی حرکت میں رہتی ہے۔ ہم واپس ایران پہنچ کر اس رسم کو ضرور رائج کرائیں گے۔

ہمیں بتایا گیا کہ کچھ مہریں سپاہی نے اپنے استعمال کے لیے خود رکھ لی تھیں۔ باقی کوتوال کو دیں، جس نے اپنا حصہ لے کر بقیہ رقم قلعہ دار کے حوالے کی۔ قلعہ دار نے سنتریوں کو خوش کر کے دروازے کھلوا دیئے۔ واقعی یہ ملک عجوبۂ روزگار ہے۔

گوجرانوالے میں قیام

شیخ بُوٹا شجرپوری ایک ایرانی النسل درویش ہیں، جو بڑے فاضل، ریاضت کار، مبارک نفس اور گوشہ نشین ہیں۔ گوجرانوالہ میں ان سے مل کر معرفت اور وجدان کی باتیں ہوتی رہیں۔ فیصلہ کیا کہ سب کچھ چھوڑ کر تارک الدنیا بنا جائے۔ پھر شبہ سا ہوا کہ کہیں یہ بھی پیر نہ ہوں۔ تحقیقات کرنے پر شبہ درست نکلا۔ آپ بڑے رنگیلے پیر ہیں اور پنجاب سے وادیٔ کانگڑہ کی طرف ہجرت کر رہے ہیں، کیونکہ وہ علاقہ

زیادہ رنگین ہے۔ دیر تک ان سے خفیہ باتیں ہوتی رہیں، جنھیں سینہ بسینہ رکھنے کا ارادہ ہے۔ یہ ملاقات کیا تھی گویا تجدید عہدِ شباب تھی۔

ہمارا سنجیدہ ہو جانا

گلستان بیکانیر سے ایلچی درِ دولت پر حاضر ہو کر ملتجی ہوا کہ چلیے مشتاقانِ دیدار راہ دیکھ رہے ہیں۔ تربوزوں کا موسم بھی ہے۔ ارادہ ہوا کہ کچھ دنوں کے لیے چلے چلیں، مگر الو شناس کو حسبِ معمول شبہ ہوا کہ یہ کوئی چال ہے۔ بیکانیر لق و دق صحرا ہے، جس میں نہ پانی ہے، نہ روئید گی۔ یہ لوگ ہمیں صحرا میں چھوڑ کر بھوک پیاس سے ہلاک کرنا چاہتے ہیں۔

اس پر آنکھوں میں خون اتر آیا اور ہر چیز سرخ نظر آنے لگی۔ فوراً ایلچی کو بلوا کر الٹا لٹکوایا۔ جب کہ واقعی یہ چال تھی، تو کھلوا کر سیدھا کیا۔ اس واقعہ نے ہمارا موڈ خراب کر دیا۔ سوچا کہ اہل ہند سے کسی اچھے سلوک کی توقع کرنا حماقت ہے۔ کیوں نہ کسی بہانے اس ملک پر حملہ کر کے ان کی گوشمالی کریں۔ چنانچہ فرمانبردار خاں کو حکم دیا کہ حملے کی چند وجوہات سوچے۔ اس نے یہ فہرست پیش کی:

1۔ ہم بین الاقوامی مفاد کے لیے جنگی چالوں کی ایک کتاب "رہنمائے حملہ آورانِ ہند" لکھنا چاہتے ہیں۔

2۔ ہندی گویّے ترانوں کو "نادرنا دھیم تنانا دھیم" سے شروع کر کے ہماری توہین کرتے ہیں۔

3۔ تاریخ میں اس سے پہلے ایران نے ہند پر باقاعدہ حملہ نہیں کیا۔

4۔ ہند پر حملہ ہوئے کافی عرصہ گزر چکا ہے۔

5۔ یوں بھی ان دنوں ہند پر حملے کا رواج عام ہے۔

ایسی بے معنی وجوہات معروض ہونے پر ہمیں غصہ آیا۔ ایک بھی بات خدا لگتی نہ تھی۔ قصد ہوا کہ فرمانبردار خاں سے وہی پرانا سلوک کریں۔ دیکھا تو وہ کبھی کا غائب ہو چکا تھا۔ بعد میں ہم نے خود ان سے بہتر وجوہات سوچنے کی دیر تک کوشش کی۔ جب کامیابی نہ ہوئی، تو خوش ہو کر فرمانبردار خاں کو بحال فرمایا۔

شاہدرے میں آمد آمد

شاہدرے کے قریب ایک لڑکی نظر آئی۔ اس کی ہلکی ہلکی مونچھیں تھیں۔ چال ڈھال سب لڑکوں کی سی تھی۔ نام بھی عبداللطیف گویا مردانہ تھا۔ ہم نے پیش کاروں کو حکم دیا کہ اس کے باپ سے مل کر تحقیق کریں۔ دریافت کرنے پر معلوم ہوا کہ عبداللطیف لڑکا ہی تھا اور کسی مقامی کالج میں پڑھتا تھا۔ خدا جانے ہم کو یہ کیسے خیال آیا کہ وہ لڑکی ہے۔

لاہور پہنچے ہی تھے کہ صوبیدار لاہور کے گوریلا دستوں نے ہم پر حملہ کردیا۔ ہمارے سپاہی جدید جنگی طریقوں سے ناواقف تھے اور صوبیدار موصوف نہ صرف ہفت ہزاری تھا' بلکہ گوریلا لڑائی کا ماہر تھا۔ ہم نے بھی فوراً چڑیا گھر سے سارے گوریلے نکال کر سِدھائے۔ گھمسان کا رن پڑا۔ گوریلا گوریلے پر ٹوٹ پڑا اور سپاہی تماشا دیکھتے رہے۔ دشمن نے لڑائی کا رُخ بدلا۔ صوبیدار ہمیں گھیرے میں لینے کی کوشش کرنے لگا اور ہم اسے۔ دونوں فوجیں بار بار ایک دوسرے سے کنی کتراتی گزر جاتیں۔ گرمجوشی کا یہ عالم تھا کہ گھیرے میں لینے کی کوشش میں آخر کار صوبیدار فوج سمیت جہلم جا پہنچا اور ہم فیروز پُور۔ غلطی کا احساس ہوا تو واپس لوٹے۔ الّو شناس کے مشورے پر صوبیدار پر ہند کا مروجہ کارآمد نسخۂ رشوت آزمایا اور شکست فاش دی۔ شکست دینے کے بعد ہم نے اس سے ہفت ہزار بصد دقت وصول کیا۔ شام کو الّو شناس کچھ اور منصب داروں کو لایا' جو بالترتیب پنج ہزاری' سہ ہزاری اور دو ہزاری تھے۔ انہیں کئی روز گرفتار رکھا' تب کہیں دس ہزار روپیہ وصول ہوا۔ دیکھتے دیکھتے عہدیداروں کی قیمتیں گرنے لگیں۔ لوگ پنج صدی' پونے دو صدی' ایک سینکڑی اور پچاسوی تک پہنچ گئے۔ یہ لوگ بڑے لالچی ہیں۔ ایک روز کا ذکر ہے کہ کوئی ہزاری بہت چلّایا کیا۔ وہ ہزارہ کا رہنے والا ہے۔ لیکن ہم نے اپنا اصول ترک نہیں کیا۔

لاہور سے روانگی

چاہیے تو یہ تھا کہ ان علاقوں میں چند روز رہ کر دادِ عیش و کامرانی دیتے' مگر

یہاں کی پرانی رسم ہے کہ وہ سیّاح، جو درۂ خیبر سے آتے ہیں، انہیں سیدھے دلّی جانا پڑتا ہے۔ راستے میں کہیں نہیں ٹھہر سکتے۔

جہلم، چناب اور راوی عبور کر چکے تھے۔ ستلج کو عبور کیا اور پنجاب کے پانچویں دریا کو بہت ڈھونڈا۔ خبر ملی کہ بیاس تو پہلے ہی ستلج سے مل چکا ہے۔ سخت مایوسی ہوئی۔ مصاحبین نے دست بستہ عرض کی کہ اہل ہند کا دستور ہے کہ حملہ آوروں سے اس علاقے میں ضرور لڑتے ہیں۔ اس کے لیے پانی پت، تراوڑی وغیرہ کے میدان مخصوص ہو چکے ہیں۔ ہم نے فرمایا کہ لڑیں تو تب اگر مقابلے میں کوئی فوج آئی ہو۔ معلوم ہوا کہ حملہ آوروں کو انتظار کرنا پڑتا ہے۔ کیونکہ اگر اہلِ ہند اس علاقے میں نہ لڑیں، تو پھر کہیں نہیں لڑتے۔

محمد شاہ کو ہماری تشریف آوری کا علم ہو چکا تھا۔ ایک مرتبہ تو اس نے ایلچی کو خط اور لفافے سمیت شراب کے مٹکے میں دھکیل دیا اور بولا: ''این ایلچئ بے معنی غرقِ مے ناب اولیٰ۔'' کسی طبلچی نے حافظ کا یہ مصرع صحیح کرنا چاہا، تو محمد شاہ نے اسے بھی مٹکے میں دھکیل دیا۔ آدمی باذاق معلوم ہوتا ہے۔

ہمیں تحفہ دینے کا نتیجہ

دلّی سے ایک درباری قدم بوسی کے لیے حاضر ہوا۔ تحفے تحائف سے لدا ہوا تھا۔ اس لیے ہم نے بلا لیا۔ بولا ''یا شہنشاہ! سنا ہے کہ آپ تبدیلیٔ آب و ہوا کی غرض سے اس طرف تشریف لائے ہیں۔ جہاں تک آب و ہوا کا تعلق ہے، اس ملک کو یہاں ختم سمجھئے۔ اس سے آگے سخت گرمی پڑتی ہے۔ رعایا کی التجا ہے کہ آپ دو کروڑ کی حقیر رقم بطور سفر خرچ قبول فرما کر یہاں سے مراجعت فرما جائیں۔'' ہمیں رضامند پا کر وہ نابکار بغلیں بجانے لگا۔ ڈانٹا تو معلوم ہوا کہ یہاں کا رواج ہے۔ ایک تو یہاں کے رسم و رواج نے ہمیں عاجز کر دیا ہے۔ واپسی کے لیے سامان بندھوا رہے تھے کہ الّو شناس نے شبہ کرا دیا کہ اہل ہند ہم پر اپنا محبوب نسخہ استعمال کر رہے ہیں۔ یہ رقم ہمیں تحفتاً پیش کی جا رہی ہے۔ شام کو وہی درباری بغلیں جھانکتا ہوا پھر حاضر ہوا اور دلّی چلنے کی ترغیب دینے لگا۔ عجب ڈِھل مل یقین لوگ ہیں۔ الّو شناس

نے اصل وجہ بتائی، جب درباریٔ مذکور دلّی دربار میں پہنچ کر انعام کا خواہاں ہوا، تو کسی نے پوچھا تک نہیں، بلکہ خان بہادر کا خطاب کسی حریف کو مل گیا۔ اس نے جل بُھن کر دھمکی دی کہ ٹھہرو، ابھی لاتا ہوں، نادر شاہ کو۔

ہم نے سوچا کہ اب اتنی دُور آگئے ہیں، تو دلّی دیکھ کر ہی جائیں گے۔ کرنال کے مقام پر محمد شاہی فوج دکھائی دی، جو ہمیں دیکھتے ہی اِدھر اُدھر ہو گئی۔ ہم نے کہلوا کر بھیجا کہ ہماری خواہش ہے کہ اس جنگ کو تاریخ میں پانی پت کی تیسری لڑائی یا کرنال کی پہلی لڑائی کا رُتبہ ملے۔ اس پیغام پر باقی ماندہ فوج بھی بھاگ نکلی۔

قُطب صاحب کی لاٹھ

نزولِ اقبال دلّی کے باہر ہوا۔ قطب صاحب کی لاٹھ کے پاس نادر شاہی جھنڈے گاڑے گئے۔ یہ لاٹھ قطب صاحب کی تعمیر کردہ ہے۔ لیکن اس کا مقصد سمجھ میں نہیں آیا۔ پتا نہیں قطب صاحب کا ارادہ کیا تھا۔ فرمانبردار خاں نے عرض کیا کہ غالباً قطب صاحب آسمان تک پہنچنا چاہتے تھے۔ لیکن تجویز کو تکمیل تک نہ پہنچا سکے۔ بصد دقت ہم اوپر تشریف لے گئے۔ واقعی بہت اونچا مینار ہے۔ آسمان یہاں سے کافی قریب ہے۔ ستانے کے بعد نیچے تشریف لائے۔

حملہ آوری اور برادرم محمّد شاہ کی ہماری ذات سے عقیدت

صبح سے محمد شاہ اپنا لشکر لے کر سامنے آیا ہوا تھا، مگر ابھی تک سعادت زیارت سے مشرف نہ ہوا تھا۔ دوپہر کو ایک ایلچی رنگین جھنڈا لہراتا ہوا آیا اور معروض ہوا کہ "محمد شاہ صاحب نے دریافت کیا ہے کہ حملہ کرنے کا کس وقت ارادہ ہے؟" ہم نے پوچھا: "اب حملہ کیسا؟" ایلچی نے عرض کیا— "خداوندِ نعمت وہ تو عرصے سے آپ کے حملے کے منتظر ہیں۔ اتنے دنوں سے تیاریاں ہوتی رہی ہیں۔ اگر حملہ نہ ہوا تو سب کو سخت مایوسی ہوگی۔ کل بارش کی وجہ سے لشکر اکٹھا نہ ہو سکا۔ اور پھر یہ رسم چلی آتی ہے کہ درۂ خیبر سے آنے والے— " "بس بس! آگے ہمیں پتا ہے۔" ہم نے اسے ڈانٹا۔

مجبوراً ہم نے حملے کا حکم دے دیا۔ لیکن لڑائی کا لطف نہ آیا۔ وہ لوگ فوراً تتّر بتّر ہو گئے۔ ہم شہر کے بڑے دروازے میں داخل ہوئے تو عزیزی محمد شاہ نے پھولوں کا ہار پہنایا۔ گھوڑے سے اتر کر بغل گیر ہوئے۔ اس کے بعد دو دن تک محمد شاہ کا کوئی پتا نہ چلا۔

دلّی میں نازل ہو کر ہم نے اور بندگانِ درگاہ نے خوب دادِ عیش دی کہ شیوۂ سیّاحاں ہے۔ حمام گئے۔ الحمدللہ کہ آج پورے ایک سال کے بعد غسل فرمایا۔ صبح سے شام تک تختِ طاؤس پر بیٹھ کر شغل خورد و نوش و خوش فعلیوں اور خوش گپیّوں سے اپنے دل کے بوجھ کو ہلکا کرتے اور رعایا کو اپنے دیدار سے فیض یاب کرتے۔ ہمارا ذاتی خیال ہے کہ ہمارے جیسا صاف باطن اور نیک دل بادشاہ تاریخ میں کوئی نہ ہوا ہو گا۔ سکندر نے پورس سے جو سلوک کیا' اس سے کہیں بہتر سلوک ہم نے عزیزی محمد شاہ سے کیا۔ ہر چند کہ اس کی رنگین مزاجی ہمیں نہ بھاتی تھی' اس کو مانند اپنے عزیز کے سمجھا۔ حق تو یہ ہے کہ اس نے ہماری اتنی خدمت کی کہ کیا کوئی اپنے بزرگ کی کرتا ہو گا۔

ہمیں شاہی مہمان خانے کے بہترین حصے میں ٹھہرایا گیا' جو مرہٹوں کے لیے مخصوص تھا۔ عزیزی محمد شاہ نے شام کو ہمارے لیے مسواکیں' لباس شب خوابی اور سلیپر وغیرہ بھیجے۔ چادریں اور غلاف بدلوائے۔ یہ اور بات تھی کہ ہم راستہ بھول گئے اور نہ جانے کہاں پوستین سمیت سیڑھیوں پر سو گئے۔ لال قلعہ باہر سے تو سیدھا سادا سا قلعہ معلوم ہوتا تھا۔ لیکن اندر نفیس و نازک عمارتوں اور خوشنما باغوں کی بھول بھلیوں میں ہمیں گائیڈ کی ضرورت محسوس ہوا کرتی۔ ہماری آمد کی خبر پا کر (غالباً ہمیں متاثر کرنے کی غرض سے) حکومت ہند نے امتناع شراب کے احکامات جاری کر دیئے تھے۔ لیکن عزیزی کی وساطت سے ہمارے سپاہیوں کے لیے پینے پلانے کا انتظام ہو ہی جاتا ہے۔

تختِ طاؤس

ایک دفعہ جب ہم متواتر دس گھنٹے تختِ طاؤس پر بیٹھے رہے' تو عزیزی بولا

"معلوم ہوتا ہے کہ تخت طاؤس سے آپ کو بے حد اُنس ہو گیا ہے؟ اگر آپ کا اس درجہ طویل قیام تخت طاؤس کی وجہ سے ہے تو چشمِ ما روشن دلِ ماشاد۔ آپ اسے بخوشی لے جاسکتے ہیں۔"

ایسے خلوص و محبت سے کس کا دل نہ پسیج جاتا۔ ہم نے اسے یقین دلایا کہ ہم جب یہاں سے عازم ایران ہوئے' تخت طاؤس ہمراہ لے جائیں گے۔ ہم انکار کر کے اس کا دل نہیں دُکھانا چاہتے تھے۔

کچھ دیر سوچنے کے بعد اس نے پوچھا۔ "دلی کو اپنی ذات بے مثال سے محروم کرنے کی تاریخ سے مطلع فرمادیا جائے تاکہ اہل دلی کو بتا دیا جائے' وہ اس کے لیے گھڑیاں گن رہے ہیں۔"

"گھڑیاں کیوں گن رہے ہیں؟ کیا وہ ہم جیسے مشفق بزرگ کو بِن بلایا مہمان سمجھتے ہیں؟" ہم نے غیض و غضب میں فرمایا۔

"جی نہیں! آپ نے غلط سمجھا۔ وہ الوداعی پارٹیوں کا انتظام کرنا چاہتے ہیں۔" وہ بولا۔

"ہمیں ان گلیوں کو چھوڑنے کی کوئی ایسی جلدی نہیں' جن کے متعلق کوئی استاد ذوق شعر کہیں گے۔" ہم نے فرمایا۔

"یوں ٹھہرنے کو آپ چھ ماہ' سال' دس سال ٹھہریئے۔ بلکہ ایران کا دارالخلافہ دلی کو بنوا لیجیے۔" عزیزی بڑی محبت سے ملتمس ہوا۔

"دیکھا جائے گا۔۔۔۔" ہم نے محبت سے فرمایا۔

وہ گُلقند والا قصہ

بات کچھ بھی نہ تھی۔ مغلئی دستر خوان کی مرچیں ہمیں تیز معلوم ہوئیں' تو حلوے کے مرتبان کی طرف متوجہ ہوئے۔ بمشکل کوئی پاؤ بھر حلوہ کھا سکے ہوں گے کہ فرمانبردار خاں نے بڑی بد تمیزی سے مرتبان ہمارے ہاتھوں سے چھین لیا۔ اس معمولی سے واقعہ پر لوگوں نے اتنا لمبا چوڑا افسانہ تراش لیا۔ ہمیں ہرگز علم نہ تھا کہ مرتبان میں حلوے کی جگہ گلقند ہے اور اگر علم ہوتا بھی تو کیا فرق پڑ جاتا۔

ہُنوز دلّی دور است

اس فقرے کو ہم نے اہلِ دلّی کا تکیۂ کلام پایا۔ جب ہم خیبر میں تھے تو سنا تھا کہ ہمارے لیے ہنوز دلی دور تھی۔ جب لاہور پہنچے تب بھی دور رہی۔ لال قلعے میں پہنچ کر بھی لوگوں کا یہی خیال ہے کہ ہنوز دلّی دور است۔ اچھا بھئی چلو دلی دور است۔ بس!

مُحمّد شاہ کا دربار

مسز محمد شاہ لال قلعے میں اس دھوم دھڑلے سے رہتی ہیں کہ کانوں پڑی آواز سنائی نہیں دیتی۔ سیاسی دنگے فساد میں ہمیشہ ان کا ہاتھ ہوتا ہے۔ ملک کی خارجی اور اندرونی پالیسی (جب کبھی اتفاق سے ہوتی ہے) وہ خود ترتیب دیتی ہیں۔ یہاں تک کہ اعلیٰ حکام کی پوسٹنگ وغیرہ بھی وہ خود ہی کرتی ہیں۔ وہ فارسی' عربی' سنسکرت اور مدراسی بول سکتی ہیں۔ لیکن دیگر بیگمات کا خیال ہے کہ وہ سمجھ ایک زبان بھی نہیں سکتیں۔ (ویسے دیگر بیگمات کا ہمیشہ کچھ اور ہی خیال ہوا کرتا ہے)۔ درباری بیگمات بیحد ذہین ہیں۔ ایک برجیس جہاں بیگم نے برجس کو دیکھ کر چوڑی دار پاجامہ ایجاد کیا۔ دوسری نے ساڑھی کو شلوار سے ضرب دے کر دوپر تقسیم کر دیا اور غرارہ دریافت کیا۔۔۔ تعجب ہے کہ یہ خیال اسے علی الصبح غرارے کرتے وقت آیا۔

صبح شام شہر کی چیدہ چیدہ خواتین حاضر ہو کر آداب بجالاتی ہیں اور شہر کی دوسری چیدہ چیدہ خواتین کے بارے میں تازہ ترین افواہیں سناتی ہیں۔

عزیزی محمد شاہ بھی لال قلعے ہی میں وہیں کہیں رہتا ہے۔

اس کا خیال ہے کہ وہ ہندوستان کا بادشاہ ہے' لہٰذا اپنے تئیں شہنشاہِ ہند کہلاتا ہے۔ رنگین خواب دیکھتا ہے' رنگین لباس پہنتا ہے' رجعت پسند ادب اور تنزل پسند شاعری کا گرویدہ ہے۔ لیکن حرکتیں سب ترقی پسند کرتا ہے۔

کل وزیرِ جنگ نے بتایا کہ ملک کے کچھ اور حصوں نے خود مختاری کا اعلان کر دیا ہے۔ عزیزی محمد شاہ خوش ہو کر کہنے لگا: "اب ملک کا بیشتر حصہ خود مختار ہو چکا

ہے۔ جتنے صوبے اور ریاستیں خود مختار ہوں گی' اتنا ہی ہمارا کام کم ہو جائے گا۔ ملک کے ریاستوں میں بٹتے ہی ان کی ریاست ہائے متحدہ بنانے کا ارادہ رکھتا ہوں۔"

عزیزی کے تعلقات مرہٹوں کے ساتھ ضرورت سے زیادہ خوشگوار ہیں۔ جب مرہٹے بیکار ہوتے تو سیدھے دلّی آدھمکتے ہیں۔ پچھلے ماہ آئے تھے تو نربدا' چنبل اور مالوہ کے علاقے لے کر ٹلے۔ خیر! ہمیں کیا عزیزی جانے اور اس کا کام۔

ہندی فوج کو دیکھ کر ہمیں بڑی حیرت ہوئی۔ لڑنے جاتے ہیں تو پالکیوں میں بیٹھ کر۔ میدان جنگ میں ڈھال ملازم اٹھاتا ہے۔ ہر وقت صلح کے خواہاں ہیں۔ ہر سپاہی کی وردی مختلف ہے۔ کرنال میں ہم سے لڑنے آئے تو جیسے عید کے کپڑے پہن رکھے تھے— ہمیں زیادہ نکتہ چینی نہیں کرنی چاہیے۔ انسان خاک کا پتلا ہے۔

مِینا بازار اور ہم

محمد شاہ کے بزرگوں کے وقت سے رسم چلی آتی ہے کہ موسم بہار میں لال قلعے میں مینا بازار لگتا ہے' جس میں طرح طرح کی دکانیں سجائی جاتی ہیں۔ دکانوں سے زیادہ بیگمات سجتی ہیں اور مختلف اشیاء بازار سے چوگنے نرخ پر خریدتی ہیں۔ ان دنوں تو ذرا سے بہانے پر مینا بازار لگ جاتا ہے۔ ہماری طبیعت حاضر تھی۔ محمد شاہ سے مینا بازار دیکھنے کی خواہش ظاہر کی۔ اس نے ٹالنا چاہا۔ ہم نے اسے بتایا کہ ہم بزرگ بھی ہیں۔ وہ بولا کہ اگر آپ کو اتنا ہی شوق ہے' تو چند روز سمندِ شوق کو لگام دیجیے۔ اس مینا بازار کے ختم ہوتے ہی ایک مردانہ مینا بازار کا انتظام کرائے دیتا ہوں' جس میں سب مرد ہی مرد ہوں گے۔ پوچھا کہ ہم زنانہ شو میں کیوں نہیں جا سکتے؟ کہنے لگا کہ اس میں سوائے بادشاہِ ہند کے کسی کا گزر نہیں ہو سکتا۔ ہم نے فرمایا کہ کچھ دیر کے لیے ہمیں بادشاہِ ہند ہی سمجھ لیا جائے۔ آدمی عقلمند تھا' مان گیا۔ ہمارا فرزند علی قلی خاں' جو بائیس سال کا ہونے کے باوجود اپنے آپ کو نابالغ سمجھتا ہے اور اپنے ہم جنسوں کی صحبت کے بجائے عورتوں میں اٹھنے بیٹھنے کو ترجیح دیتا ہے' ہمارے ساتھ مینا بازار جانے پر مُصر ہوا۔ دیکھا کہ ہر طرف نازنینانِ گلبدن رنگ برنگے ملبوس پہنے چہلیں کر رہی ہیں۔ نہ نگاہیں نیچی ہیں' نہ دوپٹے کا خیال ہے۔ دیکھ کر آنکھوں میں خون اتر آیا

(آج صبح بھی ایک مرتبہ خون اترا تھا)۔ ہمارے بارے میں سب کو علم ہو چکا تھا۔ ہمیں گھیر لیا گیا' ہمارے آٹو گراف لیے گئے' ساتھ ساتھ مناسب اشعار لکھنے کو کہا گیا۔ ہم سے طرح طرح کے پریشان کن سوالات پوچھے گئے۔

ارادہ ہوا کہ کچھ زنانہ سامان آرائش ایران لے جانے کے لیے خریدیں' پھر سوچا ہمارے واپس پہنچتے پہنچتے فیشن نہ بدل جائے۔

ایک ماہ رُو نظر پڑی کہ کچھ سامان لیے جاتی ہے۔ ایک دکان کے سامنے اس نے آواز دی۔ قلی! قلی!! کیا دیکھتے ہیں کہ پسر ناخلف علی قلی خدا جانے کہاں سے بھاگتا ہوا آیا اور اس کا سامان اٹھالیا۔

"تم قلی ہو— ؟" اس نے پوچھا۔

"ہاں' بالکل—" علی قلی نے جواب دیا۔

اگرچہ ہم علی قلی کے اس قسم کے قلی بن جانے پر خفا تھے' مگر اس کی حس مزاح پر حیرت ہوئی' کیونکہ ہمارا خاندان اس حس سے بے بہرہ ہے۔ ہم میں خود مذاق برداشت کرنے کی تاب نہیں۔ کچھ دیر بعد جب غلطی کا ازالہ ہوا' تو نازنین بے حد محظوظ ہوئی اور بڑی معصومیت سے پوچھنے لگی: "آج شام کو آپ کیا کر رہے ہیں؟"

"کوئی خاص کام نہیں۔" علی قلی نے جواب دیا۔

"مست قلندر صاحب کے عرس پر ایک سرکس آیا ہوا ہے—" وہ بڑی معصومیت سے بولی۔

"میں پہلے شو کے لیے دو نشستیں بک کرالوں گا اور باہر ٹکٹ گھر کے پاس انتظار کروں گا۔ خدا حافظ! میرے ابا مجھے گھور رہے ہیں۔" علی قلی بھاگا۔

شام کو ہم اس کے کمرے میں گئے تو دیکھا کہ آئینے کے سامنے کھڑا مونچھیں تراش رہا ہے۔ باز پرس کی تو بولا عرس پر جا رہا ہوں۔ ہم نے پوچھا ٹکٹ کی قیمت کون دے گا؟ اس کے منہ سے نکل گیا کہ انکل محمد شاہ نے دو سیٹیں بک کرادی ہیں۔ پوچھا دوسری کس کے لیے ہے؟ تو چپ ہو گیا۔

"نامعقول! ایسے ہجوم میں جا کر خواہ مخواہ سکینڈل کرائے گا—" ہم نے گرج کر کہا۔ "کچھ ہماری پوزیشن ہی کا خیال کر—"

"اباجان میں وعدہ کر چکا ہوں ۔۔۔" اس نے ایسے عدم تشدد انہ انداز سے کہا کہ ہم لوٹ آئے۔

ہندی کلچر

ہندی کلچر کی بے حد تعریفیں سنی تھیں۔ چنانچہ دیکھنے کا شوق تھا (حملے کی ایک وجہ یہ بھی ہو سکتی تھی۔ فرمانبردار خاں کو وقت پر سوجھتی نہیں)۔

عزیزی محمد شاہ سے ذکر کیا۔ وہ بولا کلچر وغیرہ کا تو پتا نہیں۔ آپ نے ایگری کلچر سنا ہو گا۔ وہ البتہ مشہور ہے۔ ہم مُصر ہوئے تو کہنے لگا آپ سنی سنائی باتوں کا یقین نہ کیجیے۔ ویسے ہمارے ہاں چند ایک باتیں واقعی شہرۂ آفاق ہیں۔ ایک تو یہی قدیمی دواخانے، جن کے اشتہار آپ چپّے چپّے پر دیکھتے ہیں۔ دوسرے قدیم روایات جن کے لیے بھیس بدل کر شہر میں چلنا ہو گا۔ چنانچہ ہم دونوں گئے۔ ایک جگہ ایک شخص (جو کہ مدرّس تھا) بھینسوں کے آگے بین بجا رہا تھا اور بھینسیں متوجہ نہیں تھیں۔ ایک سیاسی جلسے میں بہت سے حضرات اپنے اپنے سامنے ڈیڑھ ڈیڑھ اینٹ رکھے عبادت میں مشغول تھے۔ وہیں ایک شخص باغیرت معلوم ہوتا تھا، چلّو میں پانی لیے ناک ڈبونے کی کوشش کر رہا تھا۔ ایک جگہ دو حکام شہر ایک پرندے کو کھینچ کر سیدھا کرنے کی کوشش کر رہے تھے۔ پرندہ الّو تھا۔ ایک نہایت ضعیف بزرگ قبر کے کنارے پاؤں لٹکائے نوجوانوں پر تنقید کر رہے تھے۔ محمد شاہ کے متعلق تو ہم کہہ نہیں سکتے، البتہ ہم از حد محظوظ ہوئے۔

علی قُلی کی گستاخی اور ہمارا تحمّل

آہستہ آہستہ برخوردار علی قلی اور اس لڑکی کا قصہ مشہور ہوتا جا رہا تھا۔ سوچا کہ اس معاملے کو فوراً ختم کیا جائے۔ چنانچہ اس کے کمرے میں گئے، وہ آئینے کے سامنے کھڑا بال گھنگھریالے بنانے کی کوشش کر رہا تھا۔ ہمیں دیکھ کر بولا: "اباجان! معاف فرمائیے، دروازہ کھٹکھٹائے بغیر اندر آنا موجودہ آداب کے خلاف ہے۔"

ہمیں سخت غصہ آیا۔ یہ نئی پود ہمیں آداب سکھائے گی۔ یہ لڑکا دن بدن بگڑتا جا رہا ہے۔

"ہم تجھے جگالی کرتے دیکھ رہے ہیں — جب سے دلّی آیا ہے منہ چلتا رہتا ہے۔ کیا ہے تیرے منہ میں —؟"

"پان کھا رہا ہوں۔ کسی نے دیا تھا۔" وہ بولا۔

"یہ کسی کون ہے؟ وہی عرس والی لڑکی تو نہیں — وہ تو بے حد معمولی سی ہے —" ہم نے فرمایا۔

"اباجان اس کی ٹھوڑی پر جو وہ خوشنما تِل ہے' وہ نہایت بھلا معلوم ہوتا ہے۔"

"مصیبت تو یہ ہے کہ آج کل کے نوجوان ایک خوش نما تِل پر عاشق ہو کر سالم لڑکی سے شادی کر بیٹھتے ہیں —"

"اباجان محبت بہت بری چیز ہے —" وہ سرد آہ کھینچ کر بولا۔

"تو سپاہی ہے' تجھے تلوار اور گھوڑے سے محبت ہونی چاہیے۔ ہم خود گھوڑوں کو چاہتے ہیں۔ گھوڑے جب پیار کریں تو ساڑھیوں اور زیورات کی فرمائش نہیں کرتے۔"

"اباجان بات دراصل یہ ہے کہ مجھے — اس سے —"

"خبردار! گستاخی کرتا ہے۔ جانتا نہیں کہ تو نادر شاہ ابنِ شمشیر ابنِ شمشیر کی اولاد ناخلف ہے؟"

"آپ کا مطلب ہے کہ داداجان کا نام شمشیر تھا؟ شمشیر شاہ —؟"

"ابے گستاخ! شمشیر سے مراد تلوار ہے' سمجھا؟"

"سمجھ گیا — اباجان کیا آپ مجھے چار روپے آٹھ آنے دے سکیں گے۔ سرکس کے لیے؟"

ایسے نالائق کو ہم اور کیا کہہ سکتے تھے۔

ہمارا اصلاحات رائج کرنا

مصاحبِ حضوری حقّہ بردار خاں معروض ہوا کہ شہنشاہوں کا رواج رہا ہے کہ رعایا کی بہبود کے لیے حسبِ توفیق اصلاحات نافذ کرتے ہیں۔ کیا ہی اچھا ہو کہ ہم

بھی چند مفید اصلاحات عمل میں لائیں، تاکہ اہل ہند ہمیں رہتی دنیا تک یاد کیا کریں۔ ہم حیران ہوئے، کیونکہ ہمارے خیال میں ہماری ہر حرکت میں اہل ہند کے لیے کوئی نہ کوئی اصلاح پوشیدہ تھی۔ جب دیکھا کہ وہ پیچھا ہی نہیں چھوڑتا، تو کافی غور و خوض کے بعد مندرجہ ذیل فہرست مرتّب فرمائی:

1۔ درۂ خیبر کو ڈھا کر ہموار کرایا جائے۔ وہاں سے دلّی تک دس دس میل کے فاصلے پر عالی شان سرائیں تعمیر کرائی جائیں، تاکہ حملہ آوروں کو کسی دقت کا سامنا نہ ہو۔ سڑک پر جگہ جگہ "خوش آمدید" نصب کیا جائے۔ ساتھ ہی ایک محکمہ کھولا جائے، جو دوسرے ملکوں میں نشر و اشاعت کے ذریعے لوگوں کو ہند میں آنے کی ترغیب دے۔

2۔ ستلج اور جمنا کے درمیان ایک وسیع علاقہ خشک اور غیر آباد پڑا ہے۔ اس قطعے کو سیراب کرنے کے لیے ایک عظیم الشان دریا کھدوایا جائے۔

3۔ ہند کے تاریخی مقامات ملک بھر میں بکھرے ہوئے ہیں۔ سیاحوں کو بڑی قباحت کا سامنا کرنا پڑتا ہے۔ تاج محل آگرے میں ہے، غار ہائے الورا الورا میں، تو جہانگیر کا مقبرہ لاہور میں۔ ان ساری تاریخی عمارات کو منہدم کرا کے دلّی میں (کہ مرکزی مقام ہے) دوبارہ تعمیر کرایا جائے، تاکہ سب کچھ بیک وقت دیکھا جاسکے۔

4۔ ہر سال درخت اکھاڑنے کا ہفتہ بڑے زور شور سے منایا جائے۔

5۔ قطب صاحب کی لاٹھ کا نام تبدیل کر کے اگلے حملہ آور کے آنے تک نادر شاہ کی لاٹھ رکھا جائے، تاکہ لوگوں کو حملہ آوروں کے نام بآسانی یاد رہ سکیں اور تاریخ ہند مرتّب کرنے میں آسانی ہو۔

وہ اصلاحات گنانے بیٹھیں، جو ہم نے اس مختصر سے قیام میں نافذ کرائیں تو بیشمار ہیں۔ ہمیں یاد بھی نہیں رہیں۔ مثلاً بارہ دری کی جگہ تیرہ دری بھی تعمیر کرائی جائیں، جنگل میں منگل ہی نہیں بدھ بھی منایا جائے۔ وغیرہ وغیرہ۔

محبت اور شادی کے متعلق ہمارے خیالات

ہمارے خیال میں اگر محبت کو شادی سے اور شادی کو محبت سے دور رکھا

جائے تو دونوں نہایت مفید چیزیں ہیں۔ لیکن نوجوان بڑی جلد بازی سے کام لیتے ہیں۔ دوسروں کے تجربے سے مستفیض نہیں ہوتے۔ نتیجہ یہ ہوتا ہے کہ خواہ مخواہ شادی مول لے بیٹھتے ہیں۔

اکثر مشاہدے میں آیا ہے کہ جو لوگ شادی سے پہلے پچھتاتے تھے' وہ شادی کے بعد بھی خوب پچھتاتے ہیں۔ ہم کبھی نہیں پچھتائے' حالانکہ ہم کسی زمانے میں بڑے بانکے البیلے نوجوان مشہور تھے۔

جب ہمیں معلوم ہوا کہ برخوردار علی قلی شادی پر تُلا بیٹھا ہے تو ارادہ ہوا کہ اسے من مانی کرنے دیں۔ کیا یاد کرے گا۔ لیکن انہی دنوں ہم ایک ایسی حرکت کے مرتکب ہوئے' جو ہم جیسے بزرگ کی شان کے شایاں ہرگز نہ تھی۔ ویسے ہم چھپ کر کسی کی باتیں سننے کے عادی نہیں ہیں۔ اس روز نہ جانے کیونکر ہم نے یہ برداشت کیا اور اوٹ سے ان دونوں کی گفتگو سنی۔

لڑکی نے برخوردار علی قلی کی آمدنی کے متعلق پوچھا۔ علی قلی نے ہمارا حوالہ دیا کہ والد بزرگ شہنشاہ ہیں۔ وہ بولی "شہزادوں کی تو خدا کے فضل سے یہاں بھی کوئی کمی نہیں۔ ہر تیسرا نوجوان شہزادہ ہے۔ بلکہ غیر شہزادہ ہونا زیادہ اہمیت رکھتا ہے۔"

"ہمارے ملک میں تیل کے چشمے۔" علی قلی کا یہ کہنا تھا کہ لڑکی کی باچھیں کِھل گئیں۔

"تمہارے کنبے کے متعلق امی پوچھ رہی تھیں۔ تم مغل ہو؟"

"مغل وغیرہ کا تو پتا نہیں' ویسے ہم ابنِ شمشیر ابنِ شمشیر ہوتے ہیں——" علی قلی نے جواب دیا۔

"بہر حال ہمارے کنبے والے ایران سے تمہارے چال چلن کی تصدیق کرائیں گے۔"

"چال تو میں ابھی چل کر دکھا دیتا ہوں——" علی قلی نے بھول پن سے کہا—— "رہ گیا چلن —— شادی کے بعد ایران چلو گی تو وہ وہاں دیکھ لینا——"

"ایران جانا تو ذرا مشکل ہے' کیونکہ امی جان مجھے بے حد چاہتی ہیں۔ وہ کہتی

ہیں کہ شہزادہ علی قلی ہر سال ایک ماہ کی چھٹی لے کر آجایا کرے گا۔ یا یوں ہو کہ ابا جان شہنشاہ محمد شاہ سے مل کر تمہیں کوئی ریاست الاٹ کرادیں۔"

"تجویز تو یہ بھی اچھی ہے—" وہ ناخلف بولا۔ "لیکن اگر میں ایران چلا گیا' تو تم اداس رہا کرو گی—"

"تم اس کی فکر نہ کرو' ہمارے ہاں کافی شہزادوں کا آنا جانا ہے۔"

علی قلی بگڑنے لگا "تم پرسوں شام کس شہزادے کے ساتھ ہمایوں کے مقبرے کی طرف گئی تھیں؟"

"وہ تو بھائی جان کے دوست ہیں۔ ان کی پالکی بالکل نئے ماڈل کی ہے۔ تمہارے ساتھ پیدل چلنا پڑتا ہے اور شام کا لباس خراب ہو جاتا ہے۔"

ہم بقیہ گفتگو سنے بغیر تشریف لے آئے۔

علی قُلی کا علاج

ہمیں یقین ہو چکا تھا کہ یہ لڑکی بہت زیادہ ماڈرن خیالات کی ہے۔ بیچارے علی قلی کو وہ تگنی کا ناچ نچائے گی کہ نرا زن مرید بن کر رہ جائے گا۔ ہم نے برخوردار خاں فیلسوف سے ذکر کیا۔ اس نے بڑے پتے کی بات کہی۔ یہی کہ وہ دونوں محض فلرٹ کر رہے ہیں۔ سنجیدہ کوئی بھی نہیں ہے۔ علی قلی لڑکی سے ہمیشہ شام کو ملتا ہے اور شام کو اس کے سانس میں مئے رنگیں کی بو ہوتی ہے۔ جسے وہ الائچی یا پان سے چھپانے کی کوشش کرتا ہے۔ ایک روز اس کی پوستین سے پوست کی کافی مقدار برآمد ہوئی۔

ہمارا تجربہ ہے کہ غروب آفتاب کے بعد قندیلوں کی جھلملاتی روشنی میں سب لڑکیاں حسین معلوم ہوتی ہیں۔ خصوصاً چند گھونٹ بادۂ رنگیں چڑھا لینے کے بعد۔

ہم نے درویش کامل شیخ بوٹا شجرپوری کا نسخہ نکالا' جو انہوں نے محبت اتارنے کے سلسلے میں بتایا تھا۔ اسے علی قلی پر آزمایا اور تیر بہدف پایا۔ شام ہوتے ہی علی قلی کو کہیں باہر کام پر بھیج دیا جاتا۔ پینا پلانا چھڑوا دیا گیا۔ لڑکی لگاتار علی الصبح اسے

دکھائی گئی۔ سورج کی روشنی میں جب علی قلی نے لڑکی کی اصل شکل بغیر میک اپ کے دیکھی، تو بہت سے رازہائے پنہاں آشکار ہوئے۔ چند ہی دنوں میں ایسا بدلا کہ لڑکی سے کوسوں دور بھاگنے لگا۔ دلی کا رُخ ہی نہ کرتا تھا۔ بلکہ ایک روز معروض ہوا کہ میں تارک الدنیا بننا چاہتا ہوں۔ ہم نے اسے منع کر دیا۔

شیخ بوٹا شجرپوری کے بقیہ نسخے بھی استعمال کریں گے، انشاءاللہ!

ہند کے بادشاہ گر

ہند کے دو بادشاہ گر۔۔۔ سید برادرز (حسین علی خاں اور پتا نہیں کیا علی خاں) تقریباً ہر روز پریس کانفرنس منعقد کرتے اور انواع و اقسام کے بیان دیتے۔ چونکہ پریس ان کے ہاتھ میں تھا، اس لیے ملک کی سیاست پر پورا قابو تھا۔ دونوں بھائی اکثر دورے پر رہتے تھے۔ اس لیے ہماری خدمت میں حاضر نہ ہو سکے۔ ایک روز ہم نے بازار میں ایک بورڈ دیکھا جس پر "اصلی شہنشاہی بادشاہ گران مملکتِ ہند" لکھا تھا۔ اوقاتِ ملاقات اور مشورے کی فیس بھی درج تھی۔ ہم نے انہیں اپنے دیدار سے سرفراز فرمایا اور انہیں بلا کا چست و چالاک و چار سو بیس پایا۔ کاش! کہ ہم ایسے سمارٹ لوگوں کو اپنے ساتھ لے جا سکتے۔ محمد شاہ سے کہا کہ ہمیں ایک جوڑی بادشاہ گر درکار ہیں۔ وہ ملتمس ہوا کہ "ان ہی کے دم سے تو دلی میں رونق ہے۔ لہٰذا انہیں چھوڑ جائیے۔ گداگر البتہ حاضر ہیں۔"

"وہ تو ہم ملتان سے خود لے سکتے ہیں۔۔۔" ہم نے فرمایا۔

ایک رفیقِ دیرینہ سے ملاقات

چاندنی چوک سے گزر رہے تھے کہ شور و غل سنائی دیا۔ دیکھتے ہیں کہ بہت بڑا جلوس آ رہا ہے۔ آگے آگے ہاروں سے لدا ہوا ایک شخص ہے کہ شکل اس کی زمانہ ساز خاں سے ملتی ہے۔ یہ زمانہ ساز خاں ہی تھا۔ ہمیں پہچان گیا۔ معانقہ کیا۔ معلوم ہوا کہ ملک کے بڑے لیڈروں میں شمار ہوتا ہے۔ خدا کی شان کہ یہی زمانہ ساز خاں کبھی زمانے کی ٹھوکریں کھاتا اور بھیڑوں کی اُون تراشتا۔ آج اس شان و شوکت سے نکلتا

ہے کہ شہنشاہ دیکھیں تو رشک کریں۔ شام کو ہم نے اسے مدعو کر کے اس کی عزت افزائی فرمائی۔ اور اس حیرت انگیز ترقی کی وجہ پوچھی۔ کہنے لگا کہ اس کی زندگی قربانیوں کا مرقع رہی ہے' ملک اور قوم کی خدمت کر کے اس رُتبے کو پہنچا ہے۔ شراب کا دور چلا تو بہت جلد آؤٹ ہو گیا۔ ہمارے دوبارہ استفسار کرنے پر اصلی بھید کھلا۔ اس نے اقبال کیا کہ ایران سے یہاں آ کر بکریوں کی اُون تراشنے کی کوشش کی۔ لیکن کامیابی نہ ہوئی۔ پھر پوسٹر چسپاں کرنے پر ملازم ہوا۔ ایک روز شومئی قسمت سے کوئی خاص پوسٹر لگاتے ہوئے گرفتار کر لیا گیا۔ صاحبِ پوسٹر سے جیل میں تعارف ہوا۔ رہائی کے بعد انہوں نے ایک سیاسی جلسے میں بلایا۔ سٹیج کے قریب یہ دھواں دھار تقریر سننے میں ہمہ تن گوش تھا (جو خاک سمجھ میں نہیں آ رہی تھی) کہ لاٹھی چارج کی مہیب صدا کانوں میں پڑی۔ گھڑی بھر میں افراتفری مچ گئی۔ چنانچہ مخالف سمت میں جست لگائی اور اتفاقاً سٹیج پر اپنے تئیں کھڑے پایا۔

گرفتاری شروع ہوئی تو غلطی سے لیڈروں کے ساتھ دھر لیا گیا۔ جیل میں سیاسی قیدیوں والا سلوک ہوا جو کہ نہایت تسلی بخش تھا۔ رہائی ہوئی تو پبلک نے جھنڈوں' بینڈ باجوں' نعروں اور آتش بازی سے استقبال کیا۔ شہر بھر میں جلوس نکلا۔ گھر پہنچا تو بالکل جی نہ لگتا تھا۔ اگلے ہفتے سیاسی جلسے میں دانستہ طور پر سٹیج کے قریب رہا' لاٹھی چارج ہوتے ہی فوراً لیڈروں میں گھس گیا تاکہ گرفتاری کے وقت آسانی سے دستیاب ہو سکے۔ بڑے گھر میں قیام و طعام کا انتظام گھر سے کئی درجے بہتر تھا۔ چنانچہ تقریباً ہر ماہ یہی تماشا ہوتا۔ پبلک بھی اسے بار بار دیکھ کر نوٹس لینے لگی۔ اسے بھی محسوس ہونے لگا کہ آہستہ آہستہ وہ کچھ لیڈر سا بنتا جا رہا ہے۔ اب اس نے سنجیدگی سے کام شروع کیا۔ کتابوں سے تقریریں نقل کرنے لگا۔ آئینے کے سامنے مشق شروع کر دی۔

خدا نے دن پھیرے اور وہ لیڈروں میں شمار کیا جانے لگا۔

ہم نے یہ سنا تو رشک و حسد کے جذبات محسوس فرمائے۔ پھر سوچا کہ موجودہ پوزیشن بھی کوئی خاص بری نہیں ہے۔ زمانہ ساز خاں معروض ہوا کہ "برخوردار علی قلی خاں کچھ کچھ پرولتاری سا معلوم ہوتا ہے۔ کیوں نہ اس کو اسی

لائن پر ڈال دیں۔" ہم نے فرمایا کہ "علی قلی خاں روپے پیسے والا ہے۔ یہ تو جب چاہے لیڈر بن سکتا ہے۔" وہ ملتمس ہوا کہ "یہ بھی درست ہے لیکن فی زمانہ لیڈری افضل ترین پیشہ ہے۔" ہم نے بات کاٹی اور فرمایا کہ "نہیں لیڈری نمبر دو ہے اور پیری مریدی نمبر ایک۔"

ہمارا مقامی سیاست میں حصہ لینا

ان دنوں ایک الیکشن زوروں پر تھا۔ الّو شناس معروض ہوا کہ ہم دلّی میں اس قدر مقبول ہو چکے ہیں کہ خواہ کسی ٹکٹ پر کھڑے ہو جائیں' انشاء اللہ کامیاب ہوں گے۔ بادشاہ گروں سے مشورہ لینا بیکار تھا۔ کیونکہ الیکشن کے معاملے میں وہ بالکل یوں ہی تھے۔ ایک ایک ٹکٹ پر لاتعداد امیدواروں کو نامزد کر دیتے تھے۔ یہاں تک کہ بعض اوقات امیدواروں کی تعداد رائے دہندگان سے زیادہ ہو جاتی۔ لطف یہ تھا کہ ہمارے مقابلے میں محمد شاہ بھی تھا۔ فرمانبردار خاں نے حسب معمول نہایت مایوس کن خبریں سنائیں۔ جب ہم نے اس کو برا بھلا کہا' تو وہ بھی مان گیا کہ واقعی ہم شہر میں بے حد ہر دلعزیز ہیں اور الیکشن میں ضرور کامیاب ہوں گے۔ یہ شخص آہستہ آہستہ ہمارے مزاج سے واقف ہوتا جا رہا ہے۔

سات امیدواروں سے دو کو زرِ کثیر تحفتاً دے کر بٹھایا گیا۔ تیسرے کو ڈرا دھمکا کر علیحدہ کیا۔ چوتھے کو سفیر بنا کر باہر بھجوانا پڑا۔ دو کمال درجہ ضدی نکلے۔ ایک کو زدوکوب کرایا تو مانا' دوسرے نے مشکوک حالات میں داعیٔ اجل کو لبیک کہا۔ رائے شماری شروع ہوئی۔ حقّہ بردار خاں نے شہر بھر کی دعوت کی۔ لوگوں کو تحفے اور زرِ نقد دیا۔ رائے دینے والوں کو طرح طرح سے خوش کیا۔ اتنی خاطر تواضع کے بعد بھی کوئی بدتمیز نہ مانتا تو اسے ڈنڈے کے زور سے منوایا جاتا کہ ہم سچ مچ ہر دلعزیز ہیں۔ ہم جیت تو گئے لیکن اخراجات کی تفصیل دیکھی تو ازحد پشیمان ہوئے۔ افسوس بھی ہوا کہ ناحق ذرا سی خوش وقتی کی خاطر اتنا روپیہ اور وقت برباد کیا۔ معلوم ہوا کہ ہند میں ہر صاحب دولت کی سب سے بڑی خواہش ہوتی ہے کہ الیکشن لڑے۔ سیاسی معاملات میں یہ لوگ بالکل سنجیدہ نہیں ہوتے۔ نتیجے سے زیادہ وقتی ہنگامے کی پروا

کرتے ہیں اور محظوظ ہوتے ہیں۔

ملک ملک کا رواج ہے صاحب۔

دلّی میں سیٹل ہونے کا ارادہ

اُلّو شناس نے مشورہ دیا کہ دنیا میں یوں مارے مارے پھرنے کے بجائے کیوں نہ ہم ایک اچھی سی مملکت میں باقاعدہ سیٹل ہو جائیں۔ یہ حقیقت ہے کہ اب تک ہماری حیثیت مانند ایک رفیوجی کے رہی ہے۔ ہم نے عزیزی محمد شاہ سے ذکر کیا اور رہائش کے لیے لال قلعہ الاٹ کروانے کی خواہش ظاہر کی۔ وہ بولا۔ ''لال قلعے میں تو ہم رہتے ہیں۔ آپ قطب صاحب کی لاٹھ الاٹ کرا لیجیے یا شاہی مسجد۔''

ہم نے انکار فرمایا اور اپنے مہاجر ہونے کی اہمیت جتائی۔ وہ بولا، ہم لوگ بھی تو مہاجر ہیں، ہمارے آباؤ اجداد وسط ایشیا سے آئے تھے۔ ہم نے بہتیرا سمجھایا کہ وہ مقامی مہاجر ہیں اور ہم نو وارد ہیں، جنہیں اب تک نہیں بسایا گیا۔ اس نے گستاخانہ کہا۔ یوں تو حضرت آدمؑ بھی مہاجر تھے کہ بہشت چھوڑ کر آئے تھے۔

ہمیں سخت غصہ آیا، لیکن فوراً اتر گیا۔ پتا نہیں کیا بات ہے کہ ہند میں کچھ عرصہ رہنے کے بعد وہ پہلے جیسا غصہ ہی نہیں آتا۔ لیکن محمد شاہ کو اس گستاخی کی سزا اسی شام کو مل گئی۔ الّو شناس بھاگا بھاگا آیا۔ بولا، محمد شاہ خزانے میں ہے اور زرو جواہرات ادھر ادھر چھپا رہا ہے۔ ہم فوراً موقع پر پہنچے۔ ہمارے دیکھتے دیکھتے اس نے ایک وزنی سی چیز اپنی پگڑی میں چھپالی۔ ہند کے رواج کے مطابق ہم نے ازراہِ مروت فرمایا کہ آج سے محمد شاہ اور ہم بھائی بھائی ہیں، لہٰذا ہم دونوں اپنی پگڑیاں بدلیں گے۔

غالباً یہ محض اتفاق تھا کہ اس کی پگڑی سے کوہِ نور ہیرا برآمد ہوا۔

ہندی وزراء سے شکر رنجی

الّو شناس اور محمد شاہ کے وزراء کی ناچاقی کی وجہ دو کروڑ کی وہ رقم تھی جو شاہی ایلچی ہمارے لیے کرنال میں لے کر آیا تھا۔ وزراء کا اصرار تھا کہ رقم ادا ہو چکی

ہے۔ الّو شناس انکار کرتا تھا اور یہ بھی کہتا تھا کہ رقم دو کروڑ نہیں ڈھائی کروڑ تھی۔ ایلچی اسی کشمکش میں اللہ کو پیارا ہو چکا تھا۔ ہم نے محمد شاہ سے فرمایا کہ روپیہ پیسہ ہاتھ کا میل ہے' لہٰذا شاہی خزانے سے رقم چکا دی جائے۔ رقم ادا کر دی گئی۔ لیکن شکر رنجی نہ گئی۔ معلوم ہوتا ہے کہ محمد شاہ اپنے وزیروں سے ڈرتا ہے۔ کہنے لگا۔ اہلِ دربار کی التجا ہے کہ اس مرتبہ آپ سے رسید لکھوالی جائے۔ ہم مان گئے۔ ڈھائی کروڑ کی رسید تیار کی گئی۔ ہم نے دستخط شروع کیے' ابھی چوتھی مرتبہ ہی ابن شمشیر لکھا ہوگا کہ وہ گھبرا گئے اور کہنے لگے کہ کاغذ چھوٹا ہے' دستخط مختصر ہونے چاہئیں۔ عزیزی محمد شاہ کے دستخط تو بے حد مختصر ہیں' اس نے شکستہ حروف میں محض ''ایم۔ ایس رنگیلا'' لکھا۔

اب کم بخت محرر کہیں سے آمرا۔ معروض ہوا کہ محاسبِ اعلیٰ کے اعتراض سے بچنے کے لیے رسید پر ایک آنے کا ٹکٹ چسپاں کیا جائے۔ ٹکٹ لگایا تو معلوم ہوا کہ یہ غلط ٹکٹ تھا۔ ڈاک خانے کا نہیں محکمۂ مال کا ٹکٹ ہونا چاہیے۔ پھر کسی نے کہا کہ ایک آنے کا نہیں' دو آنے کا ٹکٹ لگے گا۔ مجبوراً اپنی جیب سے دو آنے دیئے۔ اس دفتری کارروائی سے طبیعت بدمزہ سی ہو گئی اور ساڑھے چار کروڑ کا لطف نہ آیا۔

''ایسے لاجواب وزیر تم نے کہاں سے حاصل کیے؟'' ہم نے پوچھا۔

''وزیرستان سے۔'' وہ بولا۔

''اور یہ وزیر آباد کیا ہے؟''

''یہ یونہی ہے۔''

ایک باکمال بزرگ

قطب الدین خاں جاگیردار کے ہاں شادی پر گئے۔ دُولہا کی عجیب دُرگت بنی۔ عورتیں پہلے تو اسے برا بھلا کہتی رہیں' پھر زدوکوب کرنے لگیں اور وہ تھا کہ چپ چاپ بیٹھا تھا۔ سوچا کہ شاید اَن بن ہو گئی ہے۔ لیکن معلوم ہوا کہ شادی کی رسمیں ادا ہو رہی ہیں۔ لاحول پڑھی۔

نکاح سے قبل ہم نے دُولہا سے دریافت کیا کہ اس کی آخری خواہش کیا ہے، تاکہ پوری کروادی جائے۔ وہیں ایک لنگوٹی پوش بزرگ کو دیکھا کہ لمبا سا عصا ہاتھ میں لیے خاموش بیٹھے ہیں۔ کسی کو علم نہ تھا کہ یہ رہتے کہاں ہیں اور کیا کرتے ہیں۔ لیکن کہیں شادی ہو تو ضرور آتے ہیں۔ نکاح شروع ہوا تو ذرا قریب آگئے۔ جب دُولہا نے ''قبول کیا'' کہا تو بزرگ نے ڈنڈا اچھال کر ''پھنس گیا'' کا نعرہ لگایا اور غائب ہوگئے۔ معلوم ہوا کہ ہر شادی میں وہ اسی طرح کرتے ہیں۔

تعجب ہے کہ ہند میں ایسے ایسے باکمال بزرگ بھی موجود ہیں۔

مینا بازاروں کی بھرمار

اب تو مینا بازار ہر ہفتے لگنے لگا۔ ملک کے مختلف حصوں سے خواتین آرائشی سامان خریدنے کے بہانے آتیں، اپنی دختران وغیرہ کو بھی ساتھ لاتیں۔ نہ جانے کس نے اُڑادی تھی کہ یا تو خدانخواستہ ہم ایک اور شادی کریں گے یا برخوردار علی قلی خاں منگنی کرائے گا۔ لیکن ہم خواتین سے دور ہی رہتے۔ برخوردار علی قلی خاں کو بھی دور دور رکھتے۔ ہم شادی برائے شادی کے ہرگز قائل نہیں ہیں۔

خواتین سے دور رہنے کی ایک اور وجہ بھی تھی کہ ان کے قریب رہ کر ہمیں دیدے مٹکانے، ہاتھ نچانے اور انگلی سے ناک چھو کر بات کرنے کی عادت پڑگئی تھی۔ دورانِ گفتگو ہمارے منہ سے غیر شعوری طور پر اُف، اُوئی، اللہ، توبہ ہائے، نگوڑا وغیرہ جیسے کلمات بھی نکل جاتے جس سے بعد میں پشیمانی ہوتی۔ ہم زیورات، کپڑوں اور ساس بہو کے قضیوں میں بھی دلچسپی لینے لگے تھے۔ ذرا ذرا سی باتوں پر جھنجھلا اٹھتے۔ بات بات پر لڑنے کو تیار ہوجاتے۔ چنانچہ جب کسی خاتون نے ایک مینا بازار میں ہم سے حملہ آوری کی وجہ پوچھی تو ہم نے پہلے تو بھرے بازار میں اسے کوسنے دیئے کہ اگر ہم نہ آتے تو کوئی اور آجاتا۔ پھر فائل منگا کر وہ تمام کانفیڈنشل خطوط دکھائے، جو ہندی امراء نے وقتاً فوقتاً ہمیں لکھے تھے اور ہمیں حملہ کرنے کا مشورہ دیا تھا (ہماری حملہ آوری کی ایک یہ وجہ بھی ہوسکتی تھی، جو فرمانبردار خاں کو یاد نہ رہی)۔

جنوبی ہند سے وفد

جنوبی ہند سے ایک وفد برائے نادریار جنگ بہادر آیا۔ ہم بہادر ضرور ہیں' جنگ کا بھی شوق ہے لیکن یار وغیرہ کسی کے نہیں ہیں۔ انہیں گلہ تھا کہ خیبر سے آنے والے حملہ آور دلّی تک آتے ہیں اور وہیں کے ہو رہتے ہیں۔ جنوب کو بھولے سے بھی نہیں نوازتے۔ ہم چونکہ سیٹل ہونے کے اہم مسئلے پر غور فرما رہے تھے' اس لیے معذوری ظاہر کی۔ انہوں نے التجا کی کہ شبیہ مبارک کی ایک تصویر ہی عنایت فرمائی جائے' تاکہ کیلنڈروں' جنتریوں میں چھپوا سکیں۔ ہندی بادشاہ تصویر اترواتے وقت ہاتھ میں ایک پھول پکڑ کر سونگھتے ہیں۔ ہم نے جدت پیدا کی اور دونوں ہاتھوں میں دو پھول پکڑ کر سونگھے۔

ایک ترقی یافتہ خاتون

ہمارا اور محمد شاہ کے دربار کی ایک ترقی پسند خاتون کا قصہ بہت بڑھا چڑھا کر بیان کیا گیا ہے۔ یہ بیان بالکل بے بنیاد ہے کہ ہمیں اس سے لگاؤ تھا۔ دراصل ہمیں تمباکو' شراب' محبت و دیگر منشیات سے بچپن سے نفرت رہی ہے۔ خاتونِ موصوف کو گانے بجانے کا شوق تھا اور ہمیں گانے بجانے سے شغف ہو چلا تھا۔ دربار میں اس نے "نے تاب وصل دارم نے طاقتِ جدائی" والی رُباعی کچھ ایسے انداز سے گائی کہ یار لوگوں کو شبہ ہوا اور افواہیں اڑنے لگیں۔ شروع شروع میں تو ہمارا خیال اس کی جانب رہا' لیکن پھر الّو شناس کے سمجھانے پر سنبھل گئے۔ اس نے بتایا کہ بالائی طبقے میں لڑکیوں کا ایک مدرسۂ فکر ایسا بھی ہے' جو چہلیں تو کرتی ہیں نوجوانوں سے اور شادی کرتی ہیں بوڑھے امیروں سے' خواہ ان کی پہلی بیویوں کی تعداد کتنی ہی ہو۔ کبھی کبھار بوڑھے کے پروگرام میں شریک ہو گئیں' لیکن زیادہ وقت کزنوں کے ساتھ گزارا۔ ایسا کرنے میں وہ اپنے آپ کو اس لیے حق بجانب سمجھتی ہیں کہ نوجوانوں کے پاس روپیہ نہیں ہے اور بوڑھوں کے پاس ہے اور باقی چیزیں آنی جانی ہیں۔

ایک روز ہم چڑ گئے۔ اس نے ایک غزل گائی' جس کے شروع کے بول تھے:

زلفِ مشکیں میں پیچ و خم آیا　　ساٹھویں سال میں قدم آیا
غمزہ و ناز و دلستانی کی　　آمد آمد ہوئی جوانی کی

ہند میں ساٹھ برس کی عمر میں اکثر لوگ سٹھیا جاتے ہیں۔ ہم ساٹھ کے نہ تھے، مگر سمجھ گئے کہ وار ہم پر ہوا ہے۔ دیر تک آئینے کے سامنے کھڑے رہے۔ لیکن قطعی رائے قائم نہ کر سکے۔ فرمانبردار خاں سے اپنی شکل و صورت کے متعلق دریافت کیا' اس نے حسب معمول نہایت گستاخ و مایوس کن جملے کہے۔ طیش میں آکر اُسے دُرّے لگوانے کا قصد کیا۔ پھر خیال آیا کہ فرمانبردار خاں تو پہلے سے ہی دُرّانی ہے۔ چنانچہ اسے معاف کیا اور الّو شناس کو بلایا۔ وہ نمک خوار دست بستہ معروض ہوا کہ رُوئے پُرنور پر وہ پُر ہیبت جلال طاری ہے کہ نگاہیں اوپر نہیں اٹھتیں۔ لہٰذا شکل و صورت کا سوال ہی پیدا نہیں ہوتا۔ اس فقرے سے بھی ہماری تسلی نہیں ہوئی۔

پھر ہمیں معلوم ہوا کہ سارے معاملے میں مسز محمد شاہ کا ہاتھ ہے۔ محمد شاہ خود ترقی پسند ہے۔ لہٰذا خاتون موصوف میں ضرورت سے زیادہ دلچسپی لیتا رہا ہے۔ عورتوں کا حسد مشہور ہے۔ مسز محمد شاہ ہمیں اس عمر میں بے وقوف بنانا چاہتی ہے کہ ہم اس طرار حسینہ کو اپنے ہمراہ ایران لے جائیں۔ ہم بھانپ گئے اور اس سے دور دور رہنے لگے۔ خاتون مذکور ہماری بے اعتنائی سے چراغ پا ہو گئی اور ایک جلسے میں ہمارے رجعت پسند ہونے کا اعلان کر کے ہم سے مکمل بائیکاٹ کر دیا۔

خیر رسیدہ بود بلائے ولے بخیر گذشت

جامعۂ فُرقانی

آج صبح مُلّا فرقان اللہ بِن برہان اللہ کہ مقامی جامعۂ فرقانی کا صدر ہے' 'آستاں بوسی کے لئے حاضر ہوا اور ملتمس ہوا کہ جامعہ ہم کو ایک اعزازی سند دے کر عزت افزائی (اپنی) کرنا چاہتا ہے۔ جامعہ میں پورا کورس چھ برس کا ہے۔ بعض فارغ البال اور نیک نفس والدین کے بچے یہ کورس دس بارہ سال میں کرتے ہیں۔ ان طلباء کو خلیفہ کہا جاتا ہے۔ اگر کوئی بچہ کورس کے اختتام سے پہلے بھاگ جائے تو اس کو صرف علّامہ کی سند ملتی ہے۔ کورس پورا کرلے تو علّامتہ الدہر کہلاتا ہے۔ دوسری

سندیں مثلاً ابوالبرکات' ابوالافضال' ابوالفضیلت عموماً سرکاری حکاموں' جامعہ کے معلّمین کے دوستوں اور ہمارے جیسے سیّاحوں' تاجروں اور حملہ آوروں کے لیے وقف ہیں۔ عزیزی محمد شاہ دو مرتبہ ابوالبرکات رہے اور تین مرتبہ ابوالفضیلت۔

جامعہ ہر سال چار سو علاّمتہ الدہر بناتا ہے۔ جو عموماً بیس پچیس روپے ماہوار کے منشی یا کسی تاجر کے منیم بن جاتے ہیں۔ منشی بننے کے کوئی چار پانچ مہینے کے بعد ان کے والدین کو شادی کی (اپنے ہونہار فرزند کی' اپنی نہیں) فکر پڑ جاتی ہے۔ شادی کرتے وقت شکل صورت کی طرف زیادہ توجہ نہیں دی جاتی' کیونکہ اس ملک میں شکل صورت نہیں ہوتی' صرف روپے پیسے کا خیال رکھا جاتا ہے۔ عجیب تماشا ہے کہ شادی میں لڑکے دلہن کے علاوہ ایک کثیر رقم کی بھی توقع رکھتے ہیں۔ یہ بھی چاہتے ہیں کہ سسرال والے انہیں اعلیٰ تعلیم دلانے کے لیے سمندر پار بھیج دیں تاکہ وہ خوب دادِ عیش دے سکیں۔ ہمارے خیال میں یہ انتہا درجے کی کم ہمتی ہے' تبھی اس ملک میں بیچاری لڑکیوں کی وہ آؤ بھگت نہیں ہوتی' جو لڑکوں کی ہوتی ہے۔

جامعہ میں ہماری تقریر

اعزازی سند کے سلسلے میں ہمیں خواہ مخواہ تقریر کرنی پڑی' حالانکہ نہ ہمیں پہلے سے خبردار کیا گیا تھا اور نہ ہم تیار تھے۔ پہلے ملاّ فرقان اللہ بن برہان اللہ نے ہماری ذات کا تعارف یوں کرایا:

"حضرات! کیسا روزِ سعید ہماری زندگی میں آیا ہے کہ اعلیٰ حضرت نادر شاہ صاحب کی ذاتِ والا صفات کا نزول ہوا ہے۔ شاہ صاحب کا تعارف محتاج بیان نہیں۔ آپ نے جس سلسلے میں دلّی تشریف لانے کی زحمت گوارا کی ہے' وہ اب واضح ہو چکا ہے۔ سنا ہے کہ جناب خاں صاحب بین الاقوامی سطح پر ایرانی اور ہندوستانی روپے کی قیمت چکانے آئے ہیں۔ آپ کی علمیت شبیہ مبارک سے ظاہر ہے۔ آغا صاحب پہلوی زبان کے ہر پہلو سے ماہر ہیں۔ شہنشاہی سے پہلے آپ کا شغل — خیر جانے دیجیے۔ ان کی تقریر کو خاموشی سے سنا جائے کیونکہ آپ شہنشاہ ہیں اور آپ کو اپنی پھوپھی صاحبہ مدظلہا سے بھی ملاقات مقصود تھی جو اتفاق سے اس ملک میں مقیم نہیں

ہیں۔ لیکن ہماری شامتِ اعمال—— معاف کیجیے——اچھا تو حضرات—— مولانا نادر شاہ صاحب!"

ہم کو اس بدتمیز ملّا پر سخت غصہ آیا کہ ہمارے تئیں کبھی آغا کہا ہے' تو کبھی مولانا اور کبھی کچھ اور—— ایک بات پر قائم نہیں رہتا۔ یہ شخص دانستہ طور پر ہمارا تمسخر اُڑاتا ہے۔ اچھا اسے سمجھیں گے۔

ہم تالیوں کے شور میں اٹھے اور فرمایا:

"پیارے اطفال' معلّمین حضرات و پرنسپل ملّا ایف اُللہ! آپ نے ہم کو یہاں مدعو کر کے جامعہ کی جو عزت افزائی کی ہے' اس کے لیے ہم آپ سب کو ممنون ہونے کا موقع دیتے ہیں۔ آپ کو ایسے موقعے کہاں میسر ہوتے ہیں کہ ہم سا شہنشاہ آپ کو اپنی خوش کلامی سے مستفیض کرے۔ سب سے پہلے تو ہمیں آپ حضرات کی زبوں حالی پر تعجب ہوتا ہے۔ رونا بھی آتا ہے۔ ہمیں بتایا گیا ہے کہ آپ یہاں کوئی دو ہزار کی تعداد میں بیٹھے ہیں۔ بخدا ہمیں آپ ڈیڑھ سو کے قریب لگ رہے ہیں۔ پرسوں دربار میں کوئی کاریگر بیس گز ڈھاکے کی ململ ایک انگوٹھی میں سے گزار رہا تھا۔ دوسری طرف سے کپڑے کو جھٹکے سے کھینچا گیا تو کاریگر خود بھی انگوٹھی میں سے گزر گیا۔ اس قدر دھان پان انسان ہم نے پہلے کبھی نہیں دیکھے۔ یہ آپ کی غذا کا قصور ہے یا آب و ہوا کا۔ آپ کے چہروں پر کچھ ایسا جمود اور بے حسی ہر وقت رہتی ہے جیسے آپ ہر چیز سے مطمئن ہیں۔ آپ جی کیا رہے ہیں' گویا زندگی پر احسان کر رہے ہیں۔ آپ کے قبرستانوں میں کتبے تک غلط ہیں (ہم نے بلیک بورڈ پر لکھنا شروع کیا) مثلاً——

"شیخ خدا بخش مرحوم۔

سنہ سولہ سو دس میں پیدا ہوئے۔

سنہ سولہ سو ستر میں ساٹھ برس کی عمر میں انتقال کر گئے۔"

یہ غلط ہے۔ اس کی جگہ یوں ہونا چاہیے——

"شیخ خدا بخش مرحوم۔

سنہ سولہ سو دس میں پیدا ہوئے۔

پچیس سال کی عمر میں انتقال فرمایا۔
ساٹھ برس کی عمر میں دفن ہوئے ——!"

حضرات و اطفال ہم ایران سے بڑی امیدیں لے کر چلے تھے۔ شروع میں پختہ ارادہ تھا کہ دشمن کی بوٹی بوٹی اڑا دیں گے۔ کابل میں آئے تو سوچا نہیں زدوکوب کریں گے۔ خیبر پہنچے تو ارادہ ہوا کہ ان سے کشتی لڑیں گے۔ لیکن یہاں کی آب و ہوا کو اس درجہ سکون پرور اور باشندوں کو اس حد تک بااخلاق، وضع دار، نحیف و نزار پایا کہ دن بھر قیلولہ کرنے اور یار لوگوں سے گپیں اڑانے کا شغل اختیار کر لیا ہے۔ یہاں کی آب و ہوا کا اثر نہایت صلح جویانہ ہے۔ یہ خون کو ٹھنڈا کرتی ہے۔ اب ہم سوچتے ہیں کہ دشمن نے ہمارا کیا بگاڑا ہے۔ مفت کی لڑائی بھڑائی سے آخر فائدہ؟ سنا ہے کہ جنوبی اور مشرقی ہند کی آب و ہوا اور بھی گئی گزری ہے۔ چنانچہ ہم اور آگے نہیں جائیں گے۔ ہم آپ کو مبارک باد دیتے ہیں آپ کی روایات پر۔ آپ کی قومی روایات بے حد شاندار ہیں۔ آپ نے کسی اجنبی کو مایوس نہیں کیا۔ کئی سو سال پہلے آپ کا شغل بیرونی لوگوں سے حکومت کروانا ہے اور تو اور آپ نے خاندانِ غلاماں سے بھی حکومت کروائی ہے اور وسعتِ قلب کا ثبوت دیا ہے۔ آپ کو ایک دوسرے کی نقل کرنے میں خاص مہارت حاصل ہے۔ یعنی آپ بھیڑ چال چلتے ہیں (یہاں ہم سٹیج سے نیچے اترے اور بھیڑ چال چل کر دکھائی)۔

آپ کے ادب و موسیقی کے چرچے ہم نے پہاڑ کے اس پار سنے تھے۔ آپ کے ہاں تقریباً ہر تیسرا یا چوتھا شخص شعر کہتا ہے اور تخلص کرتا ہے۔ یہ آب و ہوا اور یہ صحت جیسی کہ آپ کی ہے، شعر و شاعری کے لیے نہایت سازگار ہے۔ آپ کی موسیقی کے کیا کہنے۔ پچھلے ہفتے لال قلعے میں درجن بھر آدمیوں کو قوالی گاتے سنا۔ وہ خوب سر دھنتے اور وجد میں آ کر تالیاں بجاتے۔ یہ لوگ بے حد دانا ہیں گاتے وقت ایک کان پر ہاتھ دھر لیتے ہیں۔ غالباً دوسرے کان سے جسے کھلا چھوڑتے ہیں، ضرور بہرے ہو جاتے ہوں گے۔ پھر ایک شخص کو دیکھا کہ گانے کے بہانے طرح طرح سے ہمارا منہ چڑاتا تھا۔ ہماری طرف عجیب و غریب اشارے کرتا تھا۔ ہمیں غیض و غضب آیا ہی چاہتا تھا کہ ہمیں بتایا گیا کہ یہ پکّا راگ گا رہا ہے۔ سنا ہے کہ آپ کے

ہاں ہر وقت کا راگ جدا جدا ہوتا ہے۔ آپ کی موسیقی کا مطالعہ فرما کر ہم اس نتیجے پر پہنچے ہیں کہ یہاں صبح صبح ہر شخص بیزار ہوتا۔ غالباً رات کو آپ چٹ پٹا مرغن کھانا کھا جاتے ہیں یا نشہ کر جاتے ہیں۔ کئی مرتبہ یوں ہوا کہ علی الصبح مسرور اٹھے لیکن وقت کے راگ نے غمگین کر دیا اور رات کو عبادت کا قصد کر رہے تھے کہ وقت کے چنچل راگوں سے متاثر ہو کر رنگ رلیاں شروع کر دیں۔

حضرات! جب ہم پشاور سے آگے آئے تو ہمیں بتایا گیا کہ سکندر یونانی کے زمانے میں یہاں بہت بڑا جنگل تھا۔ مبارک ہو کہ آپ نے بیشتر جنگلات کو صاف کر دیا ہے۔ آپ کے نزدیک درخت کا صحیح مصرف اس کو کاٹ ڈالنا ہے۔ ہم نے گاؤں میں بچوں کو چھوٹی چھوٹی کلہاڑیاں لیے تفریحاً درخت کاٹتے دیکھا ہے——"

ہماری تقریر جو کہ بے ربط تھی، ملّا فرقان اللہ کی گستاخی کا صحیح جواب تھی۔ ہم دیر تک بولتے رہے۔ ہمیں یاد نہیں کہ ہم نے اور کیا کچھ کہا۔ اچانک چند بدتمیز طلبہ کی جمائیوں اور خراٹوں نے ہمیں چونکا دیا اور ہم بیٹھ گئے۔

سوالات و جوابات

ملّا فرقان نے اٹھ کر ہمارا شکریہ ادا کیا اور حاضرین سے مخاطب ہو کر بولا۔ "نادر شاہ صاحب سے سوال پوچھے جائیں، تو آپ ان کا موزوں جواب دیں گے۔"

کچھ دیر خاموشی رہی۔ پھر ایک کونے میں کھسر پھسر ہونے لگی۔ "کیا آپ ملوکیت پسند ہیں؟" پوچھا گیا۔

"ہم طوائف الملوکیت پسند ہیں——" ہم نے جواب دیا۔

"تو گویا آپ شہنشاہ پسند ہوئے——؟" کسی اور نے پوچھا

"شہنشاہ پسند؟" ہم نے مسکرا کر کہا "ہم خود شہنشاہ ہیں۔"

"کیا آپ کے خیال میں شہنشاہی بیکار سی چیز نہیں—— خصوصاً جب ہم سب کے سب ایک جیسے ہیں؟" ایک برخوردار بولے۔

"ہاں۔" ہم نے فرمایا۔ "جسمانی لحاظ سے تو ایک جیسے لیکن اوپر والی منزل میں (ہم نے اپنے سر کی جانب اشارہ کرتے ہوئے کہا) فرق ہوتا ہے۔"

''صاف صاف بتائیے قبلہ 'آپ دائیں جانب ہیں یا بائیں جانب؟''

یہ سوال ہماری سمجھ میں نہ آیا۔ ہم نے اسی طرح مسکراتے ہوئے (مقرر کو ہمیشہ مسکراتے رہنا چاہیے) جواب دیا۔ ''ہم شہباز خاں الّو شناس کی بائیں جانب ہیں اور ملّا فرقان اللہ کی دائیں جانب ـــــ''

''کیا آپ ایران سے آئے ہیں؟''

ایسے آسان سوال پر ہم بڑے خوش ہوئے ''ہاں' ہاں برخوردار' اور کیا تم ہندوستان میں رہتے ہو؟''

''شہنشاہی سے پہلے آپ کا ذریعۂ معاش کیا تھا ـــ؟'' ایک طرف سے آواز آئی۔

اگرچہ ہم نے کافی صبر و تحمل دکھایا تھا لیکن اس گستاخ سوال نے ہمیں سیخ پا کردیا۔ ہماری آنکھوں میں خون اترنا شروع ہوا۔ میز پر ہمارا مکہ اتنے زور سے پڑا کہ میز ٹوٹ گئی۔ منہ کا جھاگ ملّا فرقان اللہ پر گرا جس نے جست لگائی اور دوسری میز پر چڑھ گیا۔ ہڑبونگ سی مچ گئی لوگ اپنی اپنی پگڑیاں چھوڑ چھوڑ کر بھاگنے لگے۔

نوازنا ملّا فُرقانُ اللہ کو

ہمیں یقین ہوگیا کہ ہو نہ ہو یہ سب اسی ملّا کی شرارت ہے۔ پہلے ہمیں خفا کرکے ایسی جلی بھنی تقریر کروانا۔ پھر سوال پوچھنے کا شوشہ جان بوجھ کر چھوڑنا۔ اگلے روز ہم نے اس کی مالی حالت کے متعلق معلومات بہم پہنچائیں۔ پتا چلا کہ ملّائی کا نرا ڈھونگ ہے۔ خوب عیش و عشرت کی زندگی بسر کرتا ہے۔ چنانچہ ہم نے عزیزی محمد شاہ سے کہا کہ اس کی خدمات کے صلے میں اسے ایک ہاتھی انعام میں دیا جائے۔ کچھ عرصے کے بعد مخبر بھیج کر پتا کرایا تو معلوم ہوا کہ شاہی ہاتھی کے خورد و نوش پر نصف سے زیادہ اثاثہ نیلام ہوچکا ہے۔ ہم نے دوبارہ دربار میں بلوا کر عزت افزائی کے بہانے ایک اور ہاتھی (جو سفید تھا) مرحمت فرمایا۔ ہفتے عشرے کے انتظار کے بعد خبر ملی کہ ملّا فُرقانُ اللہ نے خودکشی کرلی اور کیفرِ کردار کو پہنچا۔ ہمارے ساتھ کوئی جیسا کرے گا' ویسا بھرے گا۔

اہلِ ہند کو گستاخیوں کا صِلہ

ہم نے وہ تقریر کیا کی مصیبت ہی مول لے لی۔ دنیا میں سچ بولنا بھی جرم ہے۔ ذراسی تنقید بھی ان لوگوں سے برداشت نہیں ہوتی۔ احتجاج ہو رہے ہیں، جلوس نکل رہے ہیں، پوسٹر لگ رہے ہیں۔ آج تو اہل ہند کی گستاخی حد سے بڑھ گئی۔ گزشتہ چند راتیں عزیزی محمد شاہ کی دعوتوں میں جاگ کر گزارنا پڑیں۔ چنانچہ طبیعت کچھ گراں ہو گئی۔ شاہی حکیم معائنہ کرنے آئے۔ اتنے میں نہ جانے کس احمق نے شہر میں یہ اڑادی کہ نعوذ باللہ ہم اللہ کو پیارے ہو گئے ہیں۔ لوگوں نے اس خبر کو نہ صرف سچ مان لیا بلکہ اسی سلسلے میں جامع مسجد کے پاس فقراء کو جلیبیاں تقسیم کی گئیں۔ اس کی شہادت یوں ہوئی کہ شہباز خاں الّو شناس کو، جو اس وقت جامع مسجد کے قریب سے گزر رہا تھا، فقیر سمجھ کر کچھ جلیبیاں دی گئیں، جنہیں وہ بارگاہِ دولت میں لے کر حاضر ہوا۔ ہم نے ان کو چکھا اور نہایت لذیذ پا کر اسے دوبارہ جامع مسجد کی طرف بھیجا۔

ہم چند ہزار ایرانی سپاہی لال قلعے میں رکھا کرتے تاکہ بوقت ضرورت کام آسکیں۔ مفسدوں نے ان کے متعلق یہ مشہور کر دیا کہ ہم انہیں ہر شام مقفل کر دیتے ہیں کہ کہیں وہ بھاگ نہ جائیں۔ ان سپاہیوں کو قلعے کے اندر چھیڑا گیا۔ ہمارے کچھ سپاہی چاندنی چوک سے گزر رہے تھے، ان پر آوازے کسے گئے اور ٹماٹر، شلجم وغیرہ پھینکے گئے۔ ایسی کئی وارداتوں کی اطلاع ہمیں ملی۔ ہم اسپِ نمرود (یہ خطاب ہمارا دیا ہوا تھا) پر سوار ہو کر شہر میں گئے تاکہ رعایا کو شرفِ دیدار بخش کر ان کی غلط فہمی دور کرا دیں۔ اب یہ مشہور ہو گیا کہ اصلی نادر شاہ تو بہشت کو سدھار چکے ہیں، یہ کوئی اور شخص ہے جو بہروپ بھرے ہوئے ہے۔ ہم تختِ طاؤس پر بیٹھے تھے کہ دور سے ''نادر شاہ مردہ باد'' کے نعرے سنائی دیئے۔ اسی وقت غیض و غضب میں تخت سے چھلانگ لگا کر اپنے چند ہزار سپاہیوں کو کھولا اور تلوار کھینچ کر حکم دیا کہ تلوار کے دستوں سے لاٹھی چارج کر دو! یہ تھا وہ قتل عام — ہم چاہتے تو باقاعدہ تلواریں استعمال کرا سکتے تھے۔ گرمی سخت تھی ہم قمیض اتار کر موتی مسجد میں حوض کے کنارے ننگی تلوار ہاتھ میں لیے بیٹھے رہے۔

قتلِ عام

چنانچہ صاحب قتلِ عام شروع ہوا۔ ہمارے سپاہیوں نے فقط اہل شہر کو زدو کوب کیا تھا۔ اس کے باوجود لاتعداد لوگوں نے داعیٔ اجل کو لبیک کہا۔ اگلے روز ایک بزرگ آنکھوں میں آنسو بھرے آئے اور دردناک لہجے میں گویا ہوئے "کسے نہ ماند کہ دیگر بہ تیغِ ناز کشی ۔۔۔"

یہ شعر ہم نے پہلے سن رکھا تھا۔ چنانچہ ہم نے مسکرا کر دوسرا مصرع ۔۔۔ "مگر کہ زندہ کُنی خلق را و باز کُشی۔" سنا کر ظاہر کر دیا کہ ہمیں پرانی فرسودہ شاعری زیادہ متاثر نہیں کر سکتی۔ ہمیں شاعری کی جدید قدروں کا قدردان پا کر انہوں نے جیب سے کاغذ کا پرزہ نکال کر ایک آزاد نظم پڑھی، جو ہماری سمجھ میں بالکل نہ آئی۔ سوائے ایک مصرعے کے، جس میں ہمیں تلوار نیام میں ڈالنے کو کہا گیا تھا۔ رات بھر جاگتے رہے تھے۔ گرمی زیادہ تھی۔ ہمارا دل پسیج اٹھا اور بغل گیر ہونے کی نیت سے آگے بڑھے، لیکن بزرگ جلدی سے آداب بجا لا کر چمپت ہوئے۔ خیر، اب تلوار کو میان میں ڈالنے کی کوشش جو کرتے ہیں، تو معلوم ہوا کہ ہمارے ہاتھ میں تو شہباز خاں کی تلوار تھی، ہماری تلوار تو پہلے ہی میان میں تھی۔ گویا کہ سارا قتل عام ہی غلط ہوا تھا۔ ہم نے فوراً منادی کرادی کہ پہلا قتل عام غلط ہوا ہے، بلکہ ہوا ہی نہیں، کیونکہ تلوار میان سے ذرا نہیں نکلی۔

چنانچہ اس مرتبہ دوسرا صحیح قتل عام شروع ہوا، جو کافی کامیاب رہا۔ دراصل فریقین کو کافی ریہرسل مل چکی تھی۔ پہلے ارادہ تھا کہ اس کے بعد ایک مختصر سا قتل عام بھی کرائیں، جو امراء کے لیے ہو۔ پھر سوچا کہ اہل دلی اس قسم کے تماشوں کے عادی ہو چکے ہیں۔ تیمور کا قتل عام تین دن تین رات تک ہوتا رہا تھا۔ بھلا ہمیں یہ کب خاطر میں لائیں گے۔

شام کو وہی بزرگ آئے۔ ایک اور آزاد نظم سنائی (جو ہماری سمجھ میں بالکل نہ آئی) اور معافی کے خواستگار ہوئے۔ ہم بھی مسجد میں اکیلے بیٹھے بیٹھے تھک چکے تھے۔ مسکرا کر معاف فرمایا اور ازراہِ تلطف انہیں بغل گیری سے سرفراز فرمایا۔

وہ فوراً بیہوش ہو گئے۔ جب ہوش میں آئے تو پسلیوں میں درد کی شکایت کرتے تھے۔ پتا نہیں کیوں؟ شاید ہماری بغل گیری کا نتیجہ ہو۔ آئندہ محتاط رہیں گے۔ انشاء اللہ۔ باری تعالیٰ کارساز ہے۔

ہم پر کمبل ڈلوانے کی کوشش

شام کو دریائے جمنا کے کنارے مچھلی پکڑنے کی نیت سے بیٹھے تھے۔ مچھلیاں تھیں کہ جلالِ شاہی سے قریب نہ پھٹکتی تھیں۔ اندھیرا ہو چلا تھا۔ اچانک ہم نے اپنے اوپر کمبل کا دباؤ محسوس فرمایا۔ سوچا کہ کوئی ہمارا پرستار ہے، جو خنکی کا خیال کرتے ہوئے گرم کپڑا لایا ہے۔ چنانچہ خاموش بیٹھے رہے۔ لیکن ہمیں بالکل ڈھانپ دیا گیا۔ ہمارا دم گھٹنے لگا۔ گستاخ آوازیں سنیں تو معلوم ہوا کہ کوئی شرارت ہے۔ ہڑبڑا کر اٹھے اور دونوں لفنگوں کو پکڑ کر بغلوں میں دبایا ہی تھا کہ انہوں نے داعیٔ اجل کو لبیک کہہ کر سعادتِ دارین پائی۔ نیا ملک ہے، خبردار رہنا چاہیے۔

واپسی کا قصد

ایک کباڑیئے کی دکان پر پوستین دیکھی۔ آنکھوں میں آنسو بھر آئے (فرمانبردار خاں کی آنکھوں میں)۔ ہم کبھی پوستین کو دیکھتے تھے اور کبھی اپنے چوڑی دار پاجامے اور جالی دار کرتے کو۔ تحقیق کرنے پر معلوم ہوا کہ وہ پوستین ہماری ہی تھی جو غالباً فرمانبردار خاں نے بے مصرف سمجھ کر کباڑی بازار میں بیچ دی تھی۔ لیکن اب اس قدر تنگ ہو چکی تھی کہ کوشش کرنے کے باوجود بھی نہ پہن سکے۔ پہلے سے ہمارا وزن کافی بڑھ گیا تھا۔ دن بھر طرح طرح کے خیالات دل میں آتے رہے۔ دلّی کے قیام نے ہمیں کتنا تبدیل کر دیا ہے؟ ہم موٹے ہو گئے ہیں۔ رات کو خراٹے لیتے ہیں۔ صبح کی چائے اور تمباکو نوشی کے بغیر بستر سے نہیں اٹھتے۔ قیلولے کی عادتِ قبیحہ ہمیں شام تک بیزار رکھتی ہے، یہاں کی تیز دھوپ سے ہماری رنگت سنولاتی جا رہی ہے۔ اگرچہ ہندی شاعری میں سانولا سنوریا، کالیا وغیرہ کو پسند کیا گیا ہے۔ تاہم یہ پسندیدگی تسلّی بخش نہیں، کیونکہ ہندی شاعری ہے

تو عورت کی زبانی لیکن شاعر سارے مرد ہیں اور پھر ہم نے جنوبی ہند کے چند باشندوں کو بھی دیکھ لیا تھا جن کے آباؤ اجداد کبھی اچھے بھلے ہوں گے۔ ادھر ملک میں عجب دھما چوکڑی مچی ہوئی ہے۔ ہماری تقریر اور قتلِ عام سے پبلک دشمن بن گئی ہے۔ ہر روز کہیں بھوک ہڑتال ہو رہی ہے' تو کہیں ستیہ گرہ۔ کمبل ڈالنے کے حادثے نے ہمارا موڈ قطعی طور پر خراب کر دیا۔۔۔ چنانچہ سیٹل ہونے کے خیال پر لعنت بھیجی اور کوچ کا مصمّم ارادہ کر لیا۔

ہمارا دلّی سے تشریف لے جانے کا حال

خدا کے فضل سے زادِ راہ کافی تھا کہ راستے میں اخراجات بھی کافی ہوتے ہیں۔ ہم نے ازراہِ مروت محمد شاہ کو اجازت دے دی کہ اگر اس کی نظر میں کوئی ایسی چیز ہو' جس کو ہم بطور تحفہ لے جا سکتے ہوں اور غلطی سے یاد نہ رہی ہو تو بیشک ساتھ باندھ دے۔ لوگ دھاڑیں مار مار کر رو رہے تھے اور بار بار کہتے تھے کہ ہمارے بغیر لال قلعہ خالی خالی سا لگے گا۔ یہ حقیقت تھی کہ لال قلعہ ہمیں بھی کافی خالی خالی سا معلوم ہو رہا تھا۔

اسپِ نمرود پر سوار ہو کر در و دیوار پر حسرت کی نظر ڈال ہی رہے تھے کہ عین چوراہے میں گھوڑے سے نیچے آ رہے۔ اس بے ایمان گھوڑے کو ہم نے زیادہ منہ چڑھا لیا۔ اسے تعزیری طور پر اہلِ ہند کو واپس دے دیا اور عزیزی محمد شاہ سلمہ' سے فرمایا کہ اس انسان ناشناس کو خطاب سے محروم کر کے تانگے میں جتوایا جائے۔

کابل میں والئ کابل سے نجات

والئ کابل ہماری خدمت میں ملتمس ہوا کہ آپ ہند سے ہمارے لیے جو تحفے لائے ہیں وہ دیتے جائیں ورنہ مروّت سے بعید ہو گا۔ ہم نے سمجھایا کہ یہ چند ہزار اونٹوں پر لدے ہوئے تحائف جو وہ دیکھ رہا ہے' ہمارے پیارے عزیز محمد شاہ کی نشانیاں ہیں' جن سے ہم مرتے دم تک جدا نہیں ہو سکتے۔ البتہ کچھ پوستینیں' دنبے یا گلقند

درکار ہو تو وہ دے سکتے ہیں۔ والیٔ کابل راضی نہ ہوتا تھا۔ عجب ہونق آدمی ہے۔ دنیاوی دولت کی ہوس اس کو بہت ہے۔ بہتیرا سمجھایا کہ آدمی کو خدا سے لو لگانی چاہیے' دنیا آنی جانی ہے۔ شیخ بوٹا شجر پوری کی مثال پیش کی کہ دنیاداری سے مستثنیٰ ہو کر تارک الدنیا بنے ہوئے ہیں۔ اس پر کوئی اثر نہ ہوا۔ بلکہ گستاخانہ بولا۔ آپ خود تارک الدنیا کیوں نہیں ہو جاتے؟ بہت کہا کہ ہمارے حالات مختلف ہیں۔ وقت آنے پر تارک الدنیا ہو کر بھی دکھا دیں گے۔

جب نہ مانا تو ہم نے ٹالنے کو فرمایا کہ تُو خود سیاحت پر کیوں نہیں جاتا؟ آدمی سیانا تھا' جان گیا کہ پچھلے دو تین سو سال کی دولت تو ہم سمیٹ چکے ہیں 'اب وہ ہند گیا تو کرکری ہو گی۔ کچھ ہاتھ نہ آئے گا۔ آخر از راہِ پرورش اس کو پانچ شتر تازی' چھ اسپ باسی' دو سو مقامی مینڈھے اور دنبے' دو من گلقند' لال قلعے کا کچھ بوسیدہ فرنیچر 'نقرئی پنجرے میں بند ایک ہندی کوّا دے کر سر فراز کیا اور اس حریص لیموں نچوڑ سے رہائی پائی۔

ختم شد

(تتمّہ)

ہمارا خلد میں نزول

جس بات کا دیر سے خدشہ تھا آج وہی ہو کر رہی۔ ہمیں چند نابکاروں نے تنہا پا کر گھیر لیا۔ اور ہمارا کام تمام کیا۔ اِنا لِلّٰہِ وَ اِنّا اِلَیہِ رَاجِعُون۔ ہند سے ایران واپس پہنچ کر ہم اس نئی سیاحت پر سُوئے عراق نکل کھڑے ہوئے تھے۔ ہمیں اپنی ناگہاں جوانا مرگ پر بے حد قلق ہے کیونکہ اس میں مشیت ایزدی ہرگز نہ

تھی۔ اگر ہم فرمانبردار خاں کا کہامان لیتے اور اتنی رات گئے تنہا باہر نہ نکلتے تو یہ دن دیکھنا نہ پڑتا۔ خیر! اب صبر کے سوا کوئی چارہ نہیں۔۔۔

ع عزیزو اب اللہ ہی اللہ ہے

دیکھئے آنجہانی بنتے ہیں یا خُلد آشیانی یا کچھ اور۔ ویسے ہمارے متعلق یہاں طرح طرح کی مایوس کن افواہیں اڑ رہی ہیں۔

یہ ریڈیو روم تھا

"کہاں سے آنا ہوا؟"

"سرزمینِ پاک سکاٹ لینڈ سے آرہا ہوں' جہاں کے باشندوں کی دریادلی کے قصے دُنیا بھر میں مشہور ہیں۔"

"کیسے آمد ہوئی؟"

"بذریعہ ریل آیا۔ ارادہ جہاز سے آنے کا تھا۔ لیکن جہاز نکل چکا تھا۔ دراصل یہ آمد نہیں آورد تھی۔"

"ویسے روم کس سلسلے میں آنا ہوا؟"

"مثنوی مولنا روم سے متاثر ہوا۔ ادھر داناؤں سے سن رکھا تھا کہ سب سڑکیں روم پہنچتی ہیں۔ چنانچہ ایک سڑک اختیار کی اور اپنے تئیں روم میں پایا۔ میں خود آیا نہیں لایا گیا ہوں ــــــ"

"کب تک قیام ہو گا؟"

"ارادہ تو چند روز ٹھہرنے کا تھا' لیکن اگر زیادہ تنگ کیا گیا تو شاید پہلے ہی ہجرت کر جاؤں۔"

"روم میں کیا کچھ کیا؟"

"وہی کیا جو رومن کرتے ہیں۔ لیکن برا ہو اطالوی زبان کا' میں اطالیہ آچکا۔ لیکن زبان اب تک نہیں آئی۔ کچھ کام رومنوں کے اصرار پر کرنے پڑے۔"

"مثلاً؟"

''مثلاً ایک پارکر 51 ایک ہزار لیرے میں خریدنا پڑا' حالانکہ اب 52ء ہے۔''

''یہ تو بہت سستا ملا۔ ہزار لیرے یعنی تقریباً گیارہ شلنگ۔''

''مگر وہ قلم صرف دکھاوے کا ہے۔ لکھنے لکھانے سے منکر ہے۔''

''کچھ خرید و فروخت کی ۔۔۔؟''

''خرید تو کی' لیکن شکر ہے کہ ابھی فروخت تک نوبت نہیں پہنچی۔''

''آپ کو کرنسی کی سمجھ آ گئی؟ ایک پونڈ کے سترہ سو لیرے ہوتے ہیں۔''

''مجھے تو یہ پتا ہے کہ چند ہی منٹوں میں نوٹوں کے لیرے لیرے ہو جاتے ہیں۔''

''روم میں آپ نے کیا کچھ دیکھا؟''

''وہی دیکھا جو گائیڈ نے دکھایا۔ گائیڈ جو کچھ دکھائے دیکھنا اور پسند کرنا پڑتا ہے۔ یوں بھی ہوا کہ گائیڈ دہنی طرف کے گن گا رہا تھا' لوگ بائیں طرف دیکھ رہے ہیں اور میں سامنے دیکھ رہا ہوں۔ نہ جانے ابھی اور کیا کچھ دیکھنا ہے ۔۔۔''

''آپ کو آرٹ کا شوق تو ہو گا؟''

''تھا' لیکن یہ معلوم کر کے بڑی مسرت ہوئی کہ مائیکل اینجلو اور ڈاوِنچی کا انتقال ہو چکا ہے۔''

''یہ کیوں ۔۔۔؟''

''معلوم ہوتا ہے کہ عرصہ پہلے ساری اٹلی میں صرف یہی دو حضرات رہتے تھے۔ ہر شہر' ہر عمارت اور ملک کا ہر حصہ انہی نے ترتیب دیا۔ فلارنس سارے کا سارا انہوں نے بنایا ہے۔ روم کا تہائی حصہ' میلان کا نصف حصہ اور بقیہ شہر ان کے شاگردوں نے بنائے ہیں۔ جن شہروں تک یہ نہیں پہنچ سکے' انہیں بھی تعمیر کرنے کا قصد رکھتے تھے' لیکن افسوس کہ زندگی نے وفا نہ کی۔''

''کلیسائے پطرس دیکھا ۔۔۔؟''

''پطرس صاحب آج کل روم میں ہیں کیا؟''

''جی نہیں ۔۔۔ سینٹ پیٹر کا گرجا ۔۔۔''

"اچھا وہ ــــ تو انگریزی میں بتائیے نا ــــ وہ تو آج صبح دیکھا تھا۔ بڑی اونچی عمارت ہے۔ وہیں کسی زمانے میں مذہبی دیوانوں نے گنبد سے چھلانگ لگا کر خودکشی کا فیشن شروع کیا تھا۔ میرے خیال میں پہلے ان عقیدت مندوں نے بخشش کی دعائیں مانگی ہوں گی۔ جب خاطر خواہ جواب نہ ملا' تو سوچا ہو گا کہ اب انتظار فضول ہے اور وہ اونچے اونچے جنگلے بھی دیکھے جو اس رسم کو روکنے کے لیے اوپر لگائے گئے ہیں۔ یعنی اب اگر کوئی ضرورت مند خودکشی کرنا چاہے بھی تو پہلے جیسی آسانی نہیں رہی۔ یہ کیسی دنیا ہے کہ انسان اطمینان سے خودکشی بھی نہیں کر سکتا۔ اتنے اونچے جنگلے نہیں ہونے چاہئیں۔ زیادہ سے زیادہ یہ کرتے کہ نوٹس لگا دیتے ــــ کہ یہاں خودکشی کرنا منع ہے ــــ"

"ہوں ــــ! تو اور کہاں کہاں کی سیر کی؟"

"چڑیا گھر دیکھا' جہاں چڑیا کے علاوہ دیگر پرند تھے۔ پرندوں کے علاوہ جانور بھی تھے۔ اور یہ سب انسانوں کو بڑے غور سے دیکھ رہے تھے۔ واٹیکن کے میوزیم میں ورجل اور دانتے کے مسودات دیکھے' جنہیں غالباً کاتب نقل کر کے حفاظت سے واپس رکھ گیا تھا۔ وہاں کولمبس کا بنایا ہوا نقشہ بھی تھا' جس میں یورپ تو ٹھیک طرح دکھایا ہے' لیکن باقی دنیا کا حدود اربعہ کچھ عجب ہے۔ دراصل کولمبس کا عقیدہ تھا کہ جب تک انسان ایک ایک ملک کو خود دریافت نہ کر لے' نقشہ بنانا فضول ہے۔"

"اور مائیکل اینجلو کا تراشا ہوا حضرت موسیٰؑ کا مجسمہ؟"

"خوب مجسمہ ہے! گائیڈ کا وہ فقرہ نہیں بھولتا کہ اینجلو نے مجسمہ مکمل کر کے ہتھوڑی سے گھٹنے پر ضرب لگائی ــــ مجسّمے کے گھٹنے پر ــــ اور نعرہ لگایا کہ بولتے کیوں نہیں تم ہی تو مکمل ترین موسیٰ ہو ــــ؟"

"پھر کیا ہوا؟"

"ہونا کیا تھا' اینجلو کی اس حرکت سے پتھر پر خواہ مخواہ نشان پڑ گیا۔"

"سیزروں کے روم کی سیر کی ــــ؟"

"جی ہاں پرانا روم دیکھا۔ وہ مقام جہاں سیزر کو قتل کیا گیا۔ جہاں مارک انطنی نے اپنی شہرۂ آفاق تقریر کی جسے شیکسپیئر نے سن کر وہیں حرف بحرف نقل کر لیا۔

کولوزیم جو COLOSSAL ہے‘ جہاں انسان اور درندے آپس میں لڑا کرتے تھے۔ ویسے انسانوں اور حیوانوں میں لڑائی اب تک جاری ہے۔ سنا ہے وہاں ایک قیدی نے شیر کے کان میں کچھ کہہ کر اپنی جان بچالی تھی۔“

”اس نے کیا کہا تھا؟“

”یہی کہ اگر آپ نے مجھے کھالیا تو ڈنر کے بعد خواتین و حضرات کے سامنے آپ کو تقریر کرنی پڑے گی۔“

”MARCUS AURELIUS کا مجسمہ تو ضرور دیکھا ہوگا؟“

”جی ہاں! آپ نے ”تاثراتِ مارکس آری لیئس“ پڑھی ہوگی۔ نہایت لاجواب کتاب ہے۔ سنا ہے کہ آپ بڑے متقی‘ پرہیزگار‘ خداترس‘ فلاسفر اور رومن بادشاہ تھے۔ جب فرصت ملتی چند عیسائیوں کو شیروں کے سامنے ڈال کر کتاب لکھنی شروع کردیتے۔ جب تحریریں بے جان اور پھیکی معلوم ہونے لگتیں‘ تو چند اور عیسائیوں کو چند اور شیروں کے سامنے پھنکوا کر جلدی سے پھر لکھنا شروع کردیتے۔۔۔

ع پیدا کہاں ہیں ایسے پراگندہ طبع لوگ۔۔۔ اور یہ کہ کولوزیم کے سامنے نیرو کے محل کے کھنڈرات ہیں۔ گائیڈ نے بڑے وثوق سے بتایا کہ روم کو دیا سلائی دکھا کر وہ بھلا آدمی وائلن بجا رہا تھا۔ گائیڈ کے لہجے سے تو یہی معلوم ہوتا تھا کہ وہ بھی موقع پر موجود تھا۔ حالانکہ وائلن کا اس زمانے میں نام و نشان تک نہ تھا۔“

”نہیں صاحب! یہ بات تو ضرب المثل بن چکی ہے۔ یہ کیسے غلط ہو سکتی ہے؟“

”تو پھر ممکن ہے کہ بنسری بجا رہا ہو یا نفیری‘ مگر وائلن ہرگز نہیں بجا سکتا۔“

”آپ نے برنینی کا وہ چشمہ دیکھا‘ جہاں لوگ پانی میں سکے پھینک کر دعا مانگتے ہیں؟“

”جی ہاں۔“

”آپ نے کیا مانگا؟“

”میں نے پانی میں سکہ پھینک کر کہا کاش کہ میں یہاں پہلے آیا ہوتا۔“

''یہاں کی آب و ہوا کے متعلق آپ کا کیا خیال ہے؟''

''آب تو یہاں بوتلوں میں ملتا ہے' جو سوڈے واٹر سے کسی طرح کم نہیں۔ ہوا میں سکون اور ٹھہراؤ ہے۔ اس لیے ع چلو تم ادھر کو ہوا ہو جدھر کی' پر عمل پیرا ہونا سخت مشکل ہے۔''

''اور غذا۔۔۔؟''

''غذا میں غذائیت ضرورت سے زیادہ ہے اور باشندے ماشاء اللہ خوش خوراک ہیں۔۔۔''

''روم تک سفر کیسا رہا؟ بہت کچھ دیکھا ہو گا؟''

''راستے میں نظارے ایسے سہانے تھے کہ کچھ اور دیکھنے کی فرصت ہی نہ ملی۔ PISA کے جھکے ہوئے مینار کو دیکھ کر افسوس تو ہوا' مگر اپنی معلومات میں اضافہ کیا۔ کششِ ثقل کے متعلق جو شبہات تھے وہ اور قوی ہو گئے۔ یوں معلوم ہوتا تھا کہ جیسے مینار اب گرا۔ اب گرا۔ دن بھر میں وہاں رہا' لیکن مینار گرا نہیں۔۔۔''

''ماہرین نے مینار پر کتابیں لکھی ہیں۔''

''ماہرین تو ہمیشہ بتنگڑ میں بات پیدا کرتے ہیں۔ میرا خیال تو یہی ہے کہ اس کے معمار ناتجربہ کار تھے۔ کسی نے دل لگا کر کام نہیں کیا۔ ٹھیکیدار نے پتھر اور مسالہ بھی گھٹیا کوالٹی کا لگایا۔ ورنہ دلی میں قطب صاحب کی لاٹھ اس سے کہیں بلند ہے اور بالکل جوں کی توں کھڑی ہیں' کششِ ثقل بھی اس کا کچھ نہ بگاڑ سکی۔''

''اٹلی آنے سے پہلے آپ نے کہاں کہاں کی سیر کی؟''

''سوئٹزرلینڈ اور فرانس کی اور NICE میں ''پھولوں کی جنگ'' کے مشہور تہوار میں شمولیت کی۔ لوگوں نے پھول مار مار کر ایک دوسرے کا بھرکس نکال دیا۔ یہ حالت ہوئی کہ اگلے دن سڑکوں پر چلنا محال تھا۔۔۔''

''اور مانٹی کارلو۔۔۔؟''

''پیشتر اس کے کہ آپ وہاں کے قمار خانے کے متعلق پوچھیں' میں یہ بتا دوں کہ میں وہاں صرف عبرت حاصل کرنے گیا تھا۔''

''پیرس کیسا لگا؟''

"پتا نہیں پیرس کے مضافات میں مجھے گوجرانوالہ اور خان پور کیوں یاد آئے۔ لوگ تہمد نما چیزیں باندھے موڑھوں پر بیٹھے حقہ سا پی رہے تھے۔ لیکن پیرس بہت مہنگا ہے۔ ایک تو وہاں بخشیش بہت مانگتے ہیں۔ بات بات پر سامنے آکھڑے ہوتے ہیں اور تب تک ٹکٹکی باندھے مسکراتے رہتے ہیں' جب تک آپ کم از کم تین سو فرانک نہ دے دیں' ورنہ تعاقب کرتے ہیں۔ صحیح معنوں میں تعاقب کرنا ایک فرانسیسی ہی جانتا ہے۔ راستہ پوچھو تب بخشیش' کسی چیز کی تعریف کرو تب بخشیش' یہاں تک کہ صبح بخیر یا شب بخیر کہتے ہوئے بھی ڈر لگتا ہے۔"

"فرانس' سوئٹزرلینڈ اور اٹلی میں سے آپ کو کون سا ملک پسند آیا؟"

"ان تینوں میں سے مجھے سپین پسند ہے۔"

"وہاں کیا ہے——؟"

"سپین ہی وہ ملک ہے' جہاں گھر یاد نہیں آتا۔ جہاں دوپہر کے کھانے کو اَل مُرضا کہتے ہیں—— جو غالباً اَل مُرغا سے نکلا ہے۔ سلاد کو اَل سلادو' گیراج کو اَل گیراجو اور بھینس کو اَل بفیلو—— جہاں اَل فانسو نام کے بادشاہ گزرے ہیں۔ جہاں مغربی کھانوں کے ساتھ پلاؤ بھی کھایا جاتا ہے اور بازاروں میں حلوہ کھلم کھلا بکتا ہے۔ جہاں لوگ قیلولہ کرتے ہیں۔ گھروں میں زنانہ اور مردانہ علیحدہ علیحدہ ہے۔ جہاں کی موسیقی مشرقی ہے۔ جہاں خانہ بدوش گٹار کی دُھن پر والہانہ رقص کرتے ہیں۔ جہاں بال اور آنکھیں سیاہ اور دل سفید ہیں' اگرچہ رنگت گندمی ہے۔ اور شہروں کے نام جانے پہچانے سے ہیں—— ریاضہ' الکنیز' قرطبہ' طلیطلہ' القطرہ' غرناطہ' ظفرہ اور اشبیلیہ—— جہاں رات گئے لوگ ہار پہن کر پیچیدہ گلیوں میں سیر کرتے ہیں۔ اور محبوب کے کوچے میں بلند آواز سے اشعار بھی پڑھ ڈالتے ہیں۔ اور

آج بھی اُس دیس میں عام ہے چشم غزال
اور نگاہوں کے تیر آج بھی ہیں دل نشیں

"ہے ہے یہ آپ نے کیا یاد دلا دیا۔ کاش کہ ہم روم میں سپین کی باتیں نہ کریں۔"

"اب کیا پروگرام ہے——؟"

"ابھی تو باہر نکل کر ایک سگریٹ پیوں گا۔"

"میرا مطلب ہے روم سے کہاں جائیے گا——؟"

"کیٹس اور شیلے کے مزاروں پر فاتحہ خوانی کے بعد یہ دریافت کر کے کہ روم کتنے دنوں میں بنا تھا' نیپلز ایک اطالوی دوست سے ملنے جاؤں گا۔ وہ جنگ کے دوران میں قیدی تھا اور میرا مریض تھا۔ مریض اور طبیب رہ چکنے کے بعد باوجود ہمارے تعلقات ہمیشہ خوشگوار رہے۔"

"آپ کو کوئی دلچسپ ہم سفر بھی تو ملے ہوں گے؟"

"جی ہاں جنیوا میں دو اطالوی لڑکیاں ملیں' دو فرانسیسی جن کا تعاقب کر رہے تھے۔ مانٹی کارلو میں دو فرانسیسی لڑکیوں سے ملاقات ہوئی' جو دو اطالوی لڑکوں کا تعاقب کر رہی تھیں۔ اب میں کچھ ایسے لوگوں سے ملنا چاہتا ہوں' جو ایک دوسرے کا تعاقب نہ کر رہے ہوں۔ اگر اجازت ہو تو ایک سوال پوچھوں؟"

"ارشاد۔"

"ابھی اور کتنی دیر ہے؟"

"تقریباً دو منٹ۔"

"میرے خیال میں اب ایک فلمی گانا ہو جائے—— کوئی نیا ریکارڈ ہے' آپ کے پاس؟"

"جی ہاں—— "تیری لونگ دا پیا لشکارا' پچھلے مہینے وطن سے آیا ہے۔"

"تو پھر بسم اللہ—— شائقین کو زیادہ مت ترسائیے۔"

"بہت اچھا—— خدا حافظ۔"

"فی امان اللہ!"

کلیدِ کامیابی

(حصہ دوم)

ہم لوگ خوش قسمت ہیں کیونکہ ایک حیرت انگیز دور سے گزر رہے ہیں۔ آج تک انسان کو ترقی کرنے کے اتنے موقعے کبھی میسر نہیں ہوئے' پرانے زمانے میں ہر ایک کو ہر ہنر خود سیکھنا پڑتا تھا' لیکن آج کل ہر شخص دوسروں کی مدد پر خواہ مخواہ تُلا ہوا ہے اور بلاوجہ دوسروں کو شاہراہِ کامیابی پر گامزن دیکھنا چاہتا ہے۔

اس موضوع پر بیشمار کتابیں موجود ہیں۔ اگر آپ کی مالی حالت مخدوش ہے تو فوراً 'لاکھوں کماؤ' خرید لیجیے۔ اگر مقدمہ بازی میں مشغول ہیں تو 'رہنمائے قانون' لے آیئے۔ اگر بیمار ہیں تو 'گھر کا طبیب' پڑھنے سے شفا یقینی ہے۔ اسی طرح 'کامیاب زندگی'، 'کامیاب مرغی خانہ'، 'ریڈیو کی کتاب'، 'کلیدِ کامیابی'، 'کلیدِ مویشیاں' اور دوسری لاتعداد کتابیں بنی نوع انسان کی جو خدمت کر رہی ہیں' اس سے ہم واقف ہیں۔

مصنف ان کتابوں سے اس قدر متاثر ہوا کہ اس نے ازراہِ تشکر کلیدِ کامیابی' حصہ دوم' لکھنے کا ارادہ کیا' تاکہ وہ چند نکتے جو اس افادی ادب میں پہلے شامل نہ ہو سکے اب شریک کر لیے جائیں۔

عظمت کا راز

تاریخ دیکھیے۔ دنیا کے عظیم ترین انسان غمگین رہتے تھے۔ کارلائل کا ہاضمہ

خراب رہتا تھا۔ سیزر کو مرگی کے دورے پڑتے تھے۔ روس کا مشہور IVAN نیم پاگل تھا۔ خودکشی کی کوشش کرنا کلائیو کا محبوب مشغلہ تھا۔ کانٹ کو یہ غم لے بیٹھا کہ اس کا قد چھوٹا ہے۔ یورپ کی کلاسیکی موسیقی بیمار اور بیزار فن کاروں کی مرہون منت ہے۔ دنیا کا عظیم ادب مغموم موڈ کی تخلیق ہے اور اکثر جیلوں میں لکھا گیا ہے۔ لہٰذا غمگین ہوئے بغیر کوئی عظیم کام کرنا ناممکن ہے۔ غم ہی عظمت کا راز ہے ___ یا غم آسرا تیرا ___!

تو پھر آج ہی سے رنجیدہ رہنا شروع کر دیجیے۔ بہت تھوڑے ملک ایسے ہیں جہاں غمگین ہونے کے اتنے موقعے میسر ہیں، جتنے ہمارے ہاں۔ ابھی چند اشعار پڑھیے، ہماری شاعری ماشاءاللہ حزن و الم سے بھرپور ہے۔ سوچیے کہ زندگی پیاز کی طرح ہے، چھیلتے رہیے اندر سے کچھ بھی برآمد نہیں ہوتا۔ رشتہ داروں اور ان کے طعنوں کو یاد کیجیے۔ پڑوسی عنقریب آپ کے متعلق نئی افواہیں اڑانے والے ہیں۔ جن لوگوں نے آپ سے قرض لیا تھا، ایک پائی بھی ادا نہیں کی (ویسے جو قرض آپ نے لیا ہے، وہ بھی ادا نہیں ہوا) ___ زندگی کتنی مختصر ہے؟ ___ مرنے کے بعد کیا ہوگا؟ ___ شام کی گاڑی سے کوئی پندرہ بیس رشتہ دار بغیر اطلاع دیئے آجائیں گے۔ ان کے لیے بستروں کا انتظام کرنا ہوگا۔ یہ چشتی صاحب اپنے آپ کو کیا سمجھتے ہیں ___؟ پچھلے ہفتے قطب الدین صاحب نے کھانے پر سارے شہر کو مدعو کیا، سوائے آپ کے ___ وغیرہ وغیرہ۔

اب آپ غمگین ہیں۔ آہیں بھریئے۔ ماتھے پر شکنیں پیدا کیجیے۔ ہر ایک سے لڑیئے۔ عنقریب آپ اس برتری سے آشنا ہوں گے جو سدا بیزار رہنے والوں کا ہی حصہ ہے۔ وہ احساس جو انسان کو نطشے کا فوق الانسان بناتا ہے۔ اب آپ شاید کوئی عظیم کام کرنے والے ہیں ___!

عظیم کام کر چکنے کے بعد اگر موڈ بدلنا منظور ہو تو فوراً بازار سے 'مسرور ہو، مسکراتے رہیے' یا ایسی ہی کوئی کتاب لے کر پڑھیے اور خوش ہو جائیے۔

اپنے آپ کو پہچانو

حکماء کا اصرار ہے کہ اپنے آپ کو پہچانو۔ لیکن تجربے سے ثابت ہوا ہے کہ

اپنے آپ کو کبھی مت پہچانو' ورنہ سخت مایوسی ہو گی۔ بلکہ ہو سکے تو دوسروں کو بھی مت پہچانو۔ ایمرسن فرماتے ہیں کہ "انسان جو کچھ سوچتا ہے' وہی بنتا ہے۔"

کچھ بننا کس قدر آسان ہے' کچھ سوچنا شروع کر دو اور بن جاؤ۔ اگر نہ بن سکو تو ایمرسن صاحب سے پوچھو۔

خواب اور عمل

اپنے خوابوں کو عملی جامہ پہنائیے۔ یہ جامہ جتنا جلد پہنایا گیا' اتنا ہی بہتر ہو گا۔ ان لوگوں سے بھی مشورہ کیجیے' جو اس قسم کے جامے اکثر پہناتے رہتے ہیں۔

حافظہ تیز کرنا

اگر آپ کو باتیں بھول جاتی ہیں تو اس کا مطلب یہ نہیں کہ آپ کا حافظہ کمزور ہے۔ فقط آپ کو باتیں یاد نہیں رہتیں۔ علاج بہت آسان ہے۔ آئندہ ساری باتیں یاد رکھنے کی کوشش ہی مت کیجیے۔ آپ دیکھیں گے کہ کچھ باتیں آپ کو ضرور یاد رہ جائیں گے۔

بہت سے لوگ بار بار کہا کرتے ہیں ـــــ ہائے یہ میں نے پہلے کیوں نہیں سوچا؟ اس سے بچنے کی ترکیب یہ ہے کہ ہمیشہ پہلے سے سوچ کر رکھیے اور یا پھر ایسے لوگوں سے دور رہیے' جو ایسے فقرے کہا کرتے ہیں۔ دانشمندوں نے مشاہدہ تیز کرنے کے طریقے بتائے ہیں کہ پہلے پھرتی سے کچھ دیکھئے' پھر فہرست بنائیے کہ ابھی آپ نے کیا کیا دیکھا تھا۔ اس طرح حافظے کی ٹریننگ ہو جائے گی اور آپ حافظ بنتے جائیں گے۔ لہٰذا اگر اور کوئی کام نہ ہو تو آج سے جیب میں کاغذ اور پنسل رکھیے۔ چیزوں کی فہرست بنائیے اور فہرست کو چیزوں سے ملایا کیجیے ـــــ بڑی فرحت حاصل ہو گی۔

مشہور فلسفی شوپنہار سیر پر جاتے وقت اپنی چھڑی سے درختوں کو چھوا کرتا تھا۔ ایک روز اُسے یاد آیا کہ پل کے پاس جو لمبا سا درخت ہے' اُسے نہیں چھوا۔ وہ مردِ عاقل ایک میل واپس گیا اور جب تک درخت نہ چھو لیا' اُسے سکونِ

قلب حاصل نہ ہوا۔

شو پنہار کے نقش قدم پر چلیے۔ اس سے آپ کا مشاہدہ اس قدر تیز ہو گا کہ آپ اور سب حیران رہ جائیں گے۔

خوف سے مقابلہ

دل ہی دل میں خوف سے جنگ کرنا بے سود ہے۔ کیونکہ ڈرنے کی ٹریننگ ہمیں بچپن سے ملتی ہے اور شروع ہی سے ہمیں بھوت' چڑیل' باؤ اور دیگر چیزوں سے ڈرایا جاتا ہے۔ اگر آپ کو تاریکی سے ڈر لگتا ہے تو تاریکی میں جائیے ہی مت۔ اگر اندھیرا ہو جائے تو جلدی سے ڈر کر روشنی کی طرف چلے آیئے۔ آہستہ آہستہ آپ کو عادت پڑ جائے گی اور خوف کھانا پرانی عادت ہو جائے گی۔

تنہائی سے خوف آتا ہو تو لوگوں سے ملتے رہا کیجیے۔ لیکن ایک وقت میں صرف ایک چیز سے ڈریئے' ورنہ یہ معلوم نہ ہو سکے گا کہ اس وقت آپ دراصل کس چیز سے خوفزدہ ہیں۔

وقت کی پابندی

تجربہ یہی بتاتا ہے کہ اگر آپ وقت پر پہنچ جائیں تو ہمیشہ دوسروں کا انتظار کرنا پڑتا ہے۔ دوسرے اکثر دیر سے آتے ہیں۔ چنانچہ خود بھی ذرا دیر سے جائیے۔ اگر آپ وقت پر پہنچے تو دوسرے یہی سمجھیں گے کہ آپ کی گھڑی آگے ہے۔

وہم کا علاج

اگر آپ کو یونہی وہم سا ہو گیا ہے کہ آپ تندرست ہیں تو کسی طبیب سے ملیے۔ یہ وہم فوراً دور ہو جائے گا۔ لیکن اگر آپ کسی وہمی بیماری میں مبتلا ہیں تو ہر روز اپنے آپ سے کہیے — میری صحت اچھی ہو رہی ہے — میں تندرست ہو رہا ہوں —

احساس کمتری ہو تو بار بار مندرجہ ذیل فقرے کہے جائیں —

میں قابل ہوں۔ مجھ میں کوئی خامی نہیں۔ جو کچھ میں نے اپنے متعلق سنا' سب جھوٹ ہے۔ میں بہت بڑا آدمی ہوں۔ (یہ فقرے زور زور سے کہے جائیں تاکہ پڑوسی بھی سن لیں)۔

بے خوابی سے نجات

اگر نیند نہ آتی ہو تو سونے کی کوشش مت کیجیے۔ بلکہ بڑے انہماک سے فلاسفی کی کسی موٹی سی کتاب کا مطالعہ شروع کر دیجیے۔ فوراً نیند آجائے گی۔ مجرب نسخہ ہے۔ ریاضی کی کتاب کا مطالعہ بھی مفید ہے۔

ہمیشہ جوان رہنے کا راز

اول تو یہ سوچنا ہی غلط ہے کہ جوان رہنا کوئی بہت بڑی خوبی ہے۔ اس عمر کے نقصانات فوائد سے کہیں زیادہ ہیں۔ ملاحظہ ہو وہ شعر ؎

خیر سے موسمِ شباب کٹا
چلو اچھا ہوا عذاب کٹا

تاہم اگر آپ نے ہمیشہ جوان رہنے کا فیصلہ کر لیا ہے' تو بس خواہ مخواہ یقین کر لیجیے کہ آپ سدا جوان رہیں گے۔ آپ کے ہم عمر بیشک بوڑھے ہو جائیں' لیکن آپ پر کوئی اثر نہ ہوگا۔ جوانوں کی سی حرکتیں کیجیے۔ اصلی نوجوانوں میں اٹھیے بیٹھیے۔ اپنے ہم عمر بوڑھوں پر پھبتیاں کسیے۔ خضاب کا استعمال جاری رکھیے اور حکیموں کے اشتہاروں کا بغور مطالعہ کیجیے۔

دلیر بننے کا طریقہ

دوسرے تیسرے روز چڑیا گھر جا کر شیر اور دیگر جانوروں سے آنکھیں ملائیے (لیکن پنجرے کے زیادہ قریب مت جائیے)۔ بندوق خرید کر انگیٹھی پر رکھ لیجیے اور لوگوں کو سنائیے کہ کس طرح آپ نے پچھلے مہینے ایک چیتا یا ریچھ (یا دونوں) مارے تھے۔ بار بار سنا کر آپ خود یقین کرنے لگیں گے کہ واقعی آپ نے کچھ مارا تھا۔

بیروزگاری سے بچیئے

اگر آپ بیروزگار ہیں تو فوراً ایمپلائمنٹ ایکسچینج میں درخواست دے کر کسی کھاتے پیتے رشتہ دار کے ہاں انتظار کیجیے اور یہ یاد رکھیے کہ انتظار زندگی کا بہترین حِصّہ ہے۔

ایک خانگی مشورہ

اگر آپ بیوی ہیں اور آپ کا خاوند تھکاماندہ دفتر سے آتا ہے۔ آپ مسکراہٹ سے اس کا استقبال کرتی ہیں اور اچھی اچھی باتیں سناتی ہیں' تو شام کو وہ ضرور کہیں اِدھر اُدھر چلا جائے گا۔ لیکن اگر آتے ہی آپ اُسے بے بھاؤ کی سنا دیں' بات بات پر لڑیں اور پریشان کن تذکرے چھیڑ دیں تو وہ منانے کی کوشش کرے گا اور شام گھر میں گزارے گا۔ اگر کہیں باہر گیا تو ساتھ لے جائے گا۔ (مگر یہ عمل بار بار نہ دہرایا جائے' ورنہ کہیں شوہر موصوف واپس گھر کا رُخ ہی نہ کرے)۔

ایک کہانی

یا تو لوگ تقدیر کو کوستے ہیں یا تدبیر کو۔ یہ مسئلہ بہت نازک ہے۔ مشہور ہے کہ پہاڑوں میں پارس پتھر ہوتا ہے۔ جو چیز اسے چھو جائے سونا بن جاتی ہے۔

ایک شخص نے چھ مہینے کی چھٹی بغیر تنخواہ کے لی اور قسمت آزمائی کرنے نیپال پہنچا۔ کرائے کے جانوروں کے پاؤں میں زنجیریں باندھیں کہ شاید کوئی زنجیر پارس پتھر سے چھو جائے۔ ہر وقت انہیں جنگلوں میں لیے لیے پھرتا۔ دن گزرتے گئے اور کچھ نہ بنا۔ آخر چھٹی ختم ہوئی۔ جانور اور زنجیریں لوٹا کر قسمت کو برا بھلا کہہ رہا تھا کہ جوتا اتارتے وقت معلوم ہوا کہ چند میخیں سونے کی بن چکی ہیں۔ سنار کے پاس گیا' اس نے میخیں تول کر قیمت بتائی ـــــ یہ پورے چھ مہینے کی تنخواہ تھی۔

اس سے نتائج خود نکالیے لیکن تقدیر اور تدبیر پر لعنت ملامت نہ کیجیے اور

قسمت آزمائی کے لیے پہاڑوں کی طرف مت جائیے۔

گفتگو کا آرٹ

جو کچھ کہنے کا ارادہ ہو ضرور کہیے۔ دوران گفتگو خاموش رہنے کی صرف ایک وجہ ہونی چاہیے' وہ یہ کہ آپ کے پاس کہنے کو کچھ نہیں ہے۔ ورنہ جتنی دیر جی چاہے باتیں کیجیے۔ اگر کسی اور نے بولنا شروع کر دیا' تو موقع ہاتھ سے نکل جائے گا اور کوئی دوسرا آپ کو بور کرنے لگے گا (بور وہ شخص ہے جو اس وقت بولتا چلا جائے' جب آپ بولنا چاہتے ہوں)۔

چنانچہ جب بولتے بولتے سانس لینے کے لیے رُکیں تو ہاتھ کے اشارے سے واضح کر دیں کہ ابھی بات ختم نہیں ہوئی یا قطع کلامی معاف کہہ کر پھر سے شروع کر دیجیے۔ اگر کوئی دوسرا اپنی طویل گفتگو ختم نہیں کر رہا' تو بیشک جمائیاں لیجیے' کھانسیئے' بار بار گھڑی دیکھیے۔۔۔ "ابھی آیا" ۔۔۔ کہہ کر باہر چلے جائیے یا وہیں سو جائیے۔

یہ بالکل غلط ہے کہ آپ لگاتار بول کر بحث نہیں جیت سکتے۔ اگر آپ ہار گئے تو مخالف کو آپ کی ذہانت پر شبہ ہو جائے گا۔ مجلسی تکلفات بہتر ہیں یا اپنی ذہانت پر شبہ کروانا؟

البتہ لڑیئے مت' کیونکہ اس سے بحث میں خلل آ سکتا ہے۔

کوئی غلطی سرزد ہو جائے تو اسے کبھی مت مانیے۔ لوگ ٹوکیں' تو اُلٹے سیدھے دلائل بلند آواز میں پیش کر کے انہیں خاموش کرا دیجیے' ورنہ وہ خواہ مخواہ سر پر چڑھ جائیں گے۔ دوران گفتگو میں لفظ "آپ" کا استعمال دو یا تین مرتبہ سے زیادہ نہیں ہونا چاہیے۔ اصل چیز "مَیں" ہے۔ اگر آپ نے اپنے متعلق نہ کہا' تو دوسرے اپنے متعلق کہنے لگیں گے۔

تعریفی جملوں کے استعمال سے پرہیز کیجیے۔ کبھی کسی کی تعریف مت کیجیے' ورنہ سننے والے کو شبہ ہو جائے گا کہ آپ اُسے کسی کام کے لیے کہنا چاہتے ہیں۔ اگر کسی شخص سے کچھ پوچھنا مطلوب ہو' جسے وہ چھپا رہا ہو' تو بار بار اُس کی بات کاٹ کر اسے چڑا دیجیے۔ وکیل اسی طرح مقدمے جیتتے ہیں۔

دوسروں کو متأثر کرنا

اگر آپ ہر شخص سے اچھی طرح پیش آئے۔ ہاتھ دبا کر مصافحہ کیا۔ قریب بیٹھے اور گرمجوشی سے باتیں کیں تو نتائج نہایت پریشان کن ہو سکتے ہیں۔ وہ خواہ مخواہ متأثر ہو جائے گا اور نہ صرف دوبارہ ملنا چاہے گا' بلکہ دوسروں سے تعارف کرا دے گا۔ یہ تیسروں سے ملائیں گے اور وہ اوروں سے۔ چنانچہ اتنے ملاقاتی اور واقف کار اکٹھے ہو جائیں گے کہ آپ چھپتے پھریں گے۔

ممکن ہے کہ لوگ متاثر ہو کر آپ کو بھی متاثر کرنا چاہیں۔ وہ بلا ضرورت بغل گیر ہوں گے۔ ہاتھ دبائیں گے اور قریب بیٹھنے کی کوشش کریں گے۔

لہٰذا کسی کو متاثر کرنے کی کوشش مت کیجیے۔ بالفرض اگر آپ کسی کو متاثر کر رہے ہوں' تو خیال رکھیے کہ آپ اور اس شخص کے درمیان کم از کم تین گز کا فاصلہ ہو' ورنہ وہ متاثر ہوتے ہی آپ سے بغل گیر ہونے کی کوشش کریں گے۔ (ہو سکتا ہے کہ کہیں آپ بھی اس سے متاثر نہ ہو جائیں ـــــ زندگی پہلے ہی کافی پیچیدہ ہے)۔

کبھی مت کہیے کہ ـــــ ''آپ سے مل کر بڑی خوشی ہوئی۔'' بلکہ اُس سے پوچھیے کہ کہیں وہ تو آپ سے مل کر خوش نہیں ہو رہا۔ اگر یہ بات ہے تو خبردار رہیے۔

رِشتہ داروں سے تعلقات

دُور کے رشتہ دار سب سے اچھے ہوتے ہیں۔ جتنے دُور کے ہوں اتنا ہی بہتر ہے۔ مثل مشہور ہے کہ دُور کے رشتے دار سہانے۔

تربیت اطفال

بچوں سے کبھی کبھی نرمی سے بھی پیش آئیے۔

بچے سوال پوچھیں تو جواب دیجیے مگر اس انداز میں کہ دوبارہ سوال نہ کر سکیں۔ اگر زیادہ تنگ کریں تو کہہ دیجیے جب بڑے ہو گے سب پتا چل جائے گا۔

بچوں کو بھوتوں سے ڈراتے رہیے۔ شاید وہ بزرگوں کا ادب کرنے لگیں۔ بچوں کو

دلچسپ کتابیں مت پڑھنے دیجیے‘ کیونکہ کورس کی کتابیں کافی ہیں۔

اگر بچے بے وقوف ہیں تو پروا نہ کیجیے۔ بڑے ہو کر یا تو جینیئس بنیں گے یا اپنے آپ کو جینیئس سمجھنے لگیں گے۔ بچے کو سب کے سامنے مت ڈانٹیئے۔ اس کے تحت الشعور پر برا اثر پڑے گا۔ ایک طرف لے جا کر تنہائی میں اس کی خوب تواضع کیجیے۔

بچوں کو پالتے وقت احتیاط کیجیے کہ وہ ضرورت سے زیادہ نہ پل جائیں‘ ورنہ وہ بہت موٹے ہو جائیں گے اور والدین اور پبلک کے لیے خطرے کا باعث ہوں گے۔

اگر بچے ضد کرتے ہیں‘ تو آپ بھی ضد کرنا شروع کر دیجیے۔ وہ شرمندہ ہو جائیں گے۔

ماہرین کا اصرار ہے کہ موزوں تربیت کے لیے بچوں کا تجزیۂ نفسی کرانا ضروری ہے۔ لیکن اس سے پہلے والدین اور ماہرین کا تجزیۂ نفسی کرالینا زیادہ مناسب ہوگا۔ دیکھا گیا ہے کہ کنبے میں صرف دو تین بچے ہوں تو وہ لاڈلے بنا دیئے جاتے ہیں۔ لہٰذا بچے ہمیشہ دس بارہ ہونے چاہئیں‘ تاکہ ایک بھی لاڈلا نہ بن سکے۔

اسی طرح آخری بچہ سب سے چھوٹا ہونے کی وجہ سے بگاڑ دیا جاتا ہے‘ چنانچہ آخری بچہ نہیں ہونا چاہیے۔

مردوں کے لیے دُبلا ہونے کا طریقہ

ملاحظہ ہو ”عظمت کا راز“ —

خواتین کے لیے دُبلا ہونے کی ترکیب

آج سے مندرجہ ذیل پرہیزی غذا شروع کر دیجیے —

ناشتے پر — ایک اُبلا ہوا انڈہ۔ بغیر دودھ اور شکر کے چاء۔

دوپہر کو — اُبلی ہوئی سبزی‘ بغیر شوربے کا تھوڑا سا گوشت‘ ایک چپاتی۔

سہ پہر کو — ایک بسکٹ۔ بغیر دودھ اور شکر کی چاء۔

رات کو — اُبلا ہوا گوشت۔ سبزی۔ ڈیڑھ چپاتی۔ پھل۔ بغیر دودھ اور شکر کی کافی۔

(اس پرہیزی غذا کے علاوہ ساتھ ساتھ باورچی خانے میں نمک چکھنے کے سلسلے میں پلاؤ‘ مرغن سالن اور پراٹھے۔ میٹھا چکھتے وقت حلوہ‘ کھیر اور فرنی۔ ”یہ بلی تو نہیں تھی؟“ کے بہانے بالائی‘ دودھ اور مکھن۔ ”دکھا تو سہی تو کیا کھا رہا ہے“ کے بہانے بچوں کے چاکلیٹ اور مٹھائیاں)۔

بعض اوقات اس پرہیزی غذا کا اثر نہیں ہوتا۔ تعجب ہے؟

مردوں کے لیے موٹا ہونے کا نسخہ

بھینس رکھنا۔ دفتر کی ملازمت۔ دوپہر کے کھانے کے بعد دہی کی لسی اور قیلولہ۔ سارے کھیل چھوڑ کر صرف شطرنج اور تاش ـــــ اور اگر آؤٹ ڈور گیم ہی کھیلنا ہو تو بیڈ منٹن کھیلئے‘ بس۔

خواتین کے موٹا ہونے کی ترکیب

کسی خاص ترکیب کی ضرورت نہیں۔ اس سلسلے میں کچھ کہنا سورج کو چراغ دکھانا ہے۔

تسخیرِ حُب

تعجب ہے کہ ایسے اہم موضوع پر اس قدر کم لکھا گیا ہے۔ مصیبت یہ ہے کہ ماہرین تسخیرِ حُب سب کچھ صیغۂ راز میں رکھتے ہیں۔ بس کبھی کبھی اس قسم کے اشتہار چھپتے ہیں ـــــ

”محبت کے ماروں کو مژدہ۔“

”محبوب ایک ہفتے کے اندر اندر قدموں میں نہ لوٹنے لگے تو دام واپس!“

اس کے علاوہ امتحان میں کامیابی‘ اولاد کی طرف سے خوشی‘ خطرناک بیماریوں سے شفا‘ مقدمہ جیتنا‘ تلاش معاش‘ افسر کو خوش کرنے کے وعدے بھی ہوتے ہیں۔ اشتہار میں ایک مونچھوں والے (یا داڑھی والے) چہرے کی تصویر‘ کئی سندیں اور سرٹیفکیٹ بھی ہوتے ہیں‘ لیکن اس سلسلے میں نہ کتابوں میں کچھ موجود ہے‘ نہ رسائل

میں۔ اُدھر ہمارے ملک میں تسخیر حُب کی قدم قدم پر ضرورت محسوس ہوتی ہے۔ ہر شخص اس چشمۂ حیواں کی تلاش میں ہے۔ اگرچہ مصنف کی معلومات اس موضوع پر نہ ہونے کے برابر ہیں۔ تاہم اس نے دوسروں کے تجربوں سے چند مفید باتیں اخذ کی ہیں۔

سب سے پہلے یہ وضاحت ضروری ہے کہ چاہنے والا مرد ہے یا عورت۔ اور اُدھر محبوب کا تعلق کس جنس سے ہے؟ لہٰذا سہولت کے لیے ان ہدایات کو تین حصوں میں تقسیم کیا گیا ہے: یعنی

1۔ اگر محبوب عورت ہے۔
2۔ اگر محبوب مرد ہو (اور صنف نازک کے کسی فرد کو اُس میں دلچسپی ہو)۔
3۔ اگر محبوب شادی شدہ ہو (اور فریفتہ ہونے والا مرد ہو یا عورت)۔

1۔ اگر محبوب عورت ہو

محبوب چنتے وقت یہ احتیاط لازم ہے کہ رشتہ داروں پر ہرگز عاشق نہ ہوں۔ اس کے بعد اِرد گرد اور پڑوس میں رہنے والوں سے بھی حتی الوسع احتراز کریں۔ (یہ تجرباتی فارمولے ہیں اور طالبِ حُب کو وجہ پوچھے بغیر ان پر اندھا دُھند عمل کرنا چاہیے)۔

محبوب سے ملاقات کے لیے جاتے وقت پوشاک سادہ ہونی چاہیے (رُومال پر خوشبو نہ چھڑکیے۔ کہیں محبوب یا آپ کو زکام نہ ہو جائے)۔ خوراک سادہ ہو (پیاز اور لہسن کے استعمال سے پرہیز کیجیے)۔ مونچھوں کو ہرگز تاؤ نہ دیجیے ورنہ محبوب خوفزدہ ہو جائے گا۔ ویسے بھی فی زمانہ بنی سنوری مونچھوں کا اثر طبع نازک پر کوئی خاص اچھا نہیں پڑتا (اس کا فرمائشی مونچھوں پر اطلاق نہیں ہوتا)۔

اگر محبوب کو آپ سے کوئی خاص دلچسپی نہیں تو استقبال یوں ہوگا —— ''تشریف آوری کا شکریہ۔ بڑی تکلیف کی آپ نے۔ بھائی جان بس آتے ہی ہوں گے' آپ بیٹھیے۔ میں دادا جان کو ابھی بھیجتی ہوں۔'' لیکن اگر محبوب کو واقعی محبت ہے تو وہ بھاگا بھاگا آئے گا اور آپ کے دونوں ہاتھ پکڑ کر کہے گا —— بِلّوجی!'' (یا اسی قسم کا کوئی اور مہمل جملہ استعمال کرے گا)۔

محبوب کو یکسانیت سے بور مت کیجیے۔ ہر اتوار کو ملتے ہوں' تو دوسری

تیسری مرتبہ منگل کو ملنے جائیے۔ اگلی مرتبہ جمعے کو۔ بلکہ ایک ٹائم ٹیبل بنا لیجیے۔

ماہرین کا خیال ہے کہ عورتوں کو سنجیدہ مرد اس لیے پسند آتے ہیں کہ انہیں یونہی وہم سا ہو جاتا ہے کہ ایسے حضرات ان کی باتیں غور سے سنتے ہیں۔ لہٰذا تسخیرِ حُب کرتے وقت 'گفتگو کا فن' میں جو کچھ لکھا ہے' اسے محبوب کے لیے نظر انداز کر دیجیے۔ نہ صرف محبوب کی باتیں خاموشی سے سنتے رہیے۔ بلکہ اسے یقین دلا دیجیے کہ دنیا میں فقط آپ ہی ایسے شخص ہیں' جس کے لیے محبوب کی ہر الٹی سیدھی بات ایک مستقل وجہ مسرت ہے۔

محبوب سے زیادہ بحث مت کیجیے۔ اگر کوئی بحث چھڑ جائے تو جیتنے کا بہترین نسخہ یہ ہے کہ محبوب کی رائے سے متفق ہو جائیے اور ذرا جلدی کیجیے' کہیں محبوب دوبارہ اپنی رائے نہ بدل لے۔

اگر محبوب آپ کی ہر بات پر مسکرا دے اور لگاتار ہنستا رہے' تو اُس کا مطلب یہ بھی ہو سکتا ہے کہ اسے اپنے نفیس دانتوں کی نمائش مقصود ہے (ایسے موقع پر محبوب سے پوچھئے کہ ان دنوں کون سی ٹوتھ پیسٹ استعمال ہو رہی ہے)۔

اگر محبوب اپنی تعریفیں سن کر ناک بھوں چڑھائے اور "ہٹیے بھی" —— وغیرہ کہے تو سمجھ لیجیے کہ اسے مزید تعریف چاہیے۔

محبوب کے میک اَپ پر بھول کر بھی نکتہ چینی نہ کیجیے۔ شاید چہرہ اس لیے سرخ کیا گیا ہو کہ یہ پتا نہ چل سکے کب BLUSH کیا (فقط اس صورت میں اعتراض کیجیے جبکہ محبوب کا رنگ خدانخواستہ مُشکی ہو۔ اگرچہ گرم خطوں میں ایسے محبوب افراط سے پائے جاتے ہیں)۔

ویسے ہر قسم کی تنقید سے پرہیز کیجیے۔ جو لوگ زیادہ نکتہ چینی کرتے ہیں' ان سے محبوب کی بیزاری بڑھتی جاتی ہے اور تھوڑے دنوں کے بعد محبت میں ان کی حیثیت وہی ہو جاتی ہے جو ٹینس میں MARKER کی۔

دو باتوں سے محبوب کو از حد مسرت حاصل ہوتی ہے۔ ایک تو یہ کہ کوئی اس سے کہہ دے کہ اس کی شکل کسی ایکٹریس سے ملتی ہے۔ دوسرے یہ کہ اس کی جو رقیب ہے وہ تو یونہی انٹلکچوئل سی ہے۔

محبوب کی بہن (اگر بہن کی عمر پندرہ اور پینتالیس کے درمیان ہو) کے سامنے محبوب کی کبھی تعریفیں مت کیجیے ' ورنہ نتائج بڑے حیرت انگیز نکلیں گے۔ اور اگر محبوب کے عیب معلوم کرنے ہوں تو اس کی سہیلیوں کے سامنے اسے اچھا کہہ کر خدا کی قدرت کا تماشا دیکھئے۔ کبھی چھپ کر محبوب کو کسی سے لڑتے ہوئے ضرور دیکھئے۔ یا محبوب کو کسی سے لڑا دیجیے۔ بہت سے لرزہ خیز حقائق کا انکشاف ہو گا۔

اگر محبوب کئی مرتبہ یہ جتائے کہ آپ بالکل نوعمر سے لڑکے نظر آ رہے ہیں ' تو اس کا مطلب یہ ہے کہ آپ بوڑھے ہوتے جا رہے ہیں۔

یاد رکھیے کہ محبوب کی نگاہوں میں ایک چالیس پینتالیس برس کا نوجوان ایک پچیس تیس سالہ بوڑھے سے کہیں بہتر ہے (اور ایسے نوعمر بوڑھے ان دنوں کافی تعداد میں ہر جگہ ملتے ہیں)۔

محبوب کی سالگرہ یاد رکھیے لیکن اس کی عمر بھول جایئے۔

بعض اوقات محبوب کو آپ کے احسانات یاد نہیں رہتے۔ لیکن وہ فرمائشیں کبھی نہیں بھولتیں ' جنہیں آپ پورا نہ کر سکے۔

اوائلِ محبت میں محبوب سے یہ پوچھنا کہ کیا اسے آپ سے محبت ہے؟ ایسا ہی ہے جیسے کسی ناول کا آخری باب پہلے پڑھ لینا۔

تنگدستی محبت کی دشمن ہے۔ ایک قیمتی تحفہ منٹوں میں وہ کچھ کر سکتا ہے ' جو شاعر مہینوں برسوں میں نہیں کہہ سکتے۔

اگر محبوب کسی اور پر عاشق ہے تو آپ کی سب کوششیں رائیگاں جائیں گی۔ ایسی حالت میں برابر برابر چھڑوا دینے والے مقولے پر عمل کیجیے اور ریٹائر ہو جانا بہتر ہو گا۔ اور اگر محبوب کسی اور کی جانب ملتفت بھی نہیں ' لیکن آپ کے سب حربے بیکار نظر آنے لگیں ' تو یہ نہ سمجھئے کہ محبوب سنگدل یا ناقابل تسخیر ہے ــــ وہ فقط تجربہ کار ہے۔ احتیاطاً یہ ضرور معلوم کر لیجیے کہ محبوب نے اپنے سابقہ چاہنے والوں سے کیا سلوک کیا تھا۔ وہی سلوک دُوہرایا بھی جا سکتا ہے اور غالباً دوہرایا جائے گا۔

یہ ہمیشہ یاد رکھیے کہ جیسے جیسے محبوب کی عمر بڑھتی جائے گی ' وہ بالکل اپنی امی

کی طرح ہوتی چلی جائے گی۔

2۔ اگر محبوب مرد ہو

محبوب میں سب سے پہلی چیز یہ نوٹ کیجیے کہ آیا وہ آپ کو نوٹ کر رہا ہے یا نہیں۔

محبوب سے نہ کبھی مذہب پر بحث کیجیے' نہ روس پر۔ بلکہ اس سے یہ بھی مت پوچھئے کہ وہ کماتا کیا ہے؟

محبوب کے سامنے کبھی کسی عورت کی برائی مت کیجیے۔ اس سے وہ بے حد متاثر ہو گا۔

محبوب سے یہ ہرگز مت پوچھئے کہ اس نے مصنوعی دانت کب لگوائے تھے۔

یہ یاد رکھیے کہ ایک حسین عورت کی سب عورتیں دشمن ہیں اور ان کا سمجھوتہ نہیں ہو سکتا' لہٰذا محتاط رہیے۔

محبوب کی تعریف کرتے وقت وضاحت سے کام لیجیے۔ یہ نہیں کہ آپ خوب ہیں۔ وجیہ ہیں۔ لاکھوں میں ایک ہیں۔ بلکہ یہ کہ آپ کا ماتھا کشادہ ہے۔ بال گھنگھریالے ہیں۔ شانے ماشاءاللہ مردوں جیسے چوڑے ہیں۔

جو مرد اپنی مونچھوں کی دیکھ بھال کرتے ہیں' وہ خود پسند ہوتے ہیں۔ لیکن جو شیو کرتے ہیں' وہ بھی کم خود پسند نہیں ہوتے۔

اگر محبوب کلب سے پی کر آیا ہو' تو کبھی مت جتلائیے۔ صرف یہ کہہ کر منہ بنا لیجیے کہ آج پھر آپ نے GINGER پی ہے۔ اس سے وہ اس قدر خوش ہو گا کہ بیان سے باہر ہے۔

محبوب کے ساتھ کہیں بھاگ جانے کے خیال کو کبھی دل میں نہ لائیے' کسی کے ساتھ بھاگنا بے حد فضول حرکت ہے۔

اگر محبوب گنجا ہو تو نہ اس کی بلند پیشانی کا ذکر کیجیے' نہ اس کے سر کی طرف دیکھئے۔

مرد اپنی محبت کا واسطہ دے کر محبوب کی پرانی محبتوں کے متعلق پوچھا کرتے ہیں۔ انہیں کچھ نہ بتائیے' ورنہ پچھتانا پڑے گا۔

آپ کی باتیں خواہ کتنی ہی بے جا کیوں نہ ہوں‘ تب تک بے جا ہیں‘ جب تک آپ کی آنکھوں میں آنسو نہیں آتے۔ لہٰذا پیشتر اس کے کہ محبوب کو پتا چل سکے کہ کیا ہو رہا ہے۔ آپ رونا شروع کر دیجیے۔ اپنی رقیبوں سے ہر دم خبردار رہیے۔ محبوب جن عورتوں کے متعلق باتیں کرتا رہے‘ ان کی پروانہ کیجیے۔ لیکن جب وہ کسی عورت کے ذکر سے جان بوجھ کر گریز کرے‘ تو سمجھ جائیے کہ دال میں کالا ہے۔

یہ تو ناممکن ہے کہ آپ اپنے دل کا راز کسی اور کو نہیں بتائیں گی۔ لیکن بتاتے وقت یہ کبھی مت کہیے — ”تمہیں قسم ہے جو کسی اور سے کہا تو۔“ اس سے سننے والی کو فوراً شبہ ہو گا اور وہ اسی وقت سب سے کہہ دے گی۔

محبوب آپ کی تازہ ترین تصویریں مانگے گا — رسماً‘ اخلاقاً یا محبت سے۔ لیکن جب وہ آپ کی بچپن کی تصویر مانگے تو سمجھ لیجیے کہ وہ بہت دُور کی سوچ رہا ہے اور سب کچھ ہو کر رہے گا۔

شروع شروع میں محبوب کو آپ کے چچا‘ ماموں اور بھائی وغیرہ اچھے نہ لگتے ہوں تو کچھ دیر انتظار کیجیے۔ آہستہ آہستہ وہ خود سیدھا ہو جائے گا۔

عقلمند محبوب کو قابو میں رکھنا زیادہ مشکل نہیں۔ لیکن اگر محبوب بے وقوف ہو تو ذہین سے ذہین عورت کے لیے بھی اسے سنبھالنا محال ہو گا۔

3۔ اگر محبوب شادی شدہ ہو

(یہ موضوع بے حد ضروری ہے‘ کیونکہ آج کل شادی شدہ محبوب سے عشق کرنا نہ صرف عام ہو گیا ہے‘ بلکہ فیشن میں شامل ہے۔ روز بروز اس کی اہمیت ہر خاص و عام پر واضح ہوتی جا رہی ہے)۔

چونکہ شادی شدہ محبوب مقابلتاً تجربہ کار ہوتا ہے‘ اس لیے بڑے احتیاط کی ضرورت ہے۔ ان ہدایات پر بڑی سنجیدگی سے عمل کرنا چاہیے۔ لیکن اگر شبہ ہو جائے کہ کسی ہدایت کو محبوب پہلے سے جانتا ہے تو اسے وہیں ترک کر دیجیے (ہدایت کو) اور دوسری پر عمل شروع کر دیجیے (ہدایت پر)۔

شادی شدہ محبوب کو مسخر کرنے کے لیے سب سے اہم چیز نہ حسن ہے‘ نہ

قابلیت ـــــ بلکہ پروپیگنڈا ہے۔ لہٰذا تھوڑے عرصے کے بعد اپنے متعلق کوئی خبر اڑا دیجیے ـــــ کہ آپ کا ارادہ ولایت جانے کا ہے ـــــ کبھی کلاسیکل ڈانس سیکھنے کے منصوبے باندھیے تو کبھی اردو میں ایم اے کرنے کی خبر مشہور کر دیجیے۔

پہلے محبوب منتخب کیجیے' پھر اسے چند فالتو خواتین و حضرات کے ساتھ مدعو کیجیے ـــــ پکنک ـــــ ادبی محفل ـــــ تاش ـــــ یا کسی اور بہانے سے۔ بعد میں آہستہ آہستہ دوسرے لوگوں کو نکالتے جائیے۔ حتیٰ کہ صرف آپ اور محبوب باقی رہ جائیں۔ (اس طرح محبوب کو شبہ نہیں ہوگا۔ شبہ ہوا بھی تو دیر میں ہوگا)۔

بہتر تو یہ ہوگا کہ ایک وقت میں کئی جگہ کوشش کیجیے۔ اگر کامیابی دس فیصدی بھی ہوئی تب بھی AVERAGE نا تسلی بخش نہیں۔

کچھ ایسا انتظام کیجیے کہ محبوب ہر وقت آپ کے متعلق قیاس آرائیاں کرتا رہے۔ مثلاً کھوئی کھوئی نگاہوں سے خلا میں تکا کیجیے۔ ذرا ذرا سی دیر کے بعد ٹھنڈے سانس لیجیے۔ وہ بار بار پوچھے گا ـــــ کیا بات ہے؟ کیا ہوا؟ کچھ مجھے بھی تو بتاؤ؟

گفتگو میں اپنے یا محبوب کے شریک حیات کا ذکر بالکل نہ آنے دیجیے۔ یوں ظاہر کیجیے' جیسے اس دنیا میں نہ آپ کا کوئی ہے' نہ اس کا۔

اگر محبوب بے رُخی برتتا ہو تو اس کا خوب تعاقب کیجیے ـــــ بار بار فون کیجیے ـــــ ملنے جائیے ـــــ سندیسے بھیجیے ـــــ خط لکھیے ـــــ کسی دن اتنا وہ تنگ آئے گا کہ آپ پر عاشق ہو جائے گا۔ الماریوں میں چند اوٹ پٹانگ ضخیم کتابیں' دیواروں پر ماڈرن آرٹ کی بے تکی تصویریں اور کمرے میں ستار یا وائلن ضرور رکھیے۔ خواہ آپ کو ان سے ذرا بھی دلچسپی نہ ہو۔ محبوب یہ سمجھے گا کہ آپ کی طبیعت فنکارانہ ہے۔

تقریبوں اور پارٹیوں میں ذرا دیر سے جائیے' تاکہ لوگ پوچھیں کہ یہ کون ہے؟ بیٹھنے کے لیے ایسی جگہ چنیے جہاں مناسب روشنی اور موزوں لوگ ہوں۔

اگر شریک حیات ساتھ ہو تو سب کے سامنے اسے کبھی ڈارلنگ مت کہیے' بلکہ پبلک میں اس کا نوٹس ہی نہ لیجیے۔

اپنے بچے کو کبھی ساتھ مت لے جائیے۔ ایک بچے کی موجودگی سارے حسن و جمال کو ختم کر دینے کے لیے کافی ہے۔ محبوب کے بچوں کو بھی لفٹ نہ دیجیے۔

ذرا سے جھوٹ سے عجیب دلکشی پیدا ہو جاتی ہے۔ یاد رکھیے کہ بچپن میں جھوٹ بولنا گناہ سمجھا جاتا ہے۔ شادی سے پہلے اسے ایک خوبی تصور کیا جاتا ہے۔ محبت میں اسے آرٹ کا درجہ حاصل ہے۔ اور شادی کے بعد جھوٹ کی پختہ عادت پڑ جاتی ہے۔

عینک کبھی مت لگائیے' خواہ دو تین فٹ سامنے کچھ بھی نہ دکھائی دیتا ہو۔ مگر ذرا سنبھل سنبھل کر چلیے' راستے میں گڑھے بھی ہوتے ہیں۔

دعوتوں پر یا تو کھانا کھا کر جائیے یا واپس آکر کھائیے۔ کم خوراک ہونا انٹیلکچوئل پنے کی نشانی سمجھی جاتی ہے۔ افواہوں میں خاص دلچسپی لیجیے۔ اگر محبوب کو سنانے کے لیے نئی نئی افواہیں آپ کے پاس ہوئیں' تو وہ باقاعدگی سے سننے آئے گا۔

اگر لوگ آپ کے یا محبوب کے متعلق برا بھلا کہتے ہیں' تو ذرا خیال نہ کیجیے۔ اکثر دیکھا گیا ہے کہ جن لوگوں میں برائیاں نہیں ہوتیں' ان میں خوبیاں بھی بہت کم ہوتی ہیں۔ تبھی سارے دلچسپ لوگ بگڑے ہوئے ہوتے ہیں۔

محبت ختم کرتے وقت ہرگز مت لڑیئے' خدا جانے کل کلاں کہیں سابق محبوب ہی سے واسطہ نہ پڑ جائے۔

آخر میں مصنف سفارش کرے گا کہ کبھی کبھی اپنے رفیقِ حیات سے بھی تھوڑی سی محبت کر لیا کیجیے۔ اس کا بھی تو آپ پر حق ہے۔ جیسا کہ ایک مشہور مفکر نے کہا ہے کہ اپنے رفیقِ حیات سے محبت کرنا محبت نہ کرنے سے ہزار درجے بہتر ہے۔

چند جنرل ہدایات

محبوب سے تبھی ملیے جب اس کی صحت اچھی ہو (اور آپ کی بھی)۔ دانت یا سر کے ذرا سے درد سے دنیا اندھیر معلوم ہونے لگتی ہے۔

سب جانتے ہیں کہ حسین اتنے خطرناک نہیں ہوتے' جتنے سادہ شکل والے۔ آلذکر چھپے رستم ہوتے ہیں۔ یہ ہمدردی جتاتے ہیں۔ سمجھنے کی کوشش

کرتے ہیں۔ احسانوں سے زیر بار کر دیتے ہیں۔ نشانہ درست کر کے پھر وار کرتے ہیں۔ لیکن حسین اپنے آپ ہی میں مگن رہتے ہیں۔ انہیں آئینہ دیکھنے اور کپڑے سلوانے سے ہی فرصت نہیں ملتی۔

یہ بھی دیکھا گیا ہے کہ ذہین انسان بڑی مشکلوں سے عاشق ہوتے ہیں۔ ان کے خیال میں محبت تخیل کی فتح ہے — ذہانت پر۔

غالباً محبوب ایک دوسرے سے اس لیے بور نہیں ہوتے کہ وہ ہر وقت ایک دوسرے کے متعلق باتیں کرتے رہتے ہیں۔

(محبت کی شادی کے ذکر سے قصداً گریز کیا گیا ہے کیونکہ یہ جدا موضوع ہے۔ لیکن علماء کا قول ہے کہ جہاں محبت اندھی ہے، وہاں شادی ماہرِ امراضِ چشم ہے)۔

نوٹ:- اگر اس مضمون سے ایک کا بھی بھلا ہو گا تو مصنف سمجھے گا کہ اس کی ساری محنت بالکل رائیگاں گئی۔

شیطان' عینک اور موسمِ بہار

بہار آ گئی۔ ولایتی سینٹ مہکے۔ کمپنی باغ میں نئی نئی کونپلیں پھوٹیں۔ پژمردہ چہروں پر میک اَپ سے تازگی آگئی۔ مسرت وشادمانی کی لہر سول لائنز کے گوشے گوشے میں دوڑ گئی۔ سڑکوں پر پیراشوٹ کے کپڑے کے رنگین ملبوس دکھائی دینے لگے۔

جب قدرت اپنی تمام رعنائیوں کے ساتھ انگڑائی لے کر اٹھی تو شیطان کی عینک کھوئی گئی۔

شیطان کی عینک ایسی ویسی عینک نہیں جسے ہر عینک ساز مہیا کر سکے۔ اُن کی عینک کے شیشوں کے اُفقی رُخ میں بھی کئی نمبر ہیں اور عمودی رُخ میں بھی۔ چنانچہ کچھ شمال مشرق اور جنوب مغرب جنوب کی قسم کے شیشے ہیں۔

ایسی پیچیدہ عینک کا جلد ملنا محال تھا۔ لہٰذا شیطان بغیر عینک کے دکھائی دیئے جانے لگے۔

جج صاحب نے ولایت جانے کے ارادہ ظاہر کیا۔ سب متعجب ہوئے سوائے شیطان کے۔ شیطان کا خیال تھا کہ لوگ بڑی تیزی سے ولایت جا رہے ہیں۔ ان دنوں تو یہ رفتار اتنی تیز ہو چکی ہے کہ کسی کے ولایت جانے پر ذرا حیرت نہیں ہوتی۔ حیرت ہوتی ہے تو اس بات پر کہ فلاں شخص اب تک ولایت کیوں نہیں گیا۔ اُن کا اندازہ تھا کہ ہر شخص اللہ کو پیارا ہونے سے پہلے کم از کم ایک مرتبہ ولایت ضرور ہو آئے گا۔

ویسے جج صاحب کے جانے نہ جانے سے کوئی خاص فرق نہیں پڑتا تھا۔ فکر تھا تو رضیہ کا۔ اگر وہ ساتھ چلی گئی تو بہت برا ہوگا۔ شیطان کا تو بہت ہی برا حال تھا'

کیونکہ وہ رضیہ پر دوبارہ فریفتہ ہوئے تھے۔ ہوا یوں کہ وہ تقریباً دو سال تک رضیہ سے نہ مل سکے۔ جب وہ باہر سے آتے تو جج صاحب کا کنبہ کہیں چلا جاتا' جب کنبہ آتا تو شیطان کہیں اِدھر اُدھر ہوتے۔ پورے دو سال بعد وہ چاء پر رضیہ سے ملے۔ میں نے دونوں کا تعارف کرایا۔ اور بتایا کہ وہ جج صاحب کے ہمراہ ولایت جا رہی ہے۔ بڑی رسمی قسم کی گفتگو ہوئی۔ شیطان نے پوچھا۔ آپ کے مشغلے کیا ہیں؟ آپ کے محبوب ایکٹر اور پسندیدہ مصنفین کون کون سے ہیں۔ روس کے متعلق آپ کا کیا خیال ہے۔ آپ شام کو کیا کیا کرتی ہیں؟ بی اے میں آپ کے مضامین کیا تھے؟ آپ کو شلوار پسند ہے یا غرارہ؟ آلڈس ہکسلے اور جیمز جوائس کی کون کونسی کتابیں آپ نے نہیں پڑھیں——؟

اگلے دن شیطان نے بیان دیا کہ جمعے کی سہ پہر کو چار بج کر پچپن منٹ سے وہ رضیہ پر نئے سرے سے عاشق ہو گئے ہیں۔

ان کی حالت اس قدر مخدوش ہو چکی تھی کہ میں سچ مچ ان کے حق میں دست بردار ہو گیا۔ میں دست بردار کیوں ہوا؟ شاید یہ قربانی کا جذبہ تھا۔ جذبہ ترحّم تھا یا وہ لافانی فوق البشر آسمانی جذبہ جو انسان کے دل میں کبھی کبھی آتا ہے' جو رُوح کو لامتناہی وسعتوں میں لے جاتا ہے' جو انسان کو فرشتوں میں لا کھڑا کرتا ہے' جذبہ جو—— وغیرہ وغیرہ۔

دست بردار ہونے کی ایک اور وجہ بھی تھی۔ وہ یہ کہ مجھے یقین تھا کہ چاہے شیطان کچھ کر لیں رضیہ ان کی جانب کبھی ملتفت نہیں ہو گی۔ بنے گا کچھ بھی نہیں۔

چنانچہ شیطان تو عاشق ہو گئے۔ لیکن رضیہ پر کوئی خاص اثر نہیں ہوا۔ بلکہ کوئی عام اثر بھی نہیں ہوا۔ ویسے رضیہ کا رویہ ہم سب کے متعلق عجب مولویانہ سا تھا۔ اُسے نہ کسی سے محبت ہوتی تھی نہ نفرت۔

شیطان نے مجھے فون کیا اور چاء پر ایک کیفے میں بلایا۔ پوچھا کہ اور کون ہو گا؟ بولے یونہی ایک آدھ واقف وغیرہ وغیرہ وغیرہ۔ میں کیفے کے دروازے میں داخل ہوا تو یک بیک بلیوں کی چیخیں' کتوں کے رونے کی آوازیں' مرغیوں کی فریادیں' ملی جلی سنائی دیں۔ معلوم ہوا کہ آرکیسٹرا کوئی انگریزی دُھن بجا رہا ہے۔ شیطان کو ڈھونڈنا مصیبت ہو گئی۔ جدھر دیکھتا ہوں اجنبی چہرے نظر آتے ہیں۔ آخر انہوں نے خود آواز

دی۔ عینک کے بغیر وہ واقعی اجنبی معلوم ہو رہے تھے۔ دراصل عینک ان کے چہرے کا جزو بن چکی تھی۔ مجھے یاد نہیں پڑتا کہ کبھی میں نے ان کو عینک کے بغیر بھی دیکھا ہو۔ شاید ایام طفلی میں بھی وہ عینک لگاتے ہوں گے۔

پوچھا کہ وہ واقف کہاں ہیں؟ انہوں نے اِشارے سے بتایا کہ ــــ "ایک تو میں ہوں اور یہ تین وغیرہ وغیرہ وغیرہ۔" میں نے دیکھا کہ تین بالکل ایک جیسی عینکیں مجھے دیکھ رہی ہیں۔ بالکل ایک جیسی شبیہیں تھیں۔ پہلے تو خیال ہوا کہ کہیں ایک چہرے کا عکس مختلف آئینوں میں تو نہیں پڑ رہا۔ شیطان نے تعارف کرایا۔ "یہ کریمہ ہیں ــــ یہ رحیمہ ہیں ــــ اور یہ سفینہ۔"

میرے لئے وہ تینوں بالکل ایک سی تھیں۔ سب سے پہلے نظر عینکوں پر جاتی جو ایک سی تھیں۔ عینکوں کے عقب میں جو تھوڑے بہت خدوخال دکھائی دیتے وہ بھی ایک جیسے تھے۔ باوجود انتہائی کوشش کے میں ان میں تمیز نہ کر سکا۔ بار بار ایک ہی لڑکی کے سامنے کیک سرکاتا رہا۔ اور اپنی طرف سے یہی سمجھتا رہا کہ طشتری تینوں کو پیش کی تھی۔ ایک لڑکی کو مس نرینہ بھی کہہ گیا۔ جس پر شیطان نے دوبارہ ان کے نام لیے۔ مجھے صرف کریمہ یاد رہا۔ شاید "کریما بہ بخشائے بر حالِ ما۔" کی وجہ سے۔ کریمہ تینوں میں کم معمولی تھی۔ ویسے وہ حسین ہوتے ہوتے بال بال بچ گئی تھی۔

آخر میں نے ہمت کی اور تینوں کو مس کریمہ اور سفینہ وغیرہ کہہ کر مخاطب کیا اور بتایا کہ مجھے اُن سے مل کر بہت خوشی ہوئی۔ شیطان نے لفظ مس کئی دفعہ دوہرایا اور بولے ــــ "جانتے ہو دنیا میں عورت یا تو HIT ہوتی ہے ــــ اور یا پھر مِس۔"

چاء کے بعد شیطان انہیں چھوڑنے چلے گئے اور میں وہیں بیٹھا اُن کے نام یاد کرتا رہا۔ دفعتاً کوئی شخص زور زور سے نمکین پانی کے غرارے کرنے لگا۔ میں نے چونک کر اِدھر اُدھر دیکھا۔ ریڈیو پر پکا گانا ہو رہا تھا۔

شیطان نے واپس آکر کہا۔ "اب تمہارے ذمے تین لڑکیاں اُدھار ہیں۔" انہوں نے میری رائے طلب کی۔ میں نے انہیں بتایا کہ معنّک لڑکیوں سے آج تک میرا واسطہ نہیں پڑا' اس لئے میں کچھ نہیں کہہ سکتا اور پھر اس صورت میں جب کہ

شیطان کی معّنک کزن کسی کالج میں استانی ہیں۔ البتہ ایک شعر میں نے کہیں سے سنا تھا

اگرچہ عینکوں سے فرق کچھ اتنا نہیں پڑتا
معّنک لڑکیوں پر لوگ عاشق کم ہی ہوتے ہیں

لیکن ان کا خیال تھا کہ عینک لڑکی کا زیور ہے۔ عینک کو مقوئ حسن کا درجہ دیا گیا ہے۔ کئی چہرے تو عینک کے بغیر اچھے معلوم نہیں ہوتے۔ میں نے انہیں بتایا کہ یہ وہ چہرے نہیں تھے۔ دراصل وہ چہرے میں نے آج تک نہیں دیکھے۔

انہوں نے بتایا کہ یہ مختلف کالجوں میں پڑھتی ہیں۔ مہینے میں پندرہ دن ہوسٹلوں میں رہتی ہیں اور پندرہ دن گھر۔ ان سے واقفیت بھی خوب ہوئی۔ موسم بہار کی آمد پر ابھی شیطان کی عینک کو گم ہوئے چند دن ہی گزرے ہوں گے کہ انہوں نے سینما میں اپنی اُن کزن کو دیکھا جو اُستانی ہیں۔ وہ ایک گوشے میں بالکل اکیلی بیٹھی تھیں۔ یہ اُن کے پیچھے جا بیٹھے۔ پہلے گلا صاف کیا' کھنگارے۔ پھر ایک ترقی پسند سا شعر پڑھا۔ مگر وہ خاموش رہیں۔ شیطان نے عینک کے شیشے صاف کرنے کا مشورہ دیا کہ مَیلے ہو رہے ہیں۔ وہ پھر بھی چپ رہیں۔ یہ شکایتیں کرنے لگے کہ مہینے ہو جاتے ہیں اور تم نہیں ملتیں۔ ہم بلاتے ہیں تو انکار ہو جاتا ہے۔ خود اکیلی سینما آ جاتی ہو۔ مہینے کی پہلی تاریخیں ہیں۔ تمہیں تنخواہ ملی ہو گی۔ دیکھیں تمہارا بٹوہ۔

جب شیطان نے بٹوے پر ہاتھ ڈالا تو چھینا جھپٹی شروع ہو گئی۔ آس پاس کے لوگ دیکھنے لگے۔ آخر فتح شیطان کی رہی اور انہوں نے بٹوہ چھین لیا۔ اب جو قریب سے انہیں دیکھتے ہیں تو وہ اور کوئی اور تھیں۔ بڑے شرمندہ ہوئے۔ جو معافی مانگنی شروع کی تو انہیں فلم بھی نہ دیکھنے دی۔ پکچر ختم ہوئی تو انہیں گھر چھوڑنے گئے۔ اور دوستی ہو گئی۔ یہ تھی کریمہ جس کی بائیں آنکھ پر شیطان بری طرح فریفتہ ہو گئے تھے۔ کیونکہ وہ اکثر شیطان کی دائیں طرف بیٹھتی اور وہاں سے بائیں آنکھ مقابلتاً قریب ہوتی ہے۔

ایک روز شیطان کافی ہاؤس میں تھے کہ دروازہ کھلا۔ کریمہ آئی اور شیطان کے سامنے سے ہوتی ہوئی سیڑھیاں چڑھ کر اوپر چلی گئی۔ انہیں بہت برا لگا۔ یہ اُٹھے اور اسی طرح تیزی سے سیڑھیاں چڑھ کر اس کے سامنے جا بیٹھے۔ اوپر کچھ اندھیرا سا تھا۔ انہوں نے خفگی کا اظہار کیا اور کہا کہ لڑکیوں کو آداب بالکل نہیں آتے۔ اگر باتیں

کرنا نہیں چاہتی تھیں تو کم از کم ہیلو ہی کہہ دیتیں۔ اسی طرح تو غلط فہمی پیدا ہوتی ہے۔ جب اچھی طرح خفا ہو چکے تو معلوم ہوا کہ یہ کریمہ نہیں تھی کوئی اور معنک لڑکی تھی۔ شیطان نے بڑی خوشامدیں کیں۔ بات بات پر ہی ہی کرتے رہے۔ بالائی اور کافی منگائی ـــــ یہ رحیمہ تھی۔

تیسری لڑکی سفینہ خود کنارے آلگی۔ اور ایک دن کریمہ اور رحیمہ کے ہمراہ چڑیا گھر میں مل گئی۔

''تو سارا قصور تمہاری گم شدہ عینک کا ہے ـــــ؟'' میں نے پوچھا۔

''اور موسم بہار کا بھی ـــــ'' وہ بولے۔

میں نے مشورہ دیا کہ وہ اپنی سرگرمیوں کو تب تک ملتوی کر دیں جب تک ان کی نئی عینک نہیں آتی۔

''عینکیں تو آتی جاتی رہتی ہیں۔ موسم بہار بہت دیر میں آتا ہے۔'' وہ آہِ سرد کھینچ کر بولے۔ ''اور پھر رضیہ نے بھی تو کہا تھا کہ آپ عینک کے بغیر اچھے معلوم ہوتے ہیں۔''

ہم نے بل منگایا۔ شیطان نے حسب معمول بل کا بغور مطالعہ کیا۔ دوبارہ میزان کر کے ساڑھے تین آنے کی غلطی نکالی۔ بیرہ بل درست کرا کے لایا۔ میں نے چار آنے پلیٹ میں چھوڑ دیئے۔ بیرے نے بہت برا منہ بنایا۔ ابھی تھوڑی دُور ہی گیا ہوگا کہ شیطان نے آواز دے کر واپس بلا لیا اور چار آنے پلیٹ سے اٹھا کر اپنی جیب میں ڈال لیے۔

ہم باہر نکلے، موٹر سائیکل سنبھالی اور جج صاحب کی کوٹھی کا رُخ کیا۔ شیطان کا اصرار تھا کہ جس طرح ملازمت میں اینٹی ڈیٹ ملتی ہے اسی طرح انہیں بھی وہ چند سال مل جانے چاہئیں جو انہوں نے رضیہ کے عشق میں پہلے گزارے تھے۔ یعنی اُن کا عشق تب سے گنا جائے جب وہ پہلی مرتبہ رضیہ پر عاشق ہوئے تھے۔ اس طرح وہ مجھ سے کافی سینئر ہو جاتے تھے۔

پھاٹک پر ہمیں ننھا ملا جو غلیل لئے کھڑا تھا۔ اُس سے معلوم ہوا کہ حکومت

آپا شکار کھیلنے گئی ہیں، جج صاحب کے ساتھ ۔۔۔ یہ سن کر مجھے بڑی خوشی ہوئی کیونکہ حکومت آپا کی جدائی میرے لئے ہمیشہ مسرت آمیز ہوتی ہے۔

شیطان بولے۔ "کاش کہ مجھے پہلے پتہ چل جاتا۔ جہاں وہ گئی ہیں وہاں کے جانوروں کو مسلح کر دیتا۔"

ہم نے رضیہ کے متعلق دریافت کیا تو ننھا بولا۔ "یقین کیجیے بھائی جان' میں آج تک نہیں سمجھ سکا کہ آخر رضو آپا میں ایسی کیا چیز ہے جو آپ دونوں کو پسند ہے۔ کم از کم مجھے تو وہ بے حد معمولی دکھائی دیتی ہیں۔"

"جب تم ہماری عمر کو پہنچو گے تو تمہارا معیار یقیناً بدل جائے گا۔"

"مگر میں نے تو عمر بھر ایسی لڑکی نہیں دیکھی جس نے مجھے متوجہ کیا ہو۔" ننھے میاں نے بزرگوں کی طرح بیان دیا۔

شیطان ننھے میاں کو دیکھ کر دانت پیستے اور قسم کھاتے کہ اگر وہ کبھی اسمبلی کے ممبر بن گئے تو ایک قانون نافذ کرائیں گے جس کی رُو سے عشاق کو اجازت ہو گی کہ اگر محبوب کا کوئی اس قسم کا چھوٹا بھائی ہو تو اُسے جاں بحق تسلیم کرا دیں۔

شیطان ان دنوں کچھ حساس سے ہو گئے تھے۔ بہار آتے ہی وہ حساس ہو جاتے ہیں۔

بیگم ملیں "سناؤ لڑکو کیسے ہو ۔۔۔ ؟ تمہاری موٹر سائیکل کیسی ہے؟"

"جی خدا کے فضل سے اچھی ہے اور آپ کی خیریت کی طالب ہے۔" شیطان نے جواب دیا۔

"بھائی جان آپ کی موٹر سائیکل کی طاقت کتنی ہے؟" ننھے میاں نے پوچھا

"ڈھائی ہارس پاور ۔۔۔"

"یعنی دو گھوڑے اور ایک بچھیرا ۔۔۔ لیکن جس روز میں اس پر سوار ہوا تو یہ ساڑھے تین ہارس پاور کی ہو جائے گی۔ امی جان ہارس پاور کا ترجمہ کیجیے ۔۔۔"

"مجھے کیا پتہ کہ یہ کم بخت پاور ہاؤس کیا بلا ہے ۔۔۔"

"قوتِ اسپ ۔۔۔" ننھا سینہ پھلا کر بولا۔

"یہ دن بدن شرارتی ہوتا جا رہا ہے ۔۔۔ آج یہ کہیں سے ایک چھوٹا سا بچے کا

بکرا پکڑ لایا۔ جو پھر اُودھم مچایا ہے تو خدا کی پناہ۔"

بیگم نے ذرا دوسری طرف دیکھا اور شیطان غائب تھے۔

"امی جان! ایف اے خان صاحب کی موٹر آئی ہے۔"

یہ ایف اے خاں شاید کوئی فقیر احمد یا فدا احمد وغیرہ تھے۔ ان پر ننھے میاں خاص طور پر مہربان تھے۔ ہر ملاقات پر سلام کے بعد سوال ہوتا۔ "انکل آپ برسوں سے ایف اے خاں کیوں ہیں؟ لوگ ایم اے ہو گئے مگر آپ بی اے خاں تک نہیں ہوئے۔"

"مسز خاں بھی آئی ہوں گی۔ اچھا میں چلتی ہوں۔ اتنی دیر تم ننھے کو پڑھاؤ۔ اس کا سبق بھی سننا۔ یہیں بیٹھے رہو' باہر مچھیاں اور مکھّر بہت ہیں۔"

سب سے پہلے ننھے میاں نے اپنی تازہ ترین تھیوریاں پیش کیں کہ دراصل آسمان ایک سیاہ خول ہے جس میں بے شمار چھوٹے چھوٹے سوراخ ہیں۔ اس خول کے پیچھے نہایت تیز روشنی رہتی ہے۔ ہم ان سوراخوں کو ستارے سمجھتے ہیں۔ یہ ہوائی جہاز والے اگر زیادہ اونچے چلے گئے تو اس خول سے ٹکرا بھی سکتے ہیں اور یہ کہ کششِ ثقل کے بالکل اُلٹ ایک اور کشش بھی ہے جو انسان کو آسمان کی طرف کھینچتی ہے۔ اس کا نسخہ ابھی تک معلوم نہیں ہوا۔ جس روز دریافت کر لیا گیا سفر میں بڑی آسانی ہو جائے گی۔ لوگ شُوں سے آسمان کی طرف اُڑ جایا کریں گے۔ اتنی دیر میں زمین گردش کرتی رہے گی اور وہ شہر دور چلا جائے گا۔ جب نیا شہر آنے والا ہو گا تو مخالف گیئر لگا کر کششِ ثقل کے ذریعے نیچے اُتر آیا کریں گے۔"

اس کے بعد وہ یہ معلوم کرنا چاہتے تھے کہ انسان اپنا توازن کس طرح قائم رکھتا ہے۔ اگر پونے چھ فٹ لمبے لٹھ کو زمین پر کھڑا کر دیا جائے تو وہ فوراً گر پڑتا ہے لیکن انسان کھڑا رہتا ہے اور نہیں گرتا۔ انہیں یہ بات بھی حیرت میں ڈالتی تھی کہ پانی پت کی لڑائیاں ٹینکوں اور ہوائی جہازوں کے بغیر کیونکر فتح کی گئیں۔

بڑی مصیبتوں سے میں نے ننھے میاں سے پیچھا چھڑایا۔ دبے پاؤں باغیچے میں پہنچا۔ دیکھتا کیا ہوں کہ نہایت سہانا سماں ہے' معطر جھونکے چل رہے ہیں۔ تارے جگمگا رہے ہیں۔ چاند ابھی نکلا تو نہیں لیکن ارادہ کر رہا ہے۔ فوارے کے سامنے رضیہ اور

شیطان یوں پوز بنائے کھڑے ہیں جیسے تصویر اُتروا رہے ہوں۔

شیطان نے ایک نہایت لمبی آہ کھینچی' اتنی لمبی کہ میں حیران رہ گیا۔ اور بڑے غمگین لہجے میں بولے ـــــ "ٹوٹے چمک چمک کے ستارے امید کے ـــــ اِک خواب تھا کہ پتہ نہیں کیا ہوتا رہا ـــــ"

"اِک خواب تھا کہ تا بہ سحر دیکھتے رہے۔" رضیہ نے لقمہ دیا اور دونوں روِش پر چلنے لگے۔ وہ میرے قریب سے گزرے۔ شیطان تو اتنے قریب تھے کہ میں چاہتا تو ہاتھ بڑھا کر گدگدی کر سکتا تھا۔

"جی ہاں بالکل وہی ـــــ اُف یہ ستارے کتنے اُداس ہیں ـــــ رات بھر سنسان فضاؤں میں اکیلے ٹمٹماتے رہتے ہیں۔ میری زندگی بھی ستارے کی طرح اُداس اور تنہا ہے۔"

جس جگہ میں چھپا ہوا بیٹھا تھا وہ ایسی تھی کہ اگر ذرا بھی ہلتا تو نظر آجاتا۔ اس لئے میں ان کا تعاقب نہیں کر سکا۔ اب وہ دونوں واپس آرہے تھے۔ رضیہ کہہ رہی تھی ـــــ "اوّل تو آپ ان سب کو ستارے نہیں کہہ سکتے۔ ستارے وہ ہیں جو سیاروں کی طرح گردش نہیں کرتے مثلاً سورج ستارہ ہے۔ ہر ستارے کے گرد کئی سیارے گھومتے ہیں۔ اجرام فلکی اتنی حسین چیزیں ہرگز نہیں جتنی آپ سمجھتے ہیں۔ ان میں سے اکثر اُجاڑ اور بے نور ہیں ـــــ" دونوں دُور نکل گئے۔

اس مرتبہ لوٹے تو شیطان بڑے پُردرد انداز میں کہہ رہے تھے "خدایا کیا اسرار ہے کہ جس سے محبت کرنے لگو اس کا دل پتھر کی سل بن جاتا ہے۔ بالکل بے حس۔ اس پر اتنا سا بھی تو اثر نہیں ہوتا۔"

جب واپس آئے تو رضیہ کہہ رہی تھی ـــــ "آپ نے یہ کیا فورڈ فورڈ لگا رکھی ہے۔

فورڈ کا بیوک سے کوئی مقابلہ نہیں۔ فورڈ تو ان کاروں میں سے ہے جنہیں آج خریدو تو دو سال کے بعد کھینچنے کے لئے بیلوں کی جوڑی کی ضرورت محسوس ہوتی ہے۔"

کچھ دیر کے بعد وہ میرے قریب سے پھر گزرے۔ اس مرتبہ شیطان نے

رضیہ کی کلائی تھام رکھی تھی۔ اس کی ننھی سی گھڑی کو بالکل آنکھ سے لگا رکھا تھا۔ اور کہہ رہے تھے ــــ "زمین اپنے محور کے گرد تقریباً آٹھ سو میل فی گھنٹہ کی رفتار سے گھوم رہی ہے۔ اس لئے اب تک AERONAUTICS سے اس کا کوئی تنازعہ نہیں ہوا ــــ اب JET PROPULSION سے انقلاب آ جائے گا اور ہوائی جہاز ہزار میل فی گھنٹے کی رفتار سے اڑا کریں گے' لہٰذا زمین سے آگے نکل جایا کریں گے۔ ہمارے موجودہ وقت کا نظام بے کار ہو جائے گا۔ اور تمہاری یہ پیاری سی گھڑی بھی بالکل بے کار ہو جائے گی۔" اتنے میں جھاڑی میں کسی نے زور سے چھینک ماری۔ پھر ننھے میاں سرپٹ بھاگتے ہوئے دکھائی دیئے۔

میں اور شیطان موٹر سائیکل پر واپس آ رہے تھے۔ ہوا تیز تھی اور وہ پیچھے بیٹھے تھے۔ اس لئے چلّا چلّا کر میرے کان میں باتیں کر رہے تھے۔ ننھے میاں کے متعلق بے حد لطیف جذبات کا اظہار ہو رہا تھا۔

"اس مردود بچے کو رشوت دینی پڑے گی۔"

"لیکن اِس میں اُس کا کیا قصور ــــ عشق' مشک اور چھینک چھپائے نہیں چھپتے۔ یہ بتاؤ کہ آج باتیں کیسی ہوئیں؟"

"ایک ماڈرن لڑکی کے ساتھ اس سے زیادہ رُومانی گفتگو ناممکن تھی۔ بس سمجھ لو کہ حالات بڑے امید افزاء ہیں۔"

"اور وہ کریمہ' نرینہ' مہینہ ــــ؟"

"تم نام غلط مت لیا کرو ــــ"

میں چند دنوں کے لیے باہر چلا گیا۔ واپسی پر مجھے بتایا گیا کہ شیطان دن میں آٹھ دس مرتبہ فون کرتے تھے' جو غریب فون پر بولتا اس پر بے حد خفا ہوتے جیسے وہ جان بوجھ کر میری نقل و حرکت چھپا رہا ہو۔

معلوم ہوا کہ محض میری وجہ سے اُن کی پارٹی ملتوی ہو گئی جس میں وہ تینوں لڑکیاں مدعو تھیں۔ پوچھا کہ پارٹی کس تقریب میں ہو رہی ہے؟ بولے ابھی تک تو سوچا نہیں۔ دراصل شیطان انہیں اتنی دفعہ مدعو کر چکے تھے کہ تمام معقول بہانے ختم ہو گئے تھے۔ آخر فیصلہ ہوا کہ جنوبی امریکہ یا غالباً شمالی افریقہ کی ایک چھوٹی سی ریاست

کو جو خود مختارانہ حقوق ملے ہیں اس خوشی میں ہم ایک شاندار پارٹی دیں۔

شیطان کی ایسی پارٹیوں سے میں بہت گھبراتا ہوں۔ ایک تو وہ اتنا بڑا ہجوم اکٹھا کر لیتے ہیں کہ کسی جلسے کا شبہ ہوتا ہے۔ دوسرے یہ کہ خود آپے سے باہر ہو جاتے ہیں۔ ایسے موقعوں پر میں ہمیشہ دیر سے پہنچتا ہوں۔ دُور بیٹھتا ہوں۔ دوسرے لوگوں سے باتیں کرتا رہتا ہوں۔ سب سے پہلے چلا آتا ہوں۔ ہر ممکن طریقے سے یہ جتا دیتا ہوں کہ پارٹی سے میرا کوئی تعلق نہیں۔

چنانچہ میں دیر لگا کر پہنچا۔ شیطان سڑک پر کھڑے تھے۔ مجھے دیکھ کر انہوں نے کسی خاص مسرت کا اظہار نہیں کیا۔ ان کا چہرہ جوں کا توں رہا۔ آنکھیں جس سمت میں تک رہی تھیں اُسی سمت میں تکتی رہیں۔ میں سمجھا کہ خفا ہو گئے ہیں۔ قریب گیا' پھر بھی وہ اسی طرح ہوا میں دیکھتے رہے۔ میں نے اشارے کئے' ہاتھ ہلائے' سر ہلایا — لیکن کچھ نہ ہوا۔ یوں معلوم ہوتا تھا جیسے وہ علیل ہو گئے ہوں۔ پھر مجھے اُن کی عینک یاد آگئی جس کے بغیر وہ اپنے آپ کو بھی اچھی طرح نہیں دیکھ سکتے۔ میں نے ان کے کندھے پر ہاتھ رکھ دیا۔ اور وہ دفعتاً اُچھل پڑے۔

جب ہم جلدی جلدی سڑک عبور کر رہے تھے تو شیطان سر کے بل ایک سائیکل میں جا گھسے۔ اتفاق سے سائیکل چل رہی تھی اور اس پر ایک شخص سوار تھا۔ اس نے ایک قلابازی کھائی اور دراز ہونے کے لئے ایسی جگہ چنی جہاں گارا اور کیچڑ تھا۔

شیطان نے بڑے انکسار سے — "آئی ایم سوری" — کہا اور آگے چل دیئے۔ میں نے اُنہیں روکا۔

"اسے اٹھائیں؟"

"ضرورت تو نہیں۔ میں نے سوری کہہ دیا۔" شیطان نے جواب دیا۔

"ذرا سہارا دے دیں۔"

"لیکن کہہ تو دیا سوری۔"

"مگر وہ خود نہیں اُٹھ سکتا"

"تو میں کیا کروں۔ میں نے سوری کہہ دیا ہے۔ اسے اور کیا چاہیے؟"

ہم کیفے میں داخل ہوئے۔ باہر پلاٹ میں کرسیاں بچھی ہوئی تھیں اور

آرکیسٹرا بج رہا تھا۔ لوگوں میں سے گزرتے ہوئے شیطان نے ایک کتے کی دُم پر پاؤں رکھ دیا۔ کتے نے ایک عظیم الشان نعرہ لگایا۔ شیطان مڑے اور کتے کی طرف جھک کر سوری کہہ دیا۔

میں نے ان تینوں لڑکیوں کو سلام کیا۔ مجھے ان کے نام ابھی تک یاد نہیں ہوئے تھے۔ چنانچہ میں نے کوشش شروع کردی۔ اتنے میں ایک بورژوا قسم کا کتا کرسی پر آبیٹھا اور میز پر رکھی ہوئی چیزوں کو سونگھنے لگا۔ شیطان نے غالباً اُسے ادنیٰ بازاری کتا سمجھ کر زور سے ڈانٹا اور پتھر اُٹھانے کی نیت سے ایک ہاتھ زمین کی طرف لے گئے۔ کتا ڈرا بالکل نہیں۔ اس نے شیطان کو حقارت بھری نگاہوں سے دیکھا۔ ساتھ کی میز سے آواز آئی۔

"جیکی واپس چلے آؤ۔"

لڑکیوں نے شیطان کی اس حرکت پر اظہارِ افسوس کیا کہ اتنے اچھے خاندانی کتے کو خفا کردیا ___ شیطان بولے ___ "بات یہ ہے کہ آج تک کوئی کتا میری زندگی میں داخل نہیں ہوا۔"

جب لڑکیاں قہقہے لگا رہی تھیں، شور مچا رہی تھیں اور آرکیسٹرا جاز کی گت بجا رہا تھا تو شیطان نے چپکے سے مجھ سے عہد کرایا کہ میں کبھی اُنہیں عینک کے سلسلے میں نہیں ٹوکوں گا اور ان کی کمزوری کو صیغۂ راز میں رکھوں گا۔

گفتگو کے موضوع صرف دو تھے۔ پہلا موضوع شادی تھا اور دوسرا موضوع بھی شادی تھا۔ شیطان کریمہ کے ساتھ لگے ہوئے اس کی بائیں آنکھ کو بڑی للچائی ہوئی نگاہوں سے دیکھ رہے تھے۔

وہ کہہ رہی تھی ___ "میں تو ایسے شخص سے شادی کروں گی جو دولت مند ہو، صاف گو اور دلیر ہو۔ صاحب عزت اور صاحب دماغ ہو۔ نمایاں شخصیت کا مالک ہو۔ اور مشہور و معروف ہو۔"

"تم نے دیر لگادی ___ " شیطان بولے "مسز چرچل اس شخص کو کبھی کی ہتھیا چکی ہیں ___

"میرا انتخاب آخری ہوگا۔" جیسے انہوں نے شیطان کی بات ہی نہیں سنی

''اور جسے میں نے پسند کیا اس کے ساتھ جہنم میں بھی رہنے کو تیار ہوں گی۔''

''تم نے اپنی اور اس خوش نصیب کی منزل خوب چنی ہے'' شیطان نے لقمہ دیا اور کچھ اور قریب ہو گئے۔ اتنے کہ جب وہ باتیں کرتے تو کریمہ کی عینک کے شیشے دھندلے ہو جاتے اور اسے بار بار صاف کرنے پڑتے۔

شیطان نے کچھ اور قریب ہو کر بجلی کے ایک بہت بڑے قمقمے کی طرف اشارہ کیا جسے وہ غالباً چاند سمجھے تھے۔ میں نے جلدی سے اُن کا ہاتھ پکڑ کر چاند کی طرف کر دیا جو درختوں سے طلوع ہو رہا تھا۔ انہوں نے چاند کی تعریف کی' نظارے کو سراہا اور کریمہ سے رائے طلب کی۔

''چاند اچھا ہے' تارے بھی برے نہیں' پیسٹری اچھی ہے صرف اس میں مکھن زیادہ ہے'' ــــــ جواب ملا۔

شیطان نے بیرے کو بلایا اور ایک کاغذ پر کچھ لکھ کر دیا۔ ''یہ آرکیسٹرا والوں کو دے دو۔ ایسے حسین ماحول میں کوئی اچھا سا والز سننے کو جی چاہتا ہے۔''

''اور واپس آتے وقت کچھ گرم گرم سموسے لیتے آنا'' ایک لڑکی بولی۔

آرکیسٹرا والے شاید شیطان کے رقعے کے منتظر ہی تھے' ابھی بیرہ وہاں تک پہنچا نہ تھا کہ والز شروع ہو گیا۔ شیطان کریمہ کے کچھ اور قریب آ گئے۔

''کیا خیال ہے ــــ ؟'' انہوں نے آگے جھک کر آرکیسٹرا والوں کی طرف اشارہ کیا اور کریمہ کی عینک کے شیشے دُھندلے کر دیئے۔

''ذرا نمک زیادہ ہے آپ بھی چکھیے ــــ'' اُس نے طشتری سامنے کر دی۔

ذرا سی دیر میں دوسرا والز بج رہا تھا اور شیطان سفینہ سے گھل مل کر باتیں کر رہے تھے۔ وہ اپنے خاندان کے قصیدے سنا رہی تھی کہ اُن کے خاندان میں کوئی ستر فیصدی خان بہادر تھے' بیس فیصدی نواب زادے اور باقی صاحب زادے۔ بچے یورپین گورنسوں کے ساتھ عمر بھر رہتے تھے۔ لڑکیاں کانونٹ میں پڑھتی تھیں۔ تعلیم ختم ہونے سے پہلے ہی اُن کی شادی کسی امپیریل سروس والے سے ہو جاتی جو اُنہیں سیدھا انگلینڈ لے جاتا تھا۔ اس کے بعد کیا ہوتا تھا؟ اس کا ذکر اس نے نہیں کیا۔

اس نے شیطان کے آباء واجداد میں بھی دلچسپی ظاہر کی اور ان کے متعلق

دریافت کیا۔ شیطان نے پہلے تو ٹال مٹول کی، جب اصرار بڑھا تو بولے۔ "جی ہمارا شجرہ نسب صدیوں پہلے لنگوروں سے جا ملتا ہے۔ غالباً ڈارون کی تھیوری پر تو آپ کا بھی اعتقاد ہو گا۔ لہٰذا آپ کے بزرگ اور ہمارے بزرگ اکٹھے ہی رہا کرتے تھے۔"

تیسرا والز شروع ہوا اور شیطان رحیمہ کے ساتھ آ بیٹھے۔ کریمہ اور سفینہ باتیں آپس میں کر رہی تھیں اور منہ میری طرف کر رکھا تھا۔

میں نے مغز کے کباب ان کی طرف بڑھا کر کہا ــــ "لیجیے دماغ کھائیے۔" اور ایک کباب پر تھوڑا سا شوربہ ڈال کر دوسری کی طرف بڑھا دیا۔

وہ کچھ جھجکیں، میں مُصر رہا ــــ کھائیے بھی مغز ــــ آپ تو تکلف کرتی ہیں ــــ" اب ریکارڈ بج رہے تھے۔ گویّا CARUSO نہایت دلکش نغمہ الاپ رہا تھا۔ رحیمہ اور شیطان نہایت ذہین قسم کی گفتگو کر رہے تھے۔

"اب مجھے ہی لیجیے۔ مجھ پر ایسے دورے اکثر پڑتے ہیں اور میں اس قدر پریشان ہو جاتا ہوں کہ جب سوتا ہوں تو جاگتا رہتا ہوں۔ بس ایک وہم سا مجھ پر سوار ہو جاتا ہے کہ شاید میں اتنا عظیم انسان نہیں ہوں جتنا کہ ہوں۔"

"یہ گانا کیسا ہے؟" رحیمہ نے پوچھا۔

"کروسو کو احساسِ کمتری تھا۔ وہ بالکل چھوٹا سا ٹُھکا ہوا آدمی تھا۔ تبھی اس کے گانے میں اتنا سوز ہے۔ یا اُس کا گلا اتنا سریلا تھا یا اُسے زکام کی شکایت رہتی ہو گی۔ غالباً وہ انگریزی کے پکے گانے گاتا تھا۔"

اب سناٹرا کا ریکارڈ بج رہا تھا۔

"یونہی منحنی سا فاقہ زدہ انسان ہے یہ سناٹرا۔" ایک لڑکی بولی۔

"اور مقصود صاحب ــــ؟" کسی نے مقصود گھوڑے کے متعلق پوچھا۔ وہ بھی کبھی کبھی گایا کرتا تھا۔

"آدمی تو فضول سے ہیں لیکن اُن کے پاس کار نہایت عمدہ ہے۔" سفینہ بولی۔

شیطان کے کان کھڑے ہوئے۔ ان دنوں مقصود گھوڑے سے اُن کے تعلقات خوشگوار نہیں تھے۔

"آپ کے وہ دوست آپ کے ساتھ کبھی نہیں آئے۔" کریمہ نے پوچھا۔

"یہ چاکلیٹ کی پیسٹری نہیں چکھی آپ نے۔" شیطان نے جواب دیا۔

"اُن کی کار واقعی نہایت خوبصورت ہے۔ وہ ہمیشہ ہوتے بھی اکیلے ہیں۔"

"بیرہ!" — شیطان چلّائے — "تم کچھ سموسے کھاؤ گی —؟"

"کافی کھا چکی ہوں۔ چلیے آپ کے لئے کھاؤں گی۔"

"دیر ہو گئی ہے۔ کیا وقت ہو گا؟" کریمہ نے پوچھا۔

"دس بجنے میں بیس منٹ ہیں۔" میں نے بتایا۔

"تو چلیں —" اس نے کہا۔

"نہیں — تمہاری گھڑی آگے ہے۔" شیطان بولے۔ "صرف نو بج کر چالیس منٹ ہوئے ہیں۔"

جب ہم کیفے سے باہر نکلے تو شیطان کہیں غائب ہو گئے۔ دیکھا تو ایک اور تانگے میں بیٹھے ہیں۔ چونکہ میں عہد کر چکا تھا کہ ان کی بینائی کا ذکر نہیں کروں گا اس لئے خاموش رہا۔

مقصود گھوڑا مانگی ہوئی کار میں مجھ سے ملنے آیا اور لڑکیوں سے متعارف ہونے کی خواہش ظاہر کی۔ میں نے کہا کہ شیطان سے پوچھو۔ شیطان بڑے خفا ہوئے کہ خبردار جو کسی نے میری لڑکیوں کی طرف دیکھا بھی ہے تو — شاید وہ مقصود گھوڑے کی مانگی ہوئی کار سے گھبراتے تھے۔ پھر میری طرف دیکھ کر بولے "اور تم اپنا قرض کیوں نہیں چکاتے۔ لاؤ کہاں ہیں تین لڑکیاں۔ کہیں سے تین لڑکیاں ڈھونڈ کر لاؤ اور ان تینوں کے ساتھ شامل کرو۔"

اُدھر جیسے حادثوں کی بارش شروع ہو گئی اور حادثے موسلا دھار برسنے لگے۔

شام کو کلب گیا۔ دیکھتا ہوں کہ چند فلاسفر قسم کے معّنک حضرات شیطان کو گھیرے بیٹھے ہیں۔ ایسی گرما گرم بحث ہو رہی ہے کہ کمرے کا درجہ حرارت کافی بڑھ گیا ہے۔ ایک صاحب جنہوں نے اپنے آپ کو کامریڈ مشہور کر رکھا تھا اور شاید کامریڈ تخلّص بھی کرتے تھے، شیطان کے چہرے میں اپنی عینک ٹھونسے ایک اور کامریڈ کی باتیں کر رہے ہیں جو کسی دوسرے براعظم سے تعلق رکھتے تھے۔

"وہ چوڑے اور موٹے ہیں۔ شاید اس لئے وسیع خیالات کے انسان ہوں گے۔" شیطان بولے۔

"وہ نہایت تجربہ کار عالم ہیں۔" کامریڈ بولے۔

"اور تجربہ کیا ہے؟ غلطیوں کا دوسرا نام۔ میں تو انہیں اوّل نمبر کا قنوطی انسان سمجھتا ہوں۔ حالانکہ انہیں انسان سمجھنا بھی زیادتی ہے۔"

"وہ کروڑوں مردوں کے لیڈر ہیں۔"

"یہی تو مصیبت ہے کہ وہ مردوں کا تو لیڈر رہے اور عورتوں کا ہمیشہ سے FOLLOWER ہے۔"

"عورتوں کا فالوور نہیں' عورتوں کے فالوور کہیے۔" وہ چلّائے۔

"عورتوں کا فالوور ___ کا فالوور ___ کا فلوور ___" شیطان نے میز پر مکا مارا۔ دونوں اٹھ کھڑے ہوئے اور تھر تھر کانپنے لگے۔

"میرے ساتھ ذرا باہر چلو۔" شیطان اُن کی گردن پکڑ کر چیخے۔

ہم اُنہیں باہر لے آئے۔ روشن سڑکوں سے دُور ایک تاریک گوشے میں اس ڈوئل کی تیاریاں شروع ہوئیں۔ شیطان نے اُن کی عینک کی طرف اشارہ کر کے کہا۔

"یہ کیا تم نے پہن رکھا ہے اپنی طوطے جیسی ناک پر ___؟ اسے اتار دو' ورنہ میں تمہیں پیٹنے سے انکار کرتا ہوں" انہوں نے عینک زمین پر دے ماری۔

اب لڑائی شروع ہوئی۔ ہم نے ان دونوں کو دُور دُور لے جا کر چھوڑ دیا۔ اچھا خاصا اندھیرا تھا۔ غالباً کامریڈ صاحب کی بینائی بھی شیطان کی طرح بے حد کمزور تھی۔ پہلے دونوں نے آستینیں چڑھائیں اور پھر ہوا میں مکے لہراتے ہوئے ایک دوسرے کے قریب سے گزر گئے۔ کامریڈ نے دفعتاً ایک نعرہ بلند کیا اور ایک درخت کے تنے کو پیٹ ڈالا۔

"کدھر دفع ہو گئے ___؟" انہوں نے اپنا ہاتھ سہلاتے ہوئے پوچھا۔

"اور تم کہاں ہو؟" شیطان نے بالکل اُن کے قریب سے گزرتے ہوئے دریافت کیا۔

پھر دیکھتے دیکھتے شیطان تڑپے اور ایک سمت میں بھاگے۔ ہوا میں ایک مکہ جو گھمایا تو اتفاق سے کامریڈ کی کمر میں لگا۔ انہوں نے پیچھے مڑ کر اِدھر اُدھر دیکھا اور طیش میں آکر چلاّئے۔ "یہ مکہ مجھے کس نے مارا ہے؟ تماشائی ایک طرف رہیں۔ اگر میں نے کسی کو شرارت کرتے دیکھ پایا تو برا سلوک کروں گا۔"

ہم میں سے باری باری ہر ایک اُن کے قریب سے گزرتا۔ اُن دونوں کی توجہ ہماری طرف زیادہ تھی۔ منٹ منٹ کے بعد وہ چلاّ چلاّ کر ایک دوسرے سے پوچھتے "تم کہاں ہو؟" اس کے بعد کبڈی سی شروع ہو جاتی۔ ایک مرتبہ تو وہ مختلف سمتوں میں اتنی دُور چلے گئے کہ ہم پکڑ کر واپس لائے۔

غرضیکہ آدھ گھنٹے تک گھمسان کی لڑائی ہوئی۔ ساری لڑائی میں صرف ایک مکہ کار آمد ثابت ہوا ــــ جو شیطان کا تھا اور کامریڈ صاحب کی کمر میں اتفاقاً جا لگا تھا۔

اس کے بعد دیر تک دیا سلائیاں جلا جلا کر کامریڈ صاحب کی عینک ڈھونڈتے رہے۔

شیطان بدنام ہوتے جا رہے تھے۔ لوگ شکایتیں کرتے کہ مغرور ہو گیا ہے پہچانتا نہیں۔ سامنے سے نکل جاتا ہے۔ دیکھ لیتا ہے اور سلام تک نہیں کرتا۔ سلام کا جواب نہیں دیتا۔

گھر میں پردے پر بحث ہو رہی تھی۔ شیطان کا خیال تھا کہ پردہ سرد ملکوں کے لئے نہایت مفید چیز ہے۔ نزلے زکام وغیرہ کے بچاؤ کا نہایت اچھا ذریعہ ہے۔ لیکن گرم ملکوں کے لئے اتنا کار آمد نہیں۔ گرم ملکوں میں صرف سردیوں میں پردہ کرنا چاہیے۔ گرمیوں میں ململ کے لباس میں بھی سب کا اتنا برا حال ہو جاتا ہے، برقع پہن کر نہ جانے کیا حالت ہوتی ہو گی۔ جو لوگ پردے کے زیادہ حامی ہیں اور بہت شور مچاتے رہتے ہیں، اُن سب کو جون جولائی اگست میں برقعہ پہنا دیا جائے اور ستمبر میں رائے پوچھی جائے۔

باتیں ہو رہی تھیں کہ شیطان نے اُن کو بڑے غور سے گھورا اور بولے "معاف کیجیے حضرت میں نے آپ کو کہیں دیکھا ہے۔"

"ضرور دیکھا ہوگا۔"

"آپ کا چہرہ کچھ مانوس سا معلوم ہوتا ہے۔"

"سچ مچ؟"

"لیجیے سگریٹ پیجئے ___ معاف فرمائیے میں چہرے یاد رکھ سکتا ہوں۔ نام یاد نہیں رکھ سکتا۔" شیطان نے اِدھر اُدھر کی باتیں شروع کر دیں اور خالو کی طرف سے منہ پھیر لیا۔ شیطان کے خالو جو خفا ہوئے ہیں تو بس۔

پھر ایک اور تماشا ہوا۔ شام کو شیطان سفینہ کو لینے اس کے گھر گئے اور غلطی سے پڑوس کے کسی ویسے ہی مکان میں جا گھسے۔ نمبر تو انہیں نظر ہی نہیں آتے تھے بس اندازاً مکانوں میں چلے جایا کرتے۔ پھاٹک' میدان' بر آمدہ' عبور کرتے ہوئے اندر پہنچے۔ ابھی حدود اربعے سے اچھی طرح واقف نہیں ہوئے تھے کہ آواز آئی "کون ہے؟" اس کے بعد کھسر پھسر ہوئی اور قدموں کی چاپ سنائی دی۔ شیطان نے اپنی طرف سے سفینہ کی امی کے کمرے کا رُخ کیا جو مقابلتاً محفوظ جگہ تھی۔ کمرے کی تصویریں دیکھ کر اُنہیں شبہ سا ہوا کہ شاید کسی اور کے گھر چلے آئے ہیں۔ ایک خوبصورت سی لڑکی کی تصویر دیکھ ہی رہے تھے کہ چنگھاڑ سنائی دی۔ "اچھا تو تم ہو" ایک عمر رسیدہ بزرگ ہاتھ میں لٹھ نما چھڑی لئے داخل ہوئے۔

"تو تم ہی وہ لڑکے ہو جس نے ہم سب کی زندگی تلخ کر رکھی ہے۔ یہ بتاؤ کہ تم چاہتے کیا ہو ___ ؟"

"باہر جانا چاہتا ہوں۔" شیطان ہکے بکے رہ گئے۔ انہوں نے بزرگ کو پہلی مرتبہ دیکھا تھا۔

"میں نے سنا ہے کہ تم ہر ایک سے کہتے پھرتے ہو کہ تم لڑکی کو دیکھنا چاہتے ہو۔ آج تمہاری یہ ضد بھی پوری ہو جائے گی ___ ابے او فتّو لا اُس مقصودن کو یہاں۔"

جیسا نام تھا ویسی ہی ایک لڑکی کمرے میں آ گئی۔

"لو یہ ہے وہ' اب اسے دیکھ لو۔ نیچے کیا دیکھ رہے ہو؟ اس کی طرف دیکھو۔" شیطان دیکھنے لگے۔

"دیکھ چکے کیا؟"

"جی ہاں!"

"اچھا تم جاؤ" شیطان چلنے لگے۔

"نہیں تم نہیں۔ میں نے لڑکی سے کہا ہے۔ اور یہ بتاؤ کہ تم اپنے عزیزوں کی طرف سے پیغام کیوں نہیں بھجواتے؟ یوں بدنام کیوں کرتے پھرتے ہو؟ اس طرح چوروں کی طرح گھر میں گھسنا شریف آدمیوں کا کام ہے کیا؟"

"جی آپ کی بینائی کمزور تو نہیں؟ یا کہیں عینک تو نہیں کھوئی گئی" شیطان نے ادب سے پوچھا۔

"اِدھر اُدھر کی باتیں مت کرو۔ میرے سوال کا جواب دو۔"

"جناب میں اس اعزاز کے قابل نہیں ہوں۔ میں شریف آدمی ہرگز نہیں ہوں۔ آپ کو غلط فہمی ہوئی ہے۔ میں تو اُن لوگوں میں سے ہوں جو شرابی کبابی اور جواری ہوتے ہیں۔"

اور ایسے سرپٹ بھاگے کہ دس پندرہ منٹ تک کمروں کے اندر ہی دوڑتے رہے۔ بڑی مشکل سے باہر نکلنے کا راستہ ملا۔

مجھے سب کچھ سنایا تو میں نے پوچھا کہ تم نے جھوٹ کیوں بولا؟ شیطان نے کہا کہ انگریزی دوائیوں اور وِمٹو کی بوتلوں میں الکحل کی ذرا سی مقدار ہوتی ہے۔ کباب ہم خوب کھاتے ہیں اور برج بھی کھیلتے ہیں جو سراسر جوا ہے۔ لہٰذا ہم سب شرابی کبابی اور جواری ہیں۔

میں نے بہت مجبور کیا کہ خدا کے لئے کہیں سے عینک لگوالو اور شریفوں کی زندگی بسر کرنے لگو۔ وہ ہر بار یہی کہتے کہ تم مجھے برا بھلا کہہ لو۔ ڈانٹ لو لیکن عینک کا ذکر مت کیا کرو۔ میرے دل کو صدمہ پہنچا ہے۔ آخر بڑی بحث کے بعد وہ مانے اور ایک عینک ساز کو نمبر دے آئے۔ اگلے ہفتے ہم عینک لینے گئے۔ دکان میں مجسمے رکھے ہوئے تھے جن کے چہروں پر عینکیں لگی ہوئی تھیں۔ شیطان سیدھے ایک بڑے سارے مجسمے کی طرف گئے اور مسکرا کر بولے "آداب عرض، میری عینک تیار ہو گئی یا نہیں ـــــ" میں نے جلدی سے اُن کا منہ دکاندار کی طرف کیا جو بالکل دوسری طرف تھا۔

عینک لگا کر وہ ضد کرنے لگے کہ موٹر سائیکل چلائیں گے۔ چنانچہ مجھے پیچھے بیٹھنا پڑا۔ ہم کچھ دور ہی نکلے ہوں گے کہ وہ چلّائے ہٹو۔ ہٹو۔ ایک طرف ہو جاؤ۔ موٹر سائیکل جھومی اور بڑے زوروں سے جھاڑیوں میں جا گھسی۔ ہم دونوں دُور دُور گرے۔ شیطان کپڑے جھاڑتے ہوئے اُٹھے اور میری طرف دیکھ کر کہنے لگے۔ ''قبلہ معاف کیجیے۔ میں نے ہارن نہیں دیا تھا۔ ویسے آپ کو فٹ پاتھ پر چلنا چاہیے تھا۔''

میں نے انہیں ڈانٹا کہ مجھ سے یہ سب کچھ کیا کہہ رہے ہو۔ جس سے ٹکرائے ہو اس سے کہو۔ ہم نے اُس شخص کو بہت ڈھونڈا جس سے ٹکر ہوئی تھی۔ مگر سڑک خالی پڑی تھی۔ غالباً شیطان کسی غیر مادی چیز سے ٹکرا گئے تھے۔ جو دیکھتا ہوں تو ان کی عینک چہرے پر نہیں ہے۔ پوچھا تو معلوم ہوا کہ جیب میں رکھ لی تھی۔

ساڑھے چار بجے میں چاء پینے جج صاحب کے ہاں پہنچا تو وہاں چار بج کر تیس منٹ ہوئے تھے۔ معلوم ہوا کہ حکومت آپا موٹر سائیکل چلانا سیکھ رہی ہیں۔ جج صاحب اکیلے بیٹھے فائلیں دیکھ رہے تھے۔ کوئی آدھ گھنٹے تک ہم اسی طرح بیٹھے رہے۔ جج صاحب فائلیں دیکھنے میں منہمک رہے اور میں انہیں منہمک رہتے دیکھنے میں منہمک رہا۔ دفعتاً وہ چونکے ——— ''چاء پیو برخوردار و۔''

اور کچھ نئی فائلیں اٹھا کر پڑھنے لگے۔

کچھ دیر بعد پھر چونکے ——— ''چاء پیو ——— پیتے کیوں نہیں؟''

میں نے بڑی ساری چاء دانی کو اٹھایا۔ وہ یک لخت اُوپر چلی گئی۔ معلوم ہوا کہ خالی ہے۔ ڈھکنا اُٹھا کر دیکھا تو اندر صرف چاء کی پتیاں تھیں۔

''آخر تم چاء کیوں نہیں پیتے ———؟'' انہوں نے خفا ہو کر کہا۔

''جی چاء دانی خالی ہے۔''

''اچھا ——— ؟'' انہوں نے میز پر رکھے ہوئے برتنوں کا جائزہ لیا۔ ''تو اس پیالے میں دودھ ہوگا۔ دودھ پیو۔''

میں نے جھانک کر دیکھا۔ دودھ بھی نہیں تھا۔ ''جی دودھ بھی نہیں ہے۔''

''تو پھر ——— '' اُنہوں نے شکر دانی کی طرف اشارہ کیا۔ ''تھوڑی سی چینی چکھو۔''

فائلیں ختم کر کے وہ بڑے ملائم لہجے میں نوکروں پر خفا ہو کر مجھے کلب لے گئے۔ وہاں شکار کی باتیں ہونے لگیں۔ جج صاحب کے متعلق کلب میں مشہور تھا کہ اگر کوئی ان سے صرف اتنا کہہ دے کہ پچھلے مہینے جب میں فلاں تالاب یا دریا کے پاس سے گزر رہا تھا تو وہاں ایک مرغابی بیٹھی تھی تو وہ فوراً بندوق لے کر اس جگہ جا پہنچیں گے اور اس وقت تک منتظر رہیں گے جب تک وہ مرغابی یا کوئی اور مرغابی واپس نہیں آتی۔ اُن کے دوست اُن کی نئی بندوق کی تعریفیں کر رہے تھے کہ اُس بندوق کی سب سے بڑی خوبی یہ ہے کہ سلو موشن میں فائر کرتی ہے اور فائر کی آواز کے بعد گولی جاتی ہوئی بھی دکھائی دیتی ہے۔

یعنی پہلے بندوق چلنے کی آواز آتی ہے پھر نشانہ خطا ہوتا نظر آتا ہے۔ کیونکہ اتنی دیر میں جانور یا پرندہ چوکنا ہو جاتا ہے اور پینترہ بدل کر وار صاف بچا جاتا ہے۔

واپسی میں اُن کی کار خراب ہو گئی۔ مجھے کہا گیا کہ ہینڈل لگاؤں۔ کافی محنت کے بعد موٹر سٹارٹ ہوئی۔ ابھی میں ہینڈل ہاتھ میں لئے یہی سوچ رہا تھا کہ یہ بار بار پھسلتا کیوں تھا کہ فَر سے آواز آئی اور کار سامنے سے غائب تھی۔ سڑک کافی ویران تھی اس لئے دُور تک ہینڈل ہاتھ میں لے کر پیدل چلنا پڑا۔ گھر پہنچ کر جج صاحب نے جرح شروع کر دی "تم کہاں رہ گئے تھے؟ لڑکوں میں یہ اُچھل کود کی عادت بہت بری ہے۔ چلتی موٹر سے ہر گز نہیں اترنا چاہیے۔ اور یہ ہینڈل تمہارے ہاتھ میں کیوں ہے؟"

کوٹھی کے دوسری طرف جا کر دیکھا تو شیطان اور ننھے میاں کو محو گفتگو پایا۔

"ننھے آج تمہاری رضو آپا کیسی لگ رہی تھیں؟" شیطان نے پوچھا

"جیسی لڑکیاں لگا کرتی ہیں ـــــ فقط آج اُن کی قمیض نہایت اچھی تھی ـــــ"

"ننھے تمہارے لئے اس اتوار کو کیا لاؤں ـــــ؟"

شیطان ہر اتوار ننھے کو رشوت دیتے۔ جو چیز دیتے اُسے اگلے اتوار تک چپکے سے چُرا لیتے اور پھر اُلٹا ننھے کو ڈانٹتے کہ کہاں گئی۔

"بتاؤ تمہیں کیا چیز پسند ہے؟"

ننھا سوچ کر بولا ـــــ "مجھے پیکارڈ کا نیا ماڈل بہت پسند ہے۔"

بیگم آرہی تھیں۔ ننھے نے جلدی سے کتاب کھول لی۔

"افوہ بیٹا پڑھ رہا ہے۔" بیگم بولیں۔ "رُوفی میاں تم اس سے کچھ سوال بھی تو پوچھا کرو۔"

جب بیگم آتیں تو ہمیں خواہ مخواہ ننھے کا امتحان لینا پڑتا۔

ہم نے اُسے ترجمہ کرنے دیا۔ سٹیفن لی کاک کے مضمون سے ننھے نے نہایت سلیس ترجمہ کیا۔ یہاں تک کہ آخیر میں مصنف کے نام کا بھی ترجمہ کر ڈالا اور لکھا سٹیفن لی مرغ۔

"بیٹے بڑے ہو کر تم کیا بنو گے؟" بیگم نے بڑے فخر سے پوچھا۔

"جی میں پہلے تو ایم۔اے کروں گا۔ اس کے بعد پہلی جماعت میں پھر داخل ہو کر دوبارہ ایم۔اے تک پڑھوں گا۔ یعنی ڈبل ایم۔اے کروں گا۔ اس کے بعد وکالت پڑھ کر خفیہ مشق کیا کروں گا۔"

"خفیہ مشق——؟"

"ذاتی مشق!" ننھے میاں نے جواب دیا۔

"وہ کیا ہوتی ہے——؟"

"پرائیویٹ پریکٹس!—— ترجمہ کیا ہے" ننھے میاں بولے۔

"کچھ مستورات آرہی ہیں۔" ملازم نے بتایا۔

"بھائی جان مستورات کا واحد کیا ہوتا ہے؟"

"مستور۔" شیطان نے بتایا۔

"واہ—— یہ بھی کبھی سنا ہے کہ ایک مستور آرہی ہے۔"

خواتین آئیں۔ جنہیں میں نے تو پہچان لیا لیکن شیطان یونہی ہوا میں تکتے رہے۔

"یہ کون لوگ ہیں؟" انہوں نے بڑی بے اعتنائی سے پوچھا۔

"پہچانتے نہیں؟ تمہارے خالو کی لڑکیاں ہیں——" بیگم بولیں۔

بیگم جب کبھی شیطان کے خالو کی چھ لڑکیوں کو لے کر نکلتیں تو شیطان کہا کرتے——

"وہ آ رہی ہیں بیگم معہ چھ تکبیروں کے۔" بیگم چاہتی تھیں کہ رات کا کھانا ہم وہیں کھائیں ــــ "آج تمہارے لئے حلووں کا انڈہ پکا ہے۔"

سامنے باورچی خانے میں ایک بلی بڑے مزے سے دودھ پی رہی تھی اور شیطان کے خالو کی سب سے چھوٹی لڑکی پاس کھڑی اپنے رنگین ناخن دیکھ رہی تھی۔ بیگم چلّائیں۔ "اے بلی! ذرا پیچھے مڑ کر دیکھنا۔ وہ ننھی دودھ پی رہی ہے۔"

وہ سب چلے گئے تو شیطان نے بتایا کہ ہفتہ ہوا کسی شخص نے خواب میں ان کی ہتک کی۔ اُنہیں برا بھلا کہا اور بڑے زور سے اُن کے مکا بھی مارا۔ وہ ہر رات یہ نیت کر کے سوتے ہیں کہ اگر وہ شخص انہیں خواب میں مل گیا تو مار مار کر اس کا بھرکس نکال دیں گے۔

"بھائی جان کیا بہت زور سے مکا مارا تھا اس نے؟" ننھے نے پوچھا۔

"ہاں بہت زور سے۔"

"اتنے زور سے کیا ــــ ؟" ننھے میاں نے ایک مکا شیطان کی کمر میں رسید کیا۔ شیطان کچھ دیر اپنے ہونٹ چباتے رہے۔ پھر ننھے کے قریب جا کر بولے۔ "اتنے زور سے نہیں۔ اتنے زور سے!" اور ننھے میاں نے ایک زبردست نعرہ بلند کیا۔ پیشتر اس کے کہ کوئی موقع پر پہنچتا شیطان نے زور زور سے ننھے کو ڈانٹنا شروع کیا۔ "اور چڑھو اُونچے درختوں پر۔ پاؤں نہ پھسلے گا تو اور کیا ہو گا۔ اچھا ہوا گر پڑے۔" بیگم دوڑی دوڑی آئیں۔ اور اسے خوب دھمکایا چمکایا گیا۔

دن گزرتے جا رہے تھے۔ شیطان کا جوش و خروش جتنا اُن تینوں لڑکیوں کے لئے تھا اتنا ہی رضیہ کے لئے تھا۔ یا یوں کہ جیسا جوش و خروش رضیہ کے لئے تھا ویسا ہی ان تینوں لڑکیوں کے لئے۔ ہر روز ان کے ارادے بدلتے رہتے۔ "رضیہ مغرور ہے اور پروا نہیں کرتی۔ اس لئے کریمہ سے شادی بہتر رہے گی۔ خصوصاً جب اس کی بائیں آنکھ اتنی پیاری ہے ــــ" "رحیمہ کے قہقہے نہایت سریلے ہیں اور ہمیشہ ہنستی رہتی ہے۔ وہ یقیناً بہتر بیوی ثابت ہو گی۔" "پرانی محبت پھر پرانی محبت ہے، جو جذبات رضیہ کے لئے ہیں وہ کسی اور کے لئے نہیں ہو سکتے۔" "سفینہ کی بہنیں کتنی خوبصورت ہیں۔ سفینہ سے شادی کرنا کس قدر مفید ہو گا۔"

ہر روز وہ غلط جگہوں پر چلے جاتے۔ غلط لوگوں سے اُلجھ جاتے۔ صحیح لوگوں کے قریب سے گزر جاتے۔ اور موٹر سائیکل کے حادثے نہایت باقاعدگی کے ساتھ ہوتے لیکن انہوں نے عینک نہ لگوانی تھی نہ لگوائی۔

اُدھر وہ لڑکیاں شیطان کی اس کمزوری سے واقف تھیں۔ وہ یہ بھی جانتی تھیں کہ میں جان بوجھ کر خاموش رہتا ہوں۔ ہفتے میں ایک آدھ مرتبہ شیطان کے ساتھ آجاتیں۔ بقیہ شامیں اور لڑکوں کے ساتھ گزارتیں۔ جب کبھی کوئی خاص تقریب ہوتی تو وہ بن سنور کر اُن حضرات کے ساتھ نکلتیں جن کے پاس کار تھی۔ اُن کے جاننے والوں میں سے ایک صاحب گویّے تھے جو ریڈیو پر پکے راگ گاتے تھے۔ اُن کا رنگ بھی پکا تھا۔ سنا تھا کہ اُن کی آنکھیں نشیلی تھیں۔ چونکہ وہ ہر وقت آنکھوں پر سیاہ چشمہ لگائے رکھتے تھے اس لئے ہم اُن کی نشیلی آنکھوں سے مستفیض نہ ہو سکے۔ ایک صاحب بیمہ کمپنی کے ایجنٹ تھے جو ہمیشہ تانگہ ساتھ لایا کرتے اور یہ بار بار جتاتے کہ وہ خود بیمہ شدہ ہیں' تانگہ بیمہ شدہ ہے' یہاں تک کہ گھوڑا بھی بیمہ شدہ ہے۔ افواہ تھی کہ اُن کے بال گھنگھریالے ہیں۔ لیکن صد حیف کہ جب کبھی ہم نے انہیں دیکھا قدرے گنجا پایا۔ ایک اور صاحب طالب علم تھے جو سفینہ کے ہم جماعت تھے۔ وہ کرائے کی سائیکل پر آیا کرتے تھے اور بار بار گھڑی دیکھتے رہتے۔

بعض اوقات سینما دیکھتے دیکھتے ایک لڑکی شیطان سے اجازت مانگتی کہ پچھلے درجے میں اس کی خالہ بیٹھی اس کی طرف ٹکٹکی باندھے دیکھ رہی ہیں۔ اس لئے وہ اُن کے پاس جانا چاہتی ہے۔ کچھ دیر کے بعد میں اُسے کسی لڑکے کے ساتھ بیٹھے ہوئے دیکھتا۔

یہ چیز بار بار دوہرائی جاتی۔ چاء پیتے وقت تو کیفے میں ضرور کسی نہ کسی کی امی یا ممانی آجاتیں۔ شیطان بڑی خندہ پیشانی سے لڑکی کو رُخصت کرتے اور اس کی امی جان یا خالہ جان کی خدمت میں آداب بھی بھجواتے جس کی رسید اگلے روز ملتی۔

ان جاننے والوں کو وہ یا تو سہیلیاں کہہ کر یاد کرتیں اور یا کزن کہہ کر۔ ہمیں اکثر بتایا جاتا کہ ”آپ ہمیں گھر چھوڑ کر نکلے ہی ہوں گے کہ ہماری ایک کار والی سہیلی آگئی۔“ یا یہ کہ ”ہم کمپنی باغ گئے وہاں ایک سہیلی نے نہایت درد بھرا گانا سنایا۔ ایک اور

سہیلی کو ہم نے سائیکل پر بھیجا کہ چوک والی دکان سے چاکلیٹ لائے۔'' ''سفینہ کے کزن ہر تیسرے روز تانگہ لے آتے ہیں۔'' وغیرہ وغیرہ۔

کبھی کبھی شیطان کو یونہی شبہ ہو جاتا۔ ''کل آپ کسی لڑکے کے ساتھ موٹر سائیکل پر جا رہی تھیں۔''

''نہیں تو ___ وہ لڑکا تو نہیں تھا۔ وہ تو میرے چچا تھے۔ آپ نے اُن کی فرنچ کٹ داڑھی نہیں دیکھی کیا۔''

شیطان جنہیں شاید لڑکے کے گلے کا سکارف دکھائی دیا تھا مسکراتے اور کہتے ''افوہ کیسی غلط فہمی ہونے لگی تھی۔'' پھر کسی اور سے پوچھتے۔ ''پرسوں شام کو آپ ایک لڑکے کے ساتھ کار میں جا رہی تھیں ___؟''

''لڑکے کے ساتھ؟'' وہ بڑے تعجب سے بتاتی۔ ''لڑکا کہاں تھا۔ لڑکی تھی۔ میری چچازاد بہن۔ بڑی آپا۔ وہ دوپٹہ کبھی سر پر نہیں رکھتیں اور ان کے بال بھی تراشیدہ ہیں۔''

''میں بھی کیا ہوں ___؟'' شیطان ایک ادا کے ساتھ کہتے۔ ''اور پھر ان دِنوں لڑکوں اور لڑکیوں میں فرق کیسے معلوم ہوتا ہے؟ ایک سے چست رنگین لباس' ایک وضع کے بنے ہوئے بال' ویسی ہی خوشبو کی لپٹیں۔ یہاں تک کہ ناموں سے بھی پتہ نہیں چلتا کہ رفعت' شوکت' حشمت اور طلعت میں لڑکے کون سے ہیں اور لڑکیاں کون سی۔''

کبھی کبھی جج صاحب کے ہاں بھی ان لڑکیوں کا ذکر آ جاتا۔ ایک دفعہ بیگم نے پوچھا۔ ''تمہارے ساتھ وہ تین لڑکیاں کون ہوا کرتی ہیں؟''

''جی وہ میری سہیلیاں ہیں۔'' شیطان نے جواب دیا۔

جج صاحب نے بھی پوچھا ''سنا ہے کہ تم آج کل کچھ لڑکیوں کے ساتھ دیکھے جاتے ہو ___''

''جی ہاں! ابھی تک تو صرف تین لڑکیاں ہیں۔ شاید کچھ دنوں تک ایک آدھ کا اضافہ ہو جائے۔''

''جب میں یورپ میں تھا تو میں بھی لڑکیوں کو ساتھ لے جایا کرتا تھا۔ لیکن

بہ یک وقت صرف ایک لڑکی ہوتی تھی۔ تمہاری طرح ریوڑ لے کر نہیں نکلتا تھا۔"

پھر کچھ دیر سوچ کر بولے۔ "یہ بتاؤ کہ تم اِس ملک میں لڑکیوں سے دوستی کیونکر کر لیتے ہو۔؟"

شیطان نے بھی کچھ دیر سوچنے کے بعد جواب دیا۔ "جناب یہ گُر میں ہر ایک کو نہیں بتا سکتا۔ یہ اُستادی شاگردی کا معاملہ ہے۔"

"اچھا اچھا ٹھیک ہے۔ آہم۔ وہ ذرا___ تمہاری گھڑی میں کیا بجا ہے؟" وہ گلا صاف کرتے ہوئے بولے۔

حکومت آپا نے پہلے تو لڑکیوں کو دیکھا۔ پھر شیطان کی طرف دیکھ کر بڑی حقارت سے بولیں۔ "جیسی رُوح ویسے فرشتے۔"

رضیہ کو علم تھا لیکن اُس نے کبھی ذکر تک نہیں کیا۔

کبھی رضیہ شیطان سے اچھی طرح باتیں کر لیتی تو وہ کئی دنوں تک یہ شعر بار بار پڑھتے ؎

تیری وفا سے کیا ہو تلافی کہ دہر میں
تیرے سوا بھی ہم پہ بہت سے ستم ہوئے

ہر اتوار کو تینوں لڑکیوں کو علیحدہ علیحدہ یہ شعر سنایا جاتا ؎

انجامِ محبت ہے ہر حال میں رسوائی!
کچھ اس کا سبب چُپ ہے کچھ اس کا سبب باتیں

ایک دن شیطان کو نہایت شدید دورہ اٹھا اور انہوں نے عجب اُلٹی سیدھی حرکتیں کیں۔ پہلے تو جج صاحب کے سامنے اکبر کا یہ شعر پڑھ دیا ؎

میں ہوا رُخصت اُن سے اے اکبر
وَصل کے بعد تھینک یو کہہ کر!

ابھی وہ اچھی طرح خفا بھی نہ ہوئے تھے کہ بیگم کے سامنے بہک گئے۔ بیگم تیس سال پہلے کے قصے سنا رہی تھیں کہ لڑکپن میں مَیں ایسی تھی۔ زیور اس طرح پہنا کرتی۔ شاعری کا بھی شوق تھا۔ یہ تھا وہ تھا___

شیطان ایک ٹھنڈا سانس کھینچ کر بولے۔ "کاش کہ میں آپ سے پہلے ملا ہوتا۔"

اس کے بعد رضیہ کا نمبر آیا۔ میں چھپ کر سن رہا تھا۔ پہلے رضیہ کی تعریفیں ہوئیں۔ پھر لگے ہاتھوں اظہارِ محبت بھی کر ڈالا۔ اور بالکل وہی الفاظ دُہرائے جنہیں رضیہ بار بار سن چکی تھی۔

"میں محبت کے تمام معیاری طریقے آزما چکا لیکن تم پر کوئی اثر نہیں ہوتا۔"

رضیہ حسب معمول اِدھر اُدھر کی باتیں کرنے لگی کہ موسم پہلے سے بہتر ہو گیا ہے۔ فلمیں فضول سی لگی ہیں۔ اچھے کتے کہیں نہیں ملتے۔ جب شیطان کا اصرار بڑھا تو اس نے کہا کہ لڑکے آج کچھ کہتے ہیں اور محض سال بھر میں بدل جاتے ہیں۔

"میں بھلا کیونکر بتا سکتا ہوں کہ اگلے سال میرے خیالات کیا ہوں گے۔ مستقبل کے متعلق تو صرف ولی اللہ ہی پیشین گوئی کر سکتے ہیں۔ البتہ میرا ماضی تم جانتی ہو۔ رہ گیا حال۔ سو وہ تم پر عیاں ہے۔"

اس کے بعد انہوں نے رضیہ کا ہاتھ پکڑ کر پامسٹری کی اور لکیروں کی باتیں کر چکنے کے بعد کہا "مگر یہ سارا ہاتھ تو میرا ہے۔"

"لیکن آپ مجھے بہت کم جانتے ہیں۔"

"میرے خیال میں مَیں تمہیں کافی جانتا ہوں۔ تم قبول صورت ہو۔ سگھڑ ہو۔ امورِ خانہ داری میں ماہر ہو۔ سلیقہ شعار ہو۔ پیتے کھاتے یا شاید کھاتے پیتے خاندان کی لڑکی ہو۔ تم سے بہتر لڑکیاں بھی میں نے دیکھی ہیں۔ مگر دنیا میں رضیہ صرف ایک ہی ہے۔"

"اُفوہ! مغرب کی اذان ہو رہی ہے۔" رضیہ بولی۔

"اور تمہارے نظریے مولویانہ ہیں۔ تم غلط ملک میں آ گئیں۔ تمہیں کہیں اور ہونا چاہیے تھا۔ خیر اب بھی دیر نہیں ہوئی۔ جاؤ حج کرو' شرعی کپڑے پہنو' حافظ بنو' نمازیں پڑھو' اذانیں دو۔

دو اذانیں کبھی یورپ کے کلیساؤں میں
کبھی افریقہ کے تپتے ہوئے صحراؤں میں"

تھوڑی دیر میں شیطان بڑے خوش خوش ملے۔ پوچھا' کیسے رہے؟ بولے۔ جو کچھ دل میں تھا کہہ دیا۔ پوچھا۔ ہاں ہوئی یا نا؟ بولے۔ یقیناً نا ہوئی۔

شیطان کی سالگرہ آئی۔ پک نک کا پروگرام بنا کہ شہر سے باہر دریا کے کنارے دن گزارا جائے۔ ان تینوں لڑکیوں کی تین اور سہیلیاں آ رہی تھیں۔ اس لئے شیطان بڑے مسرور تھے۔ ہم گراموفون ریکارڈ چننے لگے تو اُنہوں نے اصرار کیا کہ WINE — MUSIC AND WOMEN والا ریکارڈ ضرور ساتھ لے چلیں۔

کل وہاں تینوں چیزیں ہوں گی — موسیقی ہو گی' خمار ہو گا اور لڑکیاں ہوں گی۔"

نوکر ہاتھ میں فہرست لئے حساب لگا رہا تھا۔ "بارہ درجن سینڈوچز اور تین بڑے کیک —"

"اور لڑکیاں —" شیطان آسمان کی طرف دیکھ کر بولے۔

"چار سیر مٹھائی' پچیس اُبلے ہوئے انڈے اور تین درجن مالٹے ہوں گے۔" نوکر پنسل سے لکھتا جا رہا تھا۔

"— اور لڑکیاں ہوں گی۔" شیطان نے ٹھنڈا سانس لیا۔

صبح صبح ہم انہیں لینے گئے۔ تینوں نئی لڑکیاں بھی مّعنک نکلیں۔ ویسے انہوں نے بغیر فریم کی عینکیں لگا رکھی تھیں۔ سب لڑکیوں کے چہروں پر بلا کا نکھار تھا۔ غضب کی تازگی تھی۔ چہرے خوب چمک رہے تھے۔ عینکیں بھی چمک رہی تھیں۔ آسمان پر بادل تھے۔ ہمارے پہنچتے پہنچتے ایک دو مرتبہ بارش ہوئی۔ پھر بڑی تیز دھوپ نکلی۔ ہم کچھ بھیگے کچھ پسینہ آیا۔ اب جو غور سے انہیں دیکھتے ہیں تو عجب حلیہ بنا ہوا تھا۔ سارا میک اَپ اُتر چکا تھا۔ پہلی مرتبہ اُن کی اصلی شکلیں دیکھنے کا اتفاق ہوا۔ کریمہ کی ہلکی ہلکی مونچھیں نظر آ رہی تھیں۔ رحیمہ کے ہلکے ہلکے گُل مچھے تھے' جیسے تاریخ ہند کی تصویروں میں مغل بادشاہوں کے ہوتے ہیں۔ سفینہ بھویں اکھیڑتی تھی۔ چنانچہ اس کی خود ساختہ بھوؤں کی حالت ناگفتہ بہ تھی۔ نئی لڑکیوں کے چہروں پر بھی کئی ایسے نقوش اُبھر آئے تھے جو پہلے پوشیدہ تھے۔ ہمارا گروہ کچھ سرکس سا معلوم ہو رہا تھا جس میں ہر نمبر اور ہر سائز کی شخصیتیں موجود تھیں۔ لڑکیوں میں جس کی شکل مقابلتاً اچھی تھی وہ دُبلی بہت تھی اور قد نہایت لمبا تھا جس کی مسکراہٹ حسین تھی وہ فربہ بہت

تھی۔ جو سمارٹ معلوم ہو رہی تھی وہ ویسے بخشی ہوئی تھی۔ جس کی باتیں بہت اچھی تھیں، وہ بہت ہی چھوٹی تھی۔ غرضیکہ ایک لڑکی بھی نارمل نہیں تھی۔

اُدھر شیطان بار بار مجھے تاکید کرتے کہ ہر ایک کی طرف باری باری متوجہ ہو۔ میں نے انہیں بتایا کہ اس طرح اپنی توجہ چھ پر تقسیم کر کے برابر برابر بانٹنا کسی انسان کے لئے تو نہایت مشکل ہے۔ البتہ ایک حقّہ یہ فرض بخوبی سرانجام دے سکتا ہے۔

ہم مچھلیاں پکڑنے بیٹھے۔ لڑکیاں شور مچا رہی تھیں۔ کسی نے خاموش ہونے کو کہا کہ مچھلیاں نہ بھاگ جائیں۔

"آپ ضرور شور مچائیے۔" شیطان نے دریا میں اپنے خدوخال دھوتے ہوئے کہا۔ "ان کم بختوں کو کسی طرح تو پتہ چلے کہ ہم اُنہیں پکڑنے آئے ہیں۔"

بارش کا ایک اور چھینٹا پڑا۔ ہم سب درختوں کی طرف بھاگے۔ شیطان صبح سے ایک نئی لڑکی کو بڑی عجیب طرح دیکھ رہے تھے اور اس کے ساتھ ساتھ تھے۔

"یہ آج تو بالکل مون سون قسم کی بارش ہو رہی ہے۔" وہ بولی۔

"مون سون میں ہنی مون کیسا ہوتا ہو گا۔" شیطان کچھ اور نزدیک آ گئے۔ "چلیے وہاں چلیں۔ یہ درخت تو ٹپک رہا ہے۔ لائیے میں آپ کا بٹوہ تھام لوں۔ بوجھل معلوم ہو رہا ہو گا۔"

اس نے بٹوہ دے دیا۔

"یہ درخت بھی لِیک (LEAK) کر رہا ہے۔ چلیے۔" شیطان نے اس کا ہاتھ اپنے ہاتھ میں لینے کی کوشش کی۔ لیکن اس نے ہاتھ کھینچ لیا۔ 'شکریہ! مجھے اپنا ہاتھ بوجھل نہیں معلوم ہو رہا۔"

بارش رُکی تو شیطان نے چیزیں گرم کرنے کے لئے لکڑیوں کا چولہا بنایا۔ جب آگ جلائی گئی تو چولہا بھی جل گیا اور کئی چیزیں بکھر گئیں۔ شیطان کو سالگرہ کی مبارکباد ملی۔ چھوٹے موٹے تحفے بھی ملے۔ وہ کہنے لگے کہ کل تک وہ صرف پچیس سال کے تھے۔ اور آج چھبیس سال کے ہو گئے۔ صرف ایک رات میں سال کا فرق پڑ گیا۔ یہ خوشی کا نہیں رونے کا مقام ہے۔ پھر اس نئی لڑکی کی طرف دیکھ کر بولے۔ "میں

دنیا کی ہر چیز سے گریز کر سکتا ہوں سوائے ترغیب کے۔ گستاخی معاف آپ کی شادی کب ہو رہی ہے؟"

"میری منگنی ہو چکی' میرے کزن کے ساتھ۔"

"وہ کیا کرتے ہیں؟"

"اُن کے والد لکھ پتی ہیں۔"

"افوہ! تو کیا آپ نے محض دولت کے لئے ___"

"افوہ! ہاں میں نے محض دولت کے لئے ___ اور پھر اس ملک میں تو رومانی' زبردستی کی' اپنی یا ہونے والے خاوند کی پسند کی ___ خواہ کیسی بھی ہوں' سب شادیاں دو تین سال کے بعد ایک جیسی ہو جاتی ہیں۔"

"دوسرے ملکوں میں بھی یہی ہوتا ہے ___ اور آپ شادی کب کر رہی ہیں؟" شیطان نے دوسری نئی لڑکی سے پوچھا۔

"میں شاید کبھی نہیں کروں گی۔"

"کیوں؟"

"اس لئے کہ مجھے نوکروں' گھر کے حساب کتاب' دھوبیوں اور بچوں سے سخت نفرت ہے۔"

"بچوں سے کیوں نفرت ہے؟"

"اس لئے کہ مجھے پالتو جانوروں اور پرندوں سے بھی نفرت ہے۔"

"اور آپ کی شادی کب ہو رہی ہے؟" کریمہ نے شیطان سے پوچھا۔

"ہاں ہاں! بتایئے کب ہو رہی ہے؟" سب ایک دم بولیں۔

"پہلے اپنے ایک کان میں انگلی ڈال لیجیے۔ پھر بتاؤں گا۔" شیطان نے کہا۔

"وہ کیوں؟"

"کیونکہ بات ایک کان سے سنی جاتی ہے اور دوسرے سے اُڑائی جاتی ہے۔"

"نہیں یہ تو ہم کسی کو بھی نہیں بتائیں گے۔"

ہوتا یہ تھا کہ جو راز شیطان اُنہیں بتاتے وہ چند دنوں میں ہر جگہ مشہور ہو جاتا۔ ایک دفعہ شیطان نے غلطی سے لڑکی کی امی یا ابا کی جگہ براہِ راست لڑکی کو یہ پیغام

بھیج دیا کہ مجھے اپنی فرزندی میں قبول فرمائیے۔ لڑکی بے حد خفا ہوئی۔ شیطان نے یہ بات کریمہ کو بتائی اور تاکید کی کہ کسی اور سے مت کہنا۔ اس نے رحیمہ کو بتائی اور کہا کہ ہرگز کسی اور کو مت بتانا۔ چلتے چلتے یہ بات شیطان تک پہنچی اور جس عقل مند نے شیطان کو بتائی اس نے اُنہیں بھی تاکید کی کہ خبردار جو کسی اور سے کہا تو۔

"میں مستقبل سے نہیں گھبراتا بلکہ مستقبل مجھ سے ڈرتا ہے۔" شیطان منہ پھلا کر بولے۔

"مگر حقیقت یہ ہے کہ شادی کے بعد عاشق کی حالت نہایت خستہ ہو جاتی ہے۔ پرانے مرہٹا V.I.P. نانا فرنولیس نے کہا ہے کہ عاشق پہلے بوسے کے لئے جدوجہد کرتا ہے۔ دوسرا بوسہ جیتتا ہے۔ تیسرے کے لئے منت سماجت کرتا ہے۔ چوتھا قبول کرتا ہے۔ پانچواں' چھٹا' ساتواں' آٹھواں اور باقی ماندہ بے شمار بوسے برداشت کرتا ہے۔"

"بالکل غلط ہے۔" سفینہ بولی۔ "اور رحیمہ وہ تمہارا کزن۔"

"میرا کزن کیوں ہوتا؟ تمہارا ہوگا۔"

"واہ' ملنے تو وہ تم سے آیا کرتا ہے۔ کریمہ کے دونوں کزنوں کے ساتھ۔"

"تعجب ہے۔" ایک نئی لڑکی بولی۔ "کریمہ کا تیسرا کزن سفینہ کے کزن کو بھی کریمہ ہی کا کزن سمجھتا ہے اور سفینہ کا کزن بھی اسے یہی سمجھتا ہے۔"

"خواتین! خواتین!!" شیطان بولے۔ "ہم سب ایک دوسرے کے کزن ہیں۔ ہم حضرت آدم کی اولاد ہیں۔"

اتنے میں نوکر نے مژدہ سنایا کہ چاء کی پتّیاں گھر رہ گئیں۔ شیطان نے نوکر کو چاء کی تلاش میں ایک سمت روانہ کیا اور خود دوسری طرف نکلے۔ میں لکڑیاں چن رہا تھا۔ لڑکیاں گھاس پر بیٹھی باتیں کر رہی تھیں۔ میں نے کان اُن کی طرف FOCUS کیئے ہوئے تھے۔

نئی لڑکی کہہ رہی تھی۔ "یہ رُوفی بالکل یونہی ہے۔ خاک سجھائی نہیں دیتا۔ آج اس کے سامنے کریمہ دیر تک کھڑی ہو کر منہ چڑاتی رہی اور اسے پتہ ہی نہیں چلا۔ بس یونہی دیکھتا رہا۔"

"یہ تو بہت اچھی بات ہے۔ سنی سنائی باتوں کا یقین نہیں کرتا اور چشم دید واقعات کا سوال ہی پیدا نہیں ہوتا۔"

"اور یہ جو دوسرے صاحب ہیں، کتنے عجیب سے ہیں! بس اپنی ہی دُنیا میں بستے ہیں۔"

"خیر عجیب تو نہیں ہیں۔" نئی لڑکی نمبر دو عجب انداز سے مسکرائی۔

"یہ سب ایک جیسے ہوتے ہیں۔ روفی کسی جج وَج کے ہاں جاتا ہے۔ یہ بھی کسی مجسٹریٹ کے ہاں جاتا ہوگا۔ یہ سب اوّل نمبر کے ہرجائی اور طوطا چشم ہوتے ہیں۔ ہر لڑکی سے فلرٹ کرنے کو تیار ہیں۔ بس کسی طرح موقع مل جائے۔ لیکن عاشق صرف اس پر ہوتے ہیں جو اُن کی پہنچ سے باہر ہو۔ اُن کا رویہ بالکل وہی ہوتا ہے کہ ووٹ دیتے وقت غلام محمد صاحب کا خیال رکھیے لیکن ووٹ میاں محمد حسین ہی کو دیجیے۔ اور محبوب پر بھی تب تک عاشق رہتے ہیں جب تک وہ پہنچ سے باہر ہو۔ پھر جب شادی کا موڈ آتا ہے تو سب کو چھوڑ چھاڑ کر کسی دولت مند مشہور گھرانے میں پیغام بھجواتے ہیں اور ایسی بھیگی بلی بن جاتے ہیں جیسے پہلے کسی لڑکی سے بات تک نہیں کی۔"

"تم رُوفی کی برائیاں کیوں کرتی ہو؟ اگر یہ اتنا ہی برا ہے تو اس کے ساتھ کیوں پھرا کرتی ہو؟" نئی لڑکیوں میں سے ایک نے پوچھا۔

"اس لئے کہ یہ بے حد دلچسپ ہے۔ بس اس میں صرف یہی ایک خوبی ہے۔"

"اور وہ تمہارا کار والا' وہ گویّا' اور وہ تانگے والا____؟"

"کار والا مغرور اور خود پسند سا ہے۔ اس کے ساتھ ہم صرف کار کی وجہ سے جاتی ہیں۔ ورنہ وہ ہمیں کچھ زیادہ اچھا نہیں لگتا۔ اگر موڈ اچھا ہو تو وہ گویّا بہت عمدہ رفیق بنتا ہے۔ اور اگر اُداس ہوں تو وہ تانگے والا خوب ہے۔ کم بخت اور بھی اُداس کر دیتا ہے۔ وہ طالب علم بیوقوف ہے۔ اِدھر اُدھر کے کام بخوشی کر دیتا ہے۔ بازار سے چیزیں سستی خرید لاتا ہے۔"

شیطان چاء کی جگہ نہ جانے کس نشہ آور چیز کی پتیاں لے آئے۔ پی کر خمار سا

چڑھ گیا۔ جب واپس روانہ ہوئے تو سب ایک دوسرے سے بے زار تھے۔ شیطان بیزار بھی تھے اور تھکے ہوئے بھی۔

"میرے دہنے پاؤں میں درد ہو رہا ہے۔" سفینہ بولی۔

"میرے بھی دہنے پاؤں میں درد ہے۔" شیطان نے جواب دیا۔

"میرے کان میں کچھ عجیب سا ہوتا ہے۔" نئی لڑکی بولی۔

"میرے کان میں بھی بالکل ویسا ہی ہوتا ہے۔"

"میرے —" رحیمہ نے شروع کیا۔

"جی میرے بھی —" شیطان جلدی سے بولے۔

گھر پہنچ کر میں نے شیطان سے کہا کہ یہ چھوٹے موٹے سیکنڈ ہینڈ معاشقے انہیں زیب نہیں دیتے۔ انہوں نے قصوروار رضیہ کو ٹھہرایا۔ ہر لڑکی پر وہ اس لئے عاشق ہو جاتے ہیں کہ انہیں رضیہ کی محبت نہیں مل سکی۔ دراصل ہر معاشقے میں اُنہیں رضیہ ہی کی محبت جھلکتی دکھائی دیتی ہے۔ انہوں نے نہایت دلدوز انداز میں یہ شعر پڑھا۔

تجھ سے چُھپ کر اَوروں سے بھی جھوٹا سچا پیار کیا
وہ بھی تیرے عشق کے حیلے' یہ بھی تیرے غم کے بہانے

جج صاحب کے ولایت جانے کی افواہ خبر میں تبدیلی ہو چکی تھی۔ پھر کسی نے بتایا کہ وہ عنقریب پاسپورٹ بنوانے والے ہیں اور انہوں نے بڑی کار فروخت کر دی ہے۔ باہر سے کوئی نیا ماڈل لائیں گے۔ بیگم کے لئے ایک نہایت چھوٹی سی کار خریدی گئی تھی جو دراصل اسسٹنٹ کار تھی۔ ننھے میاں ضد کر کے اسے سائیکل سٹینڈ پر کھڑا کرتے۔ ان کا یہ بھی اصرار تھا کہ اس کار کے لئے ایک سائڈ کار بھی خریدی جائے۔

شیطان کا دن بدن حال برا ہوتا جا رہا تھا۔ اُنہیں یقین ہو چلا تھا کہ جج صاحب جائیں نہ جائیں رضیہ ضرور ولایت جائے گی۔ اور پھر وہیں رہ جائے گی۔ انہوں نے بڑی منتوں کے بعد مجھے سراغ لگانے بھیجا۔ بیگم کمرے صاف کروا رہی تھیں۔ "سارے روشن دان کھول دو تا کہ گرد نکل جائے۔ یہ بوروں کی کوٹلی بھی اُٹھاؤ اور خالی

بوتے کی سوڈلیس یہاں کیا کر رہی ہیں؟ یہ سب کچھ یہاں سے نکالو (چونک کر) کیا وہ لڑکا آیا تھا ابھی ؟"

اور میں چپکے سے پردے کے پیچھے ہو گیا۔ رضیہ کے کمرے میں پہنچا۔ "سنا ہے کہ تم ولایت جا رہی ہو؟"

"ولایت تو نہیں عرب جانے کا ارادہ ہے۔"

"اور ہم؟ ہم یہیں رہ جائیں کیا؟"

"میرے مولا بلالو مدینے مجھے۔ گایا کیجیے۔"

"اور عرب کے بعد کیا پروگرام ہوگا؟"

"نمازیں پڑھایا کروں گی' اذانیں دوں گی' وعظ کیا کروں گی۔"

"ارے مغرب کی اذان ہو رہی ہے۔" میں نے کہا۔

"یہ لڑکا کہاں چلا گیا؟" بیگم کی آواز آئی۔

"لڑکا مراقبے میں ہے۔" میں نے بالکل آہستہ سے جواب دیا۔

جب میں رات گئے شیطان کے کمرے میں پہنچا تو وہ اُونگھ رہے تھے۔ جب اُن پر نیند کی غنودگی طاری ہوتی ہے تو وہ ہمیشہ سچ بولتے ہیں۔ ان سے اگر سنجیدہ گفتگو کرنی ہو تو میں ہمیشہ یہی وقت چنتا ہوں۔

مجھے دیکھتے ہی انہوں نے تینوں لڑکیوں کو برا بھلا کہنا شروع کر دیا۔ شاید شام کو اُنہیں کزنوں کے ساتھ دیکھ آئے تھے یا اُن کی باتیں سن آئے تھے۔

"لیکن اس کے باوجود ہم اُن سے راہ و رسم رکھیں گے۔ مجھے تم سے بڑی شکایت ہے۔ تم نے مجھے پہلے کیوں نہیں بتایا؟"

"عہد جو کر چکا تھا۔"

"خیر۔ رضیہ کی خبر سناؤ۔"

"وہ کہیں نہیں جا رہی۔"

"سچ مچ؟" انہوں نے آنکھیں ملیں اور جیب سے عینک نکالی۔ میں فوراً پہچان گیا۔ یہ وہی پرانی عینک۔ تھی جو کھوئی گئی تھی۔

"ایک مرتبہ رضیہ ہی۔ نے تو کہا تھا کہ آپ عینک کے بغیر اچھے معلوم ہوتے ہیں۔"

"اُس نے تو یہ کہا تھا۔ کاش کہ آپ عینک کے بغیر اچھے معلوم ہوتے 'تم نے اچھی طرح سنا نہیں۔" میں نے بتایا۔

انہوں نے عینک صاف کر کے لگائی۔ "لوگ کہتے ہیں کہ محبت نام ہے غلط فہمی کا کہ ایک لڑکی دوسری لڑکی سے مختلف ہے۔ مگر رضیہ کے لئے میرے دل میں وہی خیالات ہیں جو پچھلے ہفتے تھے۔ میں تو ڈر ہی گیا تھا کہ یہ کہیں سمندر پار نہ چلی جائے۔ یہاں کم از کم اسے دیکھ تو لیتے ہیں۔ اور اب جبکہ بہار ختم ہو رہی ہے خوشیاں بھی ختم ہو رہی ہیں۔ جب بہار ختم ہونے لگتی ہے تو یوں محسوس ہوتا ہے جیسے بڑھاپا آ رہا ہے۔"

"مگر تمہارا چہرہ تو ــــــ"

"یہ چہرے کا نہیں دل کا بڑھاپا ہے۔ وہ سینے پر مکہ مار کر بولے۔ کچھ دیر خاموش رہے پھر آنکھیں موند لیں اور بڑبڑانے لگے۔ "اور اگر میرے پاس کار ہوتی۔ تانگہ ہوتا۔ کرائے کی سائیکل ہوتی۔ میرے بال گھنگھریالے ہوتے۔ آنکھیں نشیلی ہوتیں تو وہ تینوں لڑکیاں مجھ پر عاشق ہو جاتیں۔ لیکن اگر یہ ساری خوبیاں مجھ میں ہوتیں تو میں کسی بہتر لڑکی کو اپنے اوپر عاشق کرواتا۔ مجھے اُن سے کوئی شکایت نہیں۔ اگر یہ جھوٹ بولتی رہی ہیں تو میں کون سا سچ بولتا رہا ہوں۔ اگر انہوں نے فلرٹ کیا ہے تو میں نے بھی تو فلرٹ کیا ہے۔ مجھے ان کی پروا کب تھی۔ بس ذرا افسوس ہے تو اس بات کا کہ وہ مجھ سے زیادہ چست نکلیں اور جو سلوک میں ان سے بعد میں کرتا وہ انہوں نے مجھ سے ذرا پہلے کر دیا۔ ہم لوگ کتنے عجیب ہیں؟ سیدھی سادی لڑکیوں کی طرف آنکھ اُٹھا کر بھی نہیں دیکھتے۔ صرف شوخ و شنگ لڑکیوں کے پیچھے بھاگتے ہیں۔ دراصل ہم خود چاہتے ہیں کہ سیدھی لڑکیاں چالاک بن جائیں۔ جھوٹ بولنا سیکھ جائیں۔ ہم خود انہیں ایسا بناتے ہیں۔ یہ سارے حربے ہمارے سکھائے ہوئے ہیں۔ اور جب وہ سب کچھ سیکھ جاتی ہیں تو ہم انہیں برا بھلا کہتے ہیں اور کچھ دنوں کے لئے پھر سیدھی سادی لڑکیوں کے قصیدے گانے لگتے ہیں۔"

مجھے علم تھا کہ بہار ختم ہو چکی ہے۔ شیطان کی کھوئی عینک مل گئی ہے۔ ان کی غنودگی بھی کبھی کی دُور ہو چکی ہے۔ لیکن ان سب باتوں کے باوجود وہ شاید سچ بول رہے تھے۔

مُلکی پرندے اور دوسرے جانور

کوّا

کوّا گرائمر میں ہمیشہ مذکر استعمال ہوتا ہے۔

کوّا صبح صبح موڈ خراب کرنے میں مدد دیتا ہے۔ ایسا موڈ جو کوّے کے بغیر بھی کوئی خاص اچھا نہیں ہوتا۔ علی الصبح کوّے کا شور انسان کو مذہب کے قریب لاتا ہے اور نروان کی خواہش شدت سے پیدا ہوتی ہے۔

کوّا گا نہیں سکتا اور کوشش بھی نہیں کرتا۔ وہ کائیں کائیں کرتا ہے۔ کائیں کے کیا معنے ہیں؟ میرے خیال میں تو اس کا کوئی مطلب نہیں۔

کوّے کالے ہوتے ہیں۔ برفانی علاقے میں سفید یا سفیدی مائل کوّا نہیں پایا جاتا۔ کوّا سیاہ کیوں ہوتا ہے؟ اس کا جواب بہت مشکل ہے۔

پہاڑی کوّا ڈیڑھ فٹ لمبا اور وزنی ہوتا ہے۔ میدان کے باشندے اس سے کہیں چھوٹے اور مختصر کوّے پر قانع ہیں۔ کوّے خوبصورت نہیں ہوتے لیکن پہاڑی کوّا تو باقاعدہ بدنما ہوتا ہے۔ کیونکہ وہ معمولی کوّے سے حجم میں زیادہ ہوتا ہے۔

کوّے کا بچپن گھونسلے میں گزرتا ہے جہاں اہم واقعات کی خبریں ذرا دیر سے پہنچتی ہیں۔ اگر وہ سیانا ہو تو بقیہ عمر وہیں گزار دے۔ لیکن سوشل بننے کی تمنا اُسے آبادی میں کھینچ لاتی ہے۔ جو کوّا ایک مرتبہ شہر میں آجائے وہ ہرگز پہلا سا کوّا نہیں رہتا۔

کوّے کی نظر بڑی تیز ہوتی ہے۔ جن چیزوں کو کوّا نہیں دیکھتا وہ اس قابل

نہیں ہوتیں کہ انہیں دیکھا جائے۔ کوّا بے چین رہتا ہے اور جگہ جگہ اُڑ کر جاتا ہے۔ وہ جانتا ہے کہ زندگی بے حد مختصر ہے۔ چنانچہ وہ سب کچھ دیکھنا چاہتا ہے۔ یہ کون نہیں چاہتا؟

کبھی کبھی کوّے ایک دوسرے میں ضرورت سے زیادہ دلچسپی لینے لگتے ہیں۔ دراصل ایک کوّا دوسرے کوّے کو اس نظر سے نہیں دیکھتا جس سے ہم دیکھتے ہیں۔ دوسرے پرندوں کی طرح کوّوں کے جوڑے کو کبھی چہلیں کرتے نہیں دیکھا گیا۔ کوّا کبھی اپنا وقت ضائع نہیں کرتا۔ یا کرتا ہے؟ کوّے کو لوگ ہمیشہ غلط سمجھتے ہیں۔ سیاہ رنگ کی وجہ سے اسے پسند نہیں کیا جاتا۔ لوگ تو بس ظاہری رنگ رُوپ پر جاتے ہیں۔ باطنی خوبیوں اور کیرکٹر کو کوئی نہیں دیکھتا۔ کوّا کوئی جان بوجھ کر تو سیاہ نہیں ہوا۔ لوگ چڑیوں، مرغیوں اور کبوتروں کو دانہ ڈالتے وقت کوّوں کو بھگا دیتے ہیں۔ یہ نہیں سمجھتے کہ اس طرح نہ صرف کوّوں کے لاشعور میں کئی ناخوشگوار باتیں بیٹھ جاتی ہیں بلکہ اُن کی ذہنی نشوونما پر برا اثر پڑتا ہے۔ آخر کوّوں کے بھی تو حقوق ہیں۔

کوّا باورچی خانے کے پاس بہت مسرور رہتا ہے۔ ہر لحظے کے بعد کچھ اٹھا کر کسی اور کے لئے کہیں پھینک آتا ہے اور پھر درخت پر بیٹھ کر سوچتا ہے کہ زندگی کتنی حسین ہے۔

کہیں بندوق چلے تو کوّے اسے اپنی ذاتی توہین سمجھتے ہیں اور دفعتاً لاکھوں کی تعداد میں کہیں سے آ جاتے ہیں۔ اس قدر شور مچتا ہے کہ بندوق چلانے والا مہینوں پچھتاتا رہتا ہے۔

بارش ہوتی ہے تو کوّے نہاتے ہیں لیکن حفظانِ صحت کے اُصولوں کا ذرا خیال نہیں رکھتے۔ کوّا سوچ بچار کے قریب نہیں پھٹکتا۔ اس کا عقیدہ ہے کہ زیادہ فکر کرنا اعصابی بنا دیتا ہے۔ کوّے سے ہم کئی سبق سیکھ سکتے ہیں۔

کوّا بڑی سنجیدگی سے اُڑتا ہے، بالکل چونچ کی سیدھ میں۔ کوّے اُڑ رہے ہوں تو معلوم ہوتا ہے کہ شرط لگا کر اُڑ رہے ہیں۔ کوّے فکرِ معاش میں دُور دُور نکل جاتے ہیں لیکن کبھی کھوئے نہیں جاتے۔ شام کے وقت کوئی دس ہزار کوّا کہیں سے واپس آ جاتا ہے۔ ممکن ہے کہ یہ غلط کوّے ہوں۔

کوّا اتنا غیر رومانی نہیں جتنا مَیں اور آپ سمجھتے ہیں۔ شاعروں نے اکثر کوّے کو مخاطب کیا ہے۔ "کاگا لے جا ہمارو سندیس" "کاگا رے جا رے جارے"۔ وغیرہ وغیرہ۔

لیکن ہمیشہ کوّے کو کہیں دُور جانے کے لئے کہا گیا ہے۔ کسی نے بھول کر بھی خوش آمدید نہیں کہا۔ بلکہ ایک شاعر تو یہاں تک کہہ گیا کہ — "کاگا سب تن کھائیو چن چن کھائیو ماس — " یہاں میں کچھ نہیں کہوں گا۔ آپ جانیں اور آپ کا کاگا۔

اگر آپ کوّوں سے نالاں ہیں تو مت بھولیے کہ کوّے بھی آپ سے نالاں ہیں۔

بُلبل

بلبل ایک روایتی پرندہ ہے جو ہر جگہ موجود ہے سوائے وہاں کے جہاں اسے ہونا چاہیے۔

اگر آپ کا خیال ہے کہ آپ نے چڑیا گھر میں یا باہر بلبل دیکھی ہے تو یقیناً کچھ اور دیکھ لیا ہے۔ ہم ہر خوش گلو پرندے کو بلبل سمجھتے ہیں۔ قصور ہمارا نہیں ہمارے ادب کا ہے۔

شاعروں نے نہ بلبل دیکھی ہے نہ اُسے سنا ہے۔ کیوں اصلی بلبل اس ملک میں نہیں پائی جاتی۔ سنا ہے کہ کوہ ہمالیہ کے دامن میں کہیں کہیں بلبل ملتی ہے لیکن کوہ ہمالیہ کے دامن میں شاعر نہیں پائے جاتے۔

عموماً SONNET وہ نظم ہوتی ہے جسے محض بلبل کے لئے لکھا گیا ہے — خوش قسمتی سے بلبل اَن پڑھ ہے۔

عام طور پر بلبل کو آہ وزاری کی دعوت دی جاتی ہے اور رونے پیٹنے کے لئے اُکسایا جاتا ہے۔ بلبل کو ایسی باتیں بالکل پسند نہیں۔ ویسے بلبل ہونا کافی مضحکہ خیز ہوتا ہوگا۔

بلبل اور گلاب کے پھول کی افواہ کسی شاعر نے اُڑائی تھی جس نے رات گئے

گلاب کی ٹہنی پر بلبل کو نالہ و شیون کرتے دیکھا تھا۔ کم از کم اس کا خیال تھا کہ وہ پرندہ بلبل ہے اور وہ چیز نالہ و شیون ـــ دراصل رات کو عینک کے بغیر کچھ کا کچھ دکھائی دیتا ہے۔

بلبل پروں سمیت محض چند انچ لمبی ہوتی ہے۔ یعنی اگر پروں کو نکال دیا جائے تو کچھ زیادہ بلبل نہیں بچتی۔

بلبل کی پرائیویٹ زندگی کے متعلق طرح طرح کی باتیں مشہور ہیں۔ بلبل رات کو کیوں گاتی ہے؟ پرندے جب رات کو گائیں تو ضرور کچھ مطلب ہوتا ہے۔ وہ اتنی رات گئے باغ میں اکیلی کیوں جاتی ہے؟ بلبل کو چہچہاتے سن کر دُور کہیں ایک اور بلبل چہچہانے لگتی ہے۔ پھر کوئی بلبل نہیں چہچہاتی۔ وغیرہ ـــ ہمارے ملک میں تو لوگ بس سکینڈل کرنا جانتے ہیں۔ اپنی آنکھوں سے دیکھے بغیر کسی چیز کا یقین نہیں کرنا چاہیے۔

کبھی کبھی بلبل غلطیاں کرتی ہے۔ لیکن اس سے فائدہ نہیں اُٹھاتی۔ چنانچہ پھر غلطیاں کرتی ہے ـــ سیاست میں تو یہ عام ہے۔

ماہرین کا خیال ہے کہ بلبل کے گانے کی وجہ اس کی غمگین خانگی زندگی ہے جس کی وجہ یہ ہر وقت کا گانا ہے۔ دراصل بلبل ہمیں محظوظ کرنے کے لئے ہرگز نہیں گاتی۔ اُسے اپنے فکر ہی نہیں چھوڑتے۔

کچھ لوگ کہتے ہیں کہ بلبل گاتے وقت بُل۔ بُل۔ بُلبل۔ بُل کی سی آوازیں نکالتی ہے ـــ یہ غلط ہے۔

بلبل پکے راگ گاتی ہے یا کچے؟ بہرحال اس سلسلے میں وہ بہت سے موسیقاروں سے بہتر ہے۔ ایک تو وہ گھنٹے بھر کا اَلاپ نہیں لیتی۔ بے سُری ہو جائے تو بہانے نہیں کرتی کہ ساز والے نکمّے ہیں۔ آج گلا خراب ہے۔ آپ تنگ آجائیں تو اُسے خاموش کرا سکتے ہیں ـــ اور کیا چاہیے؟

جہاں تیتر ـــ "سبحان تیری قدرت"، پپیہا ـــ "پی کہاں" اور گیدڑ "پدرم سلطان بود" کہتا ہوا سنا گیا ہے، وہاں بُلبل کے متعلق وثوق سے نہیں کہا جا سکتا کہ وہ کیا کہنا چاہتی ہے۔ یوں معلوم ہوتا ہے جیسے کسی مصرعے کے ایک حصے پر اٹک گئی

ہو۔ مثلاً — مانا کہ ہم پہ جور و جفا، جور و جفا، جور و جفا — یا تعریف اُس خدا کی، خدا کی، خدا کی — اور دِلے بفروختم، بفروختم، بفروختم — شاید اسی میں آرٹ ہو۔

ہو سکتا ہے کہ ہماری توقعات زیادہ ہوں۔ لیکن یہ گانے کا ریکٹ اس نے خود شروع کیا تھا۔ بلبل کو شروع شروع میں قبول صورتی، گانے بجانے کے شوق اور نفاست پسندی نے بڑی شہرت پہنچائی۔ کیونکہ یہ خصوصیات دوسرے پرندوں میں یکجا نہیں ملتیں۔ لیکن وقت کے ساتھ ساتھ اُن کی نوعیت جاتی رہی اور لوگوں کا جوش ٹھنڈا پڑ گیا۔ اُدھر بلبل پر نئی نئی تحریکوں اور جدید قدروں کا اتنا سا بھی اثر نہیں ہوا۔ چنانچہ اب بلبل سو فیصدی رجعت پسند ہے۔ کچھ لوگ اس زمانے میں بھی بلبل کے نغموں، چاندنی راتوں اور پھولوں کے شائق ہیں۔ یہ لوگ حالاتِ حاضرہ اور جدید مسائل سے بے خبر ہیں اور سماج کے مفید رُکن ہرگز نہیں بن سکتے۔ وقت ثابت کر دے گا کہ — وغیرہ وغیرہ۔

جیسے گرمیوں میں لوگ پہاڑ پر چلے جاتے ہیں اسی طرح پرندے بھی موسم کے لحاظ سے نقلِ وطن کرتے ہیں۔ بلبل کبھی سفر نہیں کرتی۔ اس کا خیال ہے کہ وہ پہلے ہی سے وہاں ہے جہاں اسے پہنچنا چاہیے تھا۔

ہمارے ادب کو دیکھتے ہوئے بھی بلبل نے اگر اس ملک کا رُخ کیا تو نتائج کی ذمہ دار خود ہو گی۔

بھینس

بھینس موٹی اور خوش طبع ہوتی ہے۔

بھینسوں کی قسمیں نہیں ہوتیں۔ وہ سب ایک جیسی ہوتی ہیں۔ بھینس کا وجود بہت سے انسانوں کے لئے باعث مسرت ہے۔ ایسے انسانوں کی زندگی میں بھینس کے علاوہ مسرتیں بس گنی گنائی ہوتی ہیں۔

بھینس کا ہم عصر چوپایہ گائے دُنیا بھر میں موجود ہے لیکن بھینس کا فخر صرف ہمیں ہی نصیب ہے۔ تبت میں گائے کے وزن پر سُرا گائے ملتی ہے۔ سُرا بھینس کہیں نہیں ہوتی۔

جغرافیہ دان کہتے ہیں کہ افریقہ میں بھینس سے ملتی جلتی کوئی چیز BISON ہوتی ہے۔ مگر وہ دودھ نہیں دیتی۔ جغرافیہ دان اتنا نہیں سمجھتے کہ جو چیز دودھ نہ دے بھلاوہ بھینس جیسی کیونکر ہو سکتی ہے۔

یہ نہیں کہا جاسکتا کہ بھینس اتنی ہی بے وقوف ہے جتنی دکھائی دیتی ہے یا اُس سے زیادہ۔ کیا بھینسیں ایک دوسرے سے محبت کرتی ہیں؟ غالباً نہیں۔ محبت اندھی ہوتی ہے مگر اتنی اندھی نہیں۔

بھینس کے بچے شکل وصورت میں ننھیال اور ددھیال دونوں پر جاتے ہیں۔ لہٰذا فریقین ایک دوسرے پر تنقید نہیں کر سکتے۔

بھینس سے ہماری محبت بہت پرانی ہے۔ بھینس ہمارے بغیر رہ لے لیکن ہم بھینس کے بغیر ایک دن نہیں رہ سکتے۔ آج کل یہ شکایت عام ہے کہ لوگوں کو کوٹھی ملتی ہے تو ایسی جس میں گیراج تک نہیں ہوتا جہاں بھینس باندھی جاسکے۔

جس گھر میں بھینس ہو (اور بھینس کہاں نہیں ہے) وہاں اندرونِ حویلی سب کے سب بھینس کے چکنے اَونٹے ہوئے دودھ کے لمبے لمبے گلاس چڑھاتے ہیں۔ پھر خمار چڑھتا ہے' کائنات اور اس کا کھیل بے معنی معلوم ہونے لگتا ہے۔ ایک اور دنیا کے خواب نظر آتے ہیں۔ رہ گئی یہ دُنیا' سو یہ دنیا تو مایا ہے مایا!

کئی بھینسیں اتنی بھدی نہیں ہوتیں' مگر کچھ ہوتی ہی ہیں۔ دُور سے یہ پتہ چلانا مشکل ہو جاتا ہے کہ بھینس اِدھر آرہی ہے یا اُس طرف جارہی ہے۔ رُخِ رَوشن کے آگے شمع رکھ کر وہ یہ کہتے ہیں —— والا شعر یاد آجاتا ہے۔

بھینس اگر ورزش کرتی اور غذا کا خیال رکھتی تو شاید چھریری ہو سکتی تھی۔ لیکن کچھ نہیں کہا جاسکتا۔ بعض لوگ مکمل احتیاط کرنے پر بھی موٹے ہوتے چلے جاتے ہیں۔

بھینس کا مشغلہ جگالی کرنا ہے یا تالاب میں لیٹے رہنا۔ وہ اکثر نیم باز آنکھوں سے اُفق کو تکتی رہتی ہے۔ لوگ قیاس آرائیاں کرتے ہیں کہ وہ کیا سوچتی ہے۔ وہ کچھ بھی نہیں سوچتی۔ اگر بھینس سوچ سکتی تو رونا کس بات کا تھا۔

ڈارون کی تھیوری کے مطابق صدیوں سے ہر جانور اسی کوشش میں ہے کہ

اپنے آپ کو بہتر بنا سکے۔ یہاں تک کہ بندر انسان بن گئے ہیں۔ بھینس نے محض سستی کی وجہ سے اس تگ و دو میں حصہ نہیں لیا۔ اب کچھ نہیں ہو سکتا۔ ارتقائی دَور ختم ہو چکا کیونکہ انسان بالکل نہیں سدھر رہا۔ بھینس یہ سب نہ جانتی ہے نہ جاننا چاہتی ہے۔ اگر ماہرین اُسے نقشوں اور تصویروں کی مدد سے سمجھانا چاہیں تب بھی بے سود ہوگا۔

بھینس کا حافظہ کمزور ہے۔ اُسے کل کی بات آج یاد نہیں رہتی۔ اس لحاظ سے وہ انسان سے زیادہ خوش نصیب ہے۔

اگر بھینس کی کمر میں پتھر یا لٹھ آ لگے تو پیچھے مڑ کر نہیں دیکھتی۔ ذرا سی کھال ہلا دیتی ہے بس! — اسے فلسفۂ عدم تشدد کہتے ہیں۔

بھینسے کو بالکل نکما سمجھا جاتا ہے۔ اسے ہل میں جوتنے کی سکیم ناکامیاب ثابت ہوئی کیونکہ وہ دائمی طور پر تھکا ہوا اور ازلی سست ہے — اُس نے بچپن میں بھینس کا دودھ پیا تھا۔

کبھی کبھی بھینسا چہرے کی جھریوں کو دیکھ کر چونک اُٹھتا ہے۔ اور سینگ کٹا کر کٹڑوں میں شامل ہو جاتا ہے۔ لیکن یہ حرکت کون نہیں کرتا؟

بھینس کے سامنے بین بجائی جائے تو نتیجہ تسلی بخش نہیں نکلتا۔ بھینس کو بین سے کوئی دلچسپی نہیں ہے۔

کبھی کبھی مجھ پر مُوڈ آتے ہیں جب میں گائے بکری وغیرہ کو بھینس جیسا سمجھنے لگتا ہوں۔

اُلّو

اُلّو بردبار اور دانش مند ہے، لیکن پھر اُلّو ہے۔

وہ کھنڈروں میں رہتا ہے لیکن کھنڈر بننے کی وجوہات اور ہوتی ہیں۔ اُلّو کا ذکر پرانے بادشاہوں نے اپنے روزنامچوں میں اکثر کیا ہے لیکن اِس سے اُلّو کی پوزیشن بہتر نہیں ہو سکی۔

اُلّو کی بیس بائیس قسمیں بتائی جاتی ہیں۔ میرے خیال میں پانچ چھ قسمیں کافی ہوتیں۔ ویسے اُلّوؤں کی عادتیں آپس میں اس قدر ملتی جلتی ہیں کہ ایک اُلّو کو دیکھ لینا

تمام اُلوؤں کو دیکھ لینے کے مترادف ہے۔

اُلّو کو وہی پسند کر سکتا ہے جو فطرت کا ضرورت سے زیادہ مداح ہو۔ روزمرہ کے اُلو کو بُوم کہا جاتا ہے۔ اس سے بڑے کو چغد۔ چغد سے بڑا اُلّو ابھی تک دریافت نہیں ہوا۔

پالتو اُلّو وہ لوگ رکھتے ہیں جو اس قسم کی چیزوں کو پالنے کے عادی ہوں۔ اُلّو کی شکل و صورت میں اصلاح کی بہت گنجائش ہے۔ میں یہ سمجھنے سے قاصر ہوں کہ ایک اُلّو دوسرے اُلّو کو کیونکر بھاجاتا ہے۔

دن بھر اُلّو آرام کرتا ہے اور رات بھر ہُو ہُو کرتا ہے۔ اِس میں کیا مصلحت پوشیدہ ہے؟ — میرا قیاس اتنا ہی صحیح ہو سکتا ہے جتنا کہ آپ کا __! لوگوں کا خیال ہے کہ اُلّو تُو ہی تُو کا وظیفہ پڑھتا ہے۔ اگر یہ سچ ہے تو وہ اُن خود پسندوں سے ہزار درجہ بہتر ہے جو ہر وقت مَیں ہی مَیں کا وِرد کرتے رہتے ہیں۔

شوخ اور باتونی پرندوں میں اُلو کا مرتبہ بہت بلند ہے کیونکہ وہ چپ چاپ رہتا ہے۔ اور غالباً حسِ مزاح سے محروم ہے۔ بہت سے لوگ محض اس لئے ذی فہم سمجھے جاتے ہیں کہ وہ کبھی نہیں مسکراتے۔

اُلو یہ انتظار نہیں کرتے کہ کوئی اُن کا تعارف کرائے۔ دیکھتے دیکھتے یوں بے تکلف ہو جاتے ہیں جیسے ایک دوسرے کو برسوں سے جانتے ہوں۔ شریک حیات منتخب کرتے وقت اُلو طبیعت 'شکل و صورت' اور خاندان کا خیال نہیں رکھتے۔ تبھی وہ صدیوں سے ویسے کے ویسے ہیں۔

مادہ ننھے اُلّوؤں کی بڑی دیکھ بھال کرتی ہے۔ مگر جونہی وہ ذرا بڑے ہوئے اور ان کی شکل اپنے ابا سے ملنے لگتی ہے انہیں باہر نکال دیتی ہے۔

اُلّو کو اپنے بچوں کی تعلیم و تربیت سے کوئی دلچسپی نہیں۔ وہ جانتا ہے کہ یہ سب بے سود ہے۔

اُلّو دوسرے پرندوں سے میل جول کو اچھا نہیں سمجھتا۔ وہ اپنا وقت اور زیادہ اُلّو بننے میں صرف کرتا ہے۔ "آپ کام سو مہا کام" — اُلو کا مقولہ ہے۔

اُلّو کا محبوب مشغلہ رات بھر بھیانک آوازیں نکال کر پبلک کو ڈرانا ہے۔ وہ

جانتا ہے کہ پبلک کیا چاہتی ہے۔ ہمارے ملک کی مثالی توہم پرستی میں اُلو نے قابل تقلید حصہ لیا ہے۔ بہت سے لوگ اپنی ناکامیوں کا سبب اس غریب اُلو کو بتاتے ہیں جو مکان کے پچھواڑے درخت پر رہتا ہے۔ اُلو کی نحوست ہوتی ہے مگر اتنی نہیں۔

اُلّو اچھے بھی ہوتے اور برے بھی۔ اچھے تو وہ ہوتے ہیں جو دُور جنگلوں میں رہتے ہیں۔ اُلوؤں کو برا بھلا کہتے وقت یہ مت بھولیے کہ اُنہوں نے اُلو بننے کی التجا تھوڑا ہی کی تھی۔

ماہرین غور کرتے رہتے ہیں کہ اُلّو ہمیشہ تنہا کیوں نکلتا ہے؟ اُلّوؤں کا جوڑا باہر کیوں نہیں نکلتا؟ ماہرین کو یہ بھی ڈر ہے کہ اُلو دن بدن کم ہوتے جا رہے ہیں، کہیں نایاب نہ ہو جائیں۔ اُنہیں فکر نہیں کرنا چاہیے۔ ایسی چیزیں کبھی نہیں مٹتیں، یہ ہمیشہ رہنے کے لئے آئی ہیں۔

ویسے اُلّوؤں کے بغیر بھی گزارا ہو سکتا ہے۔ مگر وہ بات نہیں رہے گی۔ اُلو آپ کی آنکھوں میں آنکھیں ڈال کر دیکھنے لگے تو اس کی نیت آپ کو پریشان کرنے کی نہیں ہو گی۔ آپ بھی تو اُسے گھور رہے ہیں۔ ذرا سی دیر میں وہ زبان ہلائے بغیر آپ کو اپنا ہم خیال بنا لے گا— اسے HYPNOTISM کہتے ہیں۔

اُلو کی تلاش میں آپ کو زیادہ دُور نہیں جانا پڑے گا۔ اُلو آپ کے قیاس سے کہیں قریب ہے۔ انسان کو ناشکرا نہیں ہونا چاہیے۔ دنیا میں اُلو سے زیادہ بری چیزیں بھی ہیں— دو اُلّو یا تین اُلو!

اُلّو اس بات کا ثبوت ہے کہ اگر قدرت ایک مرتبہ کچھ ٹھان لے تو اُسے پورا کر کے رہتی ہے۔

اس ساری لے دے کے باوجود اُلّو کی زندگی کسی نہ کسی طرح گزر ہی جاتی ہے۔

بلّی

بلّیاں سلطنت برطانیہ کے مختلف حصوں میں پائی جاتی ہیں۔ چنانچہ بلّیوں پر کبھی سورج غروب نہیں ہوتا۔

بلیوں کی قسمیں بتائی گئی ہیں۔ جو لوگ بلیوں کی قسمیں گنتے رہتے ہیں ان کی بھی کئی قسمیں ہوتی ہیں۔ بلیاں پالنے والوں کو یہ وہم ہو جاتا ہے کہ بلی انہیں خواہ مخواہ چاہتی ہے۔ اس لئے نہیں کہ وہ بلی کے قیام و طعام کا بندوبست کرتے ہیں۔ کاش کہ ایسا ہی ہوتا۔

بلیاں دو ہفتے کی عمر ہی میں ناز و انداز دکھانا شروع کر دیتی ہیں' بغیر کسی ٹریننگ کے۔ سنا ہے کہ کچھ بلیاں دوسری بلیوں سے خوبصورت ہوتی ہیں۔ بعض لوگ سیامی بلی کو حسین سمجھتے ہیں (ایسے لوگ کسی چیز کو بھی حسین سمجھنے لگیں گے)۔ انگورا کی بلی کی جسامت اور خدوخال کتے سے زیادہ ملتے ہیں۔ ویسے ایرانی بلی ایک اچھی آل راؤنڈر بلی کہی جا سکتی ہے۔

لیکن ایران میں ایرانی بلیوں پر غیر ملکی بلیوں کو ترجیح دی جاتی ہے — سودیشی بدیشی کا سوال ہر جگہ ہے۔

ویسے ایرانی بلی بھی تماشہ ہے۔ کبھی گربہ ٔ مسکین بن جاتی ہے اور کبھی "نہ بینی کہ چُوں گربہ عاجز شود" — شاید ایرانیوں نے اپنی بلی کو نہیں سمجھا — یا شاید سمجھ لیا ہے۔

بلیاں میاؤں میاؤں کرتی ہیں۔ قنوطی بلی می ی ی آووُں کہتی ہے تاکہ ہر ایک سن لے۔ جب بلی زیر لب بڑبڑانا شروع کر دے اور تنہائی میں دیر تک بڑبڑاتی رہے تو سمجھ لینا چاہیے کہ وہ اپنی زندگی کے بہترین دن گزار چکی ہے۔

گرمیوں میں بلیاں پنکھے کے نیچے سے نہیں ہلتیں۔ سردیوں میں بن ٹھن کر ربن بندھوا کر دھوپ سینکتی ہیں۔ ان کے نزدیک زندگی کا مقصد یہی ہے۔ بلی کا بورژوا پن نوعمر لڑکے لڑکیوں کے لئے مہلک ہے۔ اُنہیں یقین ہو جاتا ہے کہ جو کچھ بلی کے لئے مفید ہے وہ سب کے لئے مفید ہوگا۔

لوگ پوچھتے ہیں کہ بلیاں اتنی مغرور اور خود غرض کیوں ہیں؟ میں پوچھتا ہوں کہ اگر آپ کو محنت کئے بغیر ایسی مرغن غذا ملتی رہے جس میں پروٹین اور وٹامن ضرورت سے زیادہ ہوں تو آپ کا رویہ کیا ہوگا؟

بلی دوسرے کا نکتہ ٔ نظر نہیں سمجھتی۔ اگر اسے بتایا جائے کہ ہم دنیا میں

دوسروں کی مدد کرنے آئے ہیں تو اس کا پہلا سوال یہ ہوگا کہ دوسرے یہاں کیا کرنے آئے ہیں؟

تقریباً سال بھر میں بلی سدھائی جا سکتی ہے۔ مگر سال بھر کی مشقت کا نتیجہ صرف ایک سدھائی ہوئی بلی ہوگا۔ جہاں بقیہ چوپائے دودھ پلانے والے جانوروں میں سے ہیں وہاں بلی دودھ پینے والے جانوروں سے تعلق رکھتی ہے۔ اگر غلطی سے دُودھ کھلا رہ جائے تو آپ کی سِدھائی ہوئی بلی پی جائے گی۔ اگر دودھ کو بند کر کے قفل لگا دیا جائے تب بھی پی جائے گی۔ کیونکر —؟ یہ ایک راز ہے جو بلیوں تک محدود ہے۔

شکی لوگ بلیوں پر اعتبار نہیں کرتے۔ بلیاں کیا کریں؟ ان پر ایسا وقت بھی آتا ہے جب انہیں خود پر اعتبار نہیں رہتا۔

بلی کو بلانے کے لئے پُوس پُوس پُوس' مانو مانو' یا پُسی پُسی جیسے مہمل اور غیر مہذب کلمات استعمال کیے جاتے ہیں اور بلی پھر بھی نہیں آتی۔ کبھی کوئی بلی خواہ مخواہ ساتھ ہو لیتی ہے' جہاں جاؤ پیچھا کرتی ہے۔ ایسے موقعوں پر سوائے صبر و شکر کے اور کوئی چارہ نہیں۔

بلیاں پیار سے پنجے مارتی ہیں اور کبھی چند وجوہات کی بنا پر جنہیں پبلک نہیں سمجھتی کاٹ بھی لیتی ہیں — شکر ہے کہ بلی کے کاٹے کا علاج آسان ہے۔ اس کا کاٹا پاگل نہیں ہوتا۔

بلیاں آپس میں لڑتی ہیں تو ناخنوں سے ایک دوسرے کا منہ نوچ لیتی ہیں اور مہینوں ایک دوسرے کو برا بھلا کہتی رہتی ہیں۔

بلی اور کتے کی رقابت مشہور ہے۔ بلی برداشت نہیں کر سکتی کہ انسان کا کوئی وفادار دوست ہو۔ بلی میں برداشت بہت کم ہوتی ہے۔

کبھی کبھی بلیاں اپنی کمر کو خم دے کر بہت اُونچا کر لیتی ہیں اور دیر تک کئے رکھتی ہیں۔ اس کی وجہ تو وہی جانتی ہوں گی۔ مگر وہ جو کچھ کرتی ہیں اکثر غلط ہوتا ہے — ممکن ہے اس طرح وہ گیئر بدلتی ہوں۔

جب بلی چاند کی طرف دیکھ کر بری طرح رونے لگے تو رُوئے سخن آپ کی طرف یا میری طرف نہیں۔ یہ سب کسی اور بلی کے لئے ہے۔

چند بلیاں گھر میں سارے چوہوں کو ختم کر سکتی ہیں۔ چوہے تو دفع ہو جائیں گے — مگر بلیاں رہ جائیں گی! بلیاں دن بھر میک اَپ کرتی رہتی ہیں۔ اُن کی جلد پر طرح طرح کے ڈیزائن ہوتے ہیں۔ موٹی بلیاں اپنے جسم پر لمبائی میں یعنی عمودی سیدھی دھاریاں بنالیں تو اُن کا مٹاپا چھپ سکتا ہے اور وہ چھریری اور کیوٹ معلوم ہوں گی۔

بلیاں دوپہر کو سو جاتی ہیں، وہ رات تک انتظار نہیں کر سکتیں۔ بعض اوقات بظاہر سوئی ہوئی بلی اِدھر اُدھر دیکھ کر چپکے سے باہر نکل جاتی ہے۔ اس سے بازپرس کی جائے تو خفا ہو جاتی ہے۔ (بلی کی جگہ کوئی بھی ہو تو خفا ہو جائے گا)۔ ایک ہی گھر میں سالہاسال گزارنے کے باوجود انسان اور بلی اجنبی رہتے ہیں — زندگی کتنی عجیب ہے۔

بلی سامنے سے گزر جائے تو لوگ خوشخبری کا انتظار کرتے ہیں۔ میں یہی سمجھتا ہوں کہ جیسے میں کسی کام جا رہا تھا اسی طرح بلی بھی کہیں جا رہی ہو گی۔

اندھیرے میں کالی بلی کا نظر آجانا خوش قسمتی سمجھا جاتا ہے — پتہ نہیں بد قسمتی کیا ہوتی ہو گی۔

خیر جو کچھ بھی ہو، ہم سب کی تقدیر میں بلی لکھی ہے۔ اپنی بلی سے بچنا محال ہے۔ کوئی دلیر ہو یا بزدل، عقل مند ہو یا احمق، کسی نہ کسی دن ایک بلی اسے آلے گی۔ ویسے ایرانیوں کا اصول رہا ہے کہ گربہ کشتن روزِ اوّل۔

میں گھنٹوں سوچتا رہتا ہوں کہ میں بلیوں سے دُور رہتا تو بہتر ہوتا۔

سفر نامہ جہاز باد سندھی کا

بسم اللہ ' دیباچہٗ فسانہ نغمہ زنی عندلیب خانہ رنگیں ترانہ ' راست براست ' بلاکم و کاست۔ یعنی تذکرہٗ جہاز باد سندھی عفی عنہ،

اے صاحبو! خدا آپ کا بھلا کرے۔ مدتِ مدید و عرصہٗ بعید کا ذکر ہے کہ ایک سہ پہر کو ایک نوجوانِ نحیف و نزار (کہ جسے نوجوان سمجھنا نری خوش فہمی تھی) کافی ہاؤس کے دروازے پر زندگی سے بالکل بیزار کھڑا تھا۔ نام اس دراز قد کا جہاز باد تھا۔ تخلص سندھی اور لقب خورد۔ حلیہ اس کا فاقہ زدہ تھا اور سر کے بال ماڈرن خواتین کے بالوں سے بھی لمبے تھے۔ ناک پر ایک شکستہ عینک زندگی کے دن توڑ رہی تھی۔ شیو اس نے ہفتے بھر سے نہیں کروایا تھا۔ بغل میں اس کے کاغذوں کا ایک پلندہ تھا۔ پوشاک اس کی ایسی تھی کہ گمان تک نہ ہوتا کہ اس نے پوشاک کو پہن رکھا ہے۔ معلوم ہوتا تھا کہ پوشاک ہے جو اسے پہنے ہوئے ہے۔

ظاہر ہے کہ یہ نوجوان انٹلکچوئل طبقے سے متعلق تھا— !

اس نے اپنی سائیکل سنبھالی۔ ملازم کو اگلے روز بخشش دینے کا وعدہ کیا اور مال روڈ پر ہوا ہو گیا۔ چوک کے سپاہیوں کو پیچھے چھوڑتا کہیں کا کہیں جا پہنچا۔ ایک عالی شان محل کے سامنے اُسے کچھ عجیب سی فیلنگ ہوئی جیسے خیالات کی رَوانی میں دفعتہً اُلجھن پیدا ہو گئی ہو۔ چونک کر دیکھا تو پچھلے پہیے میں پنکچر ہو چکا تھا۔ اتوار کا دن تھا اور دکانیں بند تھیں۔ یہاں تک کہ وہ حضرات بھی جو ایک پمپ اور پنکچر لگانے کا ذرا سا سامان لے کر سائیکل ورکس کھول لیتے ہیں اور پروپرائٹر کہلاتے ہیں ' غائب غلّا ہو چکے تھے۔

اتنے میں محل کے دروازے سے ایک شخص ہاتھ میں کارآمد شے تھامے نمودار ہوا۔ اُسے دیکھ کر جہاز باد کی عینک مسرت سے چمک اٹھی۔ اس نے بڑھ کر پمپ مانگا۔ اس شخص نے دے دیا۔ جہاز باد نے اُسے کھینچا' مروڑا' کھولنے کی کوشش کی لیکن ناکامیاب رہا۔ بس یہ وہ مردِ توانا زیر مونچھ مسکرایا (کہ اس کا چہرہ ایک چوڑی سیاہ گھنی اور عمدہ مونچھوں سے مزیّن تھا) اور بولا— اے مردِ ناداں مزید کوشش عبث ہے کیونکہ یہ پمپ نہیں ڈنڈا ہے۔

جہاز باد نے سائیکل ایک طرف رکھ دی اور محل کی جانب متوجہ ہوا۔ دروازے پر بورڈ پڑھا تو عینک کے شیشے صاف کرنے کی ضرورت محسوس ہوئی۔ لکھا تھا— "جہاز باد سندھی کلاں—"

ذرا قریب گیا تو مرغانِ نواسنج کی زمزمہ پردازی دل کو لبھانے لگی۔ ہزار و طوطی کی صدا آنے لگی۔ انواع واقسام کی خوشبوؤں سے دماغ طبلۂ عطار بن گیا۔ ذرا سی دیر میں یہ طبلہ بجنے لگا۔ ریڈیو پر نغمۂ دِل رُبا اور رباب کی آوازِ خوش کانوں میں آئی۔ طعمۂ لذیذ کی خوشبو آتی تھی۔ بادۂ خوش گوار کی صراحی قُلقُل کی صدا سناتی تھی۔ دیکھا کہ احبابِ بذلہ سنج اور خاتونانِ ذی مرتبہ رنگ رَلیاں مناتی ہیں' ہمجولیاں قہقہے لگاتی ہیں۔

جہاز باد سوچنے لگا کہ صرف خورد اور کلاں کا فرق ہے۔ مگر کوئی مجھ سا بے نصیب' بد طالع' بد بخت ہے' کوئی صاحب تاج و تخت ہے۔ اس مکان کے مکین پر بڑی عنایت ہے اور مجھ گنہ گار پر یہ عتاب۔ یہ کسی شاہِ فلک بارگاہ کا ایوان سپہرِ تو آمان ہے یا روضۂ رمضان ہے۔ کہیں حور ہے تو کہیں غلمان ہے۔

ابھی یہ سوچ ہی رہا تھا کہ اسی مردِ قوی مونچھ نے آکر پیغام دیا ہے کہ صاحبِ مکان نے فرمایا ہے کہ ہمارا اسلام بولو۔ جہاز باد خورد نے کہا— وعلیکم السلام اور روانگی کا قصد کیا۔ مگر وہ مردِ قوی ہیکل کہنے لگا کہ صاحبِ خانہ یاد فرماتے ہیں۔ جہاز باد سمجھ گیا کہ ہو نہ ہو صاحبِ مکان کوئی ماہر نفسیات ہے جس نے اتنی دور سے میرا تجزیۂ نفسی کر کے خیالات بھانپ لئے ہیں۔ ایسا نہ ہو کہ کسی مصیبت میں گرفتار ہو جاؤں۔ ابھی سوچ ہی رہا تھا کہ اس مونچھ مچھندر نے ہاتھ پکڑا اور اندر لے گیا جہاں شاندار دعوت

منعقد تھی۔ حیرت ہوئی کہ یاالٰہی اتنی خُوبرو اور گلبدن حسینانِ پُرفن، شوخ وشنگ، رشکِ گل رخانِ فرنگ کیونکر ایک مقام پر جمع ہیں۔

جہاز باد سندھی کلاں بڑے تپاک سے ملا اور گویا ہوا— "اے معزز اجنبی حضرت! دیکھنے میں تو آپ انٹلکچوئل معلوم ہوتے ہیں۔"

جہاز باد خورد نے اثبات میں سر ہلایا۔ جہاز باد کلاں کی باچھیں کِھل گئیں— "الحمدللہ — یہ خاکسار بھی کبھی انٹلکچوئل تھا۔ یہ سب شہزادیاں اور شہزادے ایسے ہیں جو انٹلکچوئل ہیں۔ ہونے والے ہیں یا کبھی تھے۔ آپ ان سے ملیے۔"

سب خوب بغلگیر ہو ہو کر ملے۔ اگرچہ جہاز باد خورد گدگدی سے بہت ڈرتا تھا۔ تبھی وہ عید کے روز چھپتا پھرتا۔ تاہم ایک موہوم سی اُمید پر اُس نے بغل گیر ہونا شروع کر دیا۔ لیکن جب شہزادیوں کا نمبر آیا اور اُس نے سرخ لباس والی حسین شہزادی سے بغل گیر ہونے کی کوشش کی تو کامیابی نصیب نہ ہوئی۔ وہ فوراً دو قدم پیچھے ہٹ کر بولی — "آپ سے مل کر بڑی خوشی ہوئی —" جب دونوں جہاز بادوں نے ایک دوسرے کا نام سنا تو کمال درجہ محظوظ بھی ہوئے اور محفوظ بھی۔

جہاز باد کلاں نے خورد کلاں کو ایک چھوٹا سا پیگ دینا چاہا تو وہ معذرت خواہی کرتے ہوئے گویا ہوا— "یا پیرومرشد ابھی سورج نظر آتا ہے۔ غروبِ آفتاب سے پہلے وھسکی سے گریز کرنا چاہیے۔ البتہ بیئر وقت کی چیز ہے—"

جہاز باد کلاں یہ تقریر سن کر دَم بخود رہ گیا۔ عش عش کرنا چاہتا تھا لیکن شہزادیوں کی طرف دیکھ کر ارادہ ملتوی کر دیا اور یوں بولا— "اے بامذاق انسان بیئر کا گلاس نوشِ جان فرما اور بار بار دروازے کی طرف مت دیکھ۔ تیری سائیکل ہم نے مرمت کے لئے بھیج دی ہے۔"

ہوالشافی کہہ کر وہ جام جہاز باد خورد نے پیا اور دوسرا اُنڈیلنے لگا۔ جہاز باد کلاں نے اس کی جانب شفقت بھری نگاہوں سے دیکھتے ہوئے کہا— "اے نوجوانِ سلیقہ شعار ہم خوش ہوئے۔ لیکن یہ مت بھولیو کہ یہ خدائے ذوالجلال کے ہاتھ میں ہے کہ ایک گدائے بے نوا کو چشم زدن میں صاحبِ دولت و جاہ کرے اور قارون سے مالدار کو ذرا سے اشارے سے تہہ خاک و تباہ کر دے۔ تو ضرور حیران ہوگا کہ یہ نعمتیں ہمیں

کیونکر میسر آئیں۔ یہ فرمانبردار بہرے جنہیں سنائی بھی دیتا ہے۔ یہ افرنگی بیئر جو غلط شدہ غم صحیح کرتی ہے۔ یہ پُر رونق محفلیں۔ یہ سب کچھ ہمیں یونہی نہیں ملا— ہم—"

"واحد متکلم صیغہ استعمال کیجیے"— ایک طرف سے آواز آئی۔

"معاف کیجیے' تو اس کے لئے مجھے کیا کیا مصیبتیں اُٹھانی پڑیں۔ اِس کا ذکر میں ابھی سناؤں گا۔"

محفل میں یک لخت کھلبلی سی مچ گئی۔ کوئی گھڑی دیکھنے لگا۔ کسی کو ضروری کام یاد آگیا۔ کسی نے کہا اَبا جان انتظار کررہے ہوں گے۔ کوئی بولا یہ کہانی اتنی مرتبہ سنی ہے کہ زبانی یاد ہوچکی ہے۔ جب سب جاچکے تو جہاز باد کلاں نے خورد کے لئے چوتھا گلاس اُنڈیلا۔ کباب سامنے رکھے اور یوں کلام کیا—

جہاز باد سندھی کا پہلا سفر

"خشتِ اوّل چوں نہد معمار کج
تا ثریا مِیرود معمار کج

اے میرے معزز ہم نام تو نے ان شہزادیوں کی مینا چشمی دیکھی؟ حیرت ہے کہ تجھے کوئی ضروری کام یاد نہیں آیا۔ یہ بیئر پُھس پُھسی معلوم ہوتی ہے نئی بوتل کھول اور خدا کی قدرت کا تماشہ دیکھ —"

"اے میرے محترم ہم نام! اِدھر اُدھر کی باتوں سے پرہیز فرما اور اپنا سفر بیان کر—"

"یہ اُن دنوں کا ذکر ہے—" کلاں گویا ہوا— "کہ جب یہ خاکسار نیا نیا جوان ہوا تھا۔ اُن دنوں جے۔ باد سندھی کہلاتا تھا۔ بعد میں جے۔ بی۔ سندھی ہوگیا۔ اُس علاقے میں کئی اور جے۔ بی۔ سندھی بھی تھے۔ چناں چہ کلاں کا اضافہ کیا۔ ناچیز کو فنونِ لطیفہ' فنونِ لطیفہ شناسی' فنونِ حرب و ضرب' فنونِ جمع و تفریق میں خاصی شُدبُد

تھی۔ موسیقی میں وہ مہارت تھی کہ شُدھ سارنگ، شُدھ کلیان، مکر دھوج — سب بخوبی گا سکتا تھا۔ لیکن طبیعت میں اس بلا کی سادگی تھی کہ ایک بھیڑیئے کو السیشن کتا سمجھ کر پکڑ لایا اور کئی دنوں تک ساتھ ساتھ لیے پھرا۔ جب غلطی کا احساس ہوا تو ایک بھیڑ کے ہمراہ اسے رُخصت کیا۔ سیب کے درخت کو تبھی پہچان سکتا اگر اس میں سیب لگے ہوں، ورنہ پھلوں یا پھولوں کے بغیر سارے پودے اور درخت میرے لئے یکساں تھے۔ نصیبِ دوستان علیل ہوا تو طبیب نے ایک کاغذ پر کچھ لکھ کر دیا۔ حقیر نے گلے میں باندھ لیا اور شفا پائی۔ بعد میں پتہ چلا کہ وہ تعویذ نہ تھا نسخہ تھا۔ ایک مرتبہ سرمہ ملنے پر حکیم جی سے دریافت کیا کہ اسے کھانا کھانے سے پہلے استعمال کروں یا بعد میں۔ لغت میں قیلولے کے معنی دیکھے تو ہکا بکا رہ گیا۔ برسوں دوپہر کے کھانے کے بعد سویا کیا لیکن کبھی احساس تک نہ ہوا کہ ایسی معمولی سی حرکت کے نتائج قیلولے کی شکل میں برآمد ہوتے ہیں کہ قاف جس کا حلق میں فلک شگاف گونج پیدا کرتا ہے۔ جب فارغ التعلیم ہوا یعنی تعلیم نے مجھ سے فراغت پائی تو چند جاں نثاروں نے سیاست کی طرف رغبت دلائی۔ فدوی نے رجوع کیا اور رات دونی دن چوگنی ترقی نصیب ہوئی۔ میری آتشیں تحریروں نے کئی جگہ لاٹھی چارج کرایا۔ متعدد مقامات پر جُوتا چلا۔ کئی اخبارات ضبط ہوگئے۔ اس حیرت انگیز مقبولیت کی وجہ میرے دو جگری دوست تھے جو بے حد معمولی صلے کے عوض یہ سب کچھ لکھ دیا کرتے۔ لیکن فلکِ کج رفتار کو میری شہرت ایک آنکھ نہ بھائی اور دفعتاً میری تحریریں تمام ہوئیں۔ چند ہی مہینوں میں خود غرض دُنیا مجھے بھول گئی۔ محض میرے دوستوں کی وجہ سے —"

"تو کیا آپ کے وہ دوست داعیٔ اجل کو لبیک کہہ اُٹھے —؟"

"نہیں ان میں سے ایک تو ضلعدار بن گیا اور دوسرا مجسٹریٹ درجہ سوئم۔ کچھ دنوں کے لئے تو دنیا اندھیر معلوم ہوئی۔ پھر شاعری کا شوق چرایا۔ محروم تخلص کیا۔ غزل میں ترنّم کا یہ عالم تھا کہ ہر شعر کی دُرت لَے پر بھی تین تالہ بج سکتا تھا اور ولمپت لَے پر بھی۔ غزل کے لئے طبیعت غیر حاضر ہوئی تو آزاد نظم بڑی آزادی سے کہہ لیا کرتا۔ خدا کا کرنا کیا ہوا کہ محل سرا کے باہر جو اس خاکسار کے نام کا بورڈ لگا ہوا تھا وہ کسی ضرورت مند نے چرا لیا۔ دروازہ نئے بورڈ سے مرصّع کیا گیا۔ مجھے بغرض تبدیلیٔ

آب و ہوا خانیوال جانا پڑا۔ واپس لوٹا تو خطوط کا ایک پلندہ منتظر پایا۔ یہ سب تعزیت نامے تھے۔ حیران تھا کہ کس نے کس کی جانِ آفریں کس کے سپرد کی؟ جو بورڈ دیکھتا ہوں تو کاتب نے غلطی سے محروم کی جگہ مرحوم لکھ دیا تھا۔ اُسی روز بورڈ بدلا لیکن شہر بھر میں رسوا ہو چکا تھا۔ سندھی تخلص کرنے سے بھی کوئی فرق نہ پڑا۔ پھر سوچا کہ اے مردِ باہمت شاعری گئی تو کیا ہوا' اور بھی بہت سے مفید مشغلے ہیں۔ اس ملک میں انسان کی اوسط عمر بیس بائیس سال ہے اور تُو یہ عمر کبھی کی گزار چکا۔ اب اپنے آپ کو مرحوم ہی سمجھ۔ اور پیری مریدی کی طرف رجوع کر۔ ایک دفعہ نام چمک اٹھا تو وارے نیارے ہو جائیں گے۔ چنانچہ اس ناچیز نے اس سلسلے میں بڑا مطالعہ کیا۔ بہاولپور اور سندھ کے تکیوں میں بیشتر وقت گزارا۔ قابل فقیروں ملنگوں سے ٹریننگ حاصل کی۔ بھنگ سے بصیرت افروز ہوا۔ لیکن قسمت میں چکر لکھا تھا کہ کسی ایک لائن کو سِٹک نہ کر سکا۔ ایک دن اتفاق سے آلڈس ہکسلے' ورجینیا وولف' برٹرینڈ رسل کی کتابیں ایک کباڑیے کے ہاں اتنی سستی مل گئیں کہ خریدنا پڑیں۔ چونکہ خرید چکا تھا اس لئے ورق گردانی پر مجبور ہو گیا۔ اچھا بھلا بیٹھا تھا کہ اچانک بشارت ہوئی کہ تو انٹلکچوئل ہے۔ اگرچہ یہ دُرِ بے بہا خاکسار نے وِرثے میں پایا تھا۔ تاہم خاندانی انٹلکچوئل کہلاتے شرم آتی تھی۔ چنانچہ میں نے کافی ہاؤس جانا شروع کر دیا۔ پوشاک' غذا' ورزش اور حُلیے سے لاپروا ہوتا چلا گیا۔ سب سے الگ تھلگ رہنے لگا۔ پڑوسیوں سے بات کرنا تو ایک طرف ان کی طرف دیکھنا بھی گناہ سمجھتا۔ قسمت کے لکھے کو کون مٹا سکتا ہے۔ میری زندگی ایک انقلاب سے آشنا ہوئی۔ ایک چاندنی رات کو جب میں کافی ہاؤس سے لوٹا تو ایک پرندہ بالکل میرے سر کے اوپر سے گزر گیا۔ یہ واہمہ نہ تھا۔ تشویش ہوئی۔ کیونکہ مقامی پرندے سست اور ڈرپوک تھے۔ اندھیرا ہو چکنے کے بعد کبھی نظر نہ آتے۔ دِل میں یہ شبہ یقین پا گیا کہ ہو نہ ہو یہ پرندہ ہُما تھا۔ اس مژدۂ جانفزا سے رُوح کو سرور حاصل ہوا اور طبیعت کو کمال درجہ سکون۔ یوں معلوم ہونے لگا جیسے سب کچھ ساکن ہے' زندگی میں تسلی بخش راحت ہے' دنیا میں امن ہے—— اور میں انٹلکچوئل ہوں۔

اچانک ایک سائنس دان دوست نے بڑی بری خبر سنائی کہ میں ساکن ہرگز نہیں ہوں۔ ہر چوبیس گھنٹے کے بعد زمین کی گردش کی وجہ سے تین سو ساٹھ ڈگری

گھوم جاتا ہوں۔ فضاؤں میں کئی سو میل فی گھنٹے کی رفتار سے اُڑا جا رہا ہوں۔ سورج کے گرد ہر سال بیس کروڑ میل کی مسافت طے کرتا ہوں اور کہکشاں کی جانب ڈیڑھ سو میل فی سیکنڈ کی رفتار سے جھکا جا رہا ہوں۔ اِدھر کی گردش' اُدھر کی گردش' اِس طرف' اُس طرف' ہر طرف رَواں دَواں' میرے کانوں میں تیز ہوا سے شُوں شُوں ہونے لگی۔ چکر پر چکر آنے لگا۔ فوراً ''ٹھیکہ شراب دیسی'' نامی دکان پر پہنچا (جہاں لکھا تھا کہ ''یہاں ہندوستانی شرفاء بیٹھ کر پی سکتے ہیں'') جب باہر نکلا تو دنیا تاریک تھی۔ دروازے پر کھڑا سوچ رہا تھا کہ کیا کروں۔ اتنے میں شاہراہ پر ڈھول کی آواز سنائی دی۔ ساتھ ساتھ گھنٹی بج رہی تھی۔ دونوں کی ہم آہنگی اس قدر خوش الحان معلوم ہوئی کہ مردہ جسم میں جان پڑگئی۔ میں لاشعوری طور پر پیچھے پیچھے ہولیا۔ جب چونکا تو اپنے آپ کو اکھاڑے میں پایا۔ اس غیر انٹلکچوئل ہجوم کو دیکھ کر بہت گھبرایا۔ پہلوانوں نے طرح طرح کے پٹّھے ساتھ بٹھائے ہوئے تھے۔ وہاں اپنے ماموں جان کو بھی دیکھا (کہ خطاب جس نے پہلوان السندھ کا پایا تھا)۔ وہ ایک ہاتھ ہوا میں اُٹھائے ایک ٹانگ پر ناچتا ہوا اکھاڑے کا طواف کر رہا تھا۔ اس کا پٹھا پیچھے پیچھے تھا۔ غالباً میں نے اپنے عمّ محترم کا ذکر نہیں کیا کہ گھر اس کا ایک بیسویں صدی کی امریکن طرز کی محل سرائے تھی جس کا نقشہ ملکِ فرنگ کے ایک ذی فہم زیرک کاریگر نے تیار کیا تھا۔ اس کے دروازے پر بیک وقت تین چار موٹریں (کہ اہلِ فرنگ کی صناعی و جادوگری کا حیرت انگیز ثبوت ہیں) کھڑی جھومتی تھیں۔ وہ احتشام' وہ دبدبہ' وہ طمطراق تھا کہ انٹلکچوئل جب سامنے سے گزرتے تو منہ دوسری طرف پھیر لیتے۔ ویسے یہ مردِ طرار ناپ تول کا پورا تھا۔ فنِ ترازو طرازی میں اس کا دُور دُور تک شہرہ تھا۔ اس کے دروازے پر محتاجوں اور ضرورت مندوں کا ہمیشہ اژدہام رہتا کیونکہ آٹے اور چینی کا راشن اس کے اختیار میں تھا۔

کُشتیاں ختم ہوئیں تو ماموں جان کی نظر ناچیز پر پڑگئی۔ اُس نے گردن سے آدبوچا۔ زور سے دَھپ لگا کر بولا — ''سنا بے گیدی یہاں کہاں پھر رہا ہے کہ مقام تیرا کافی ہاؤس اور مریل نوجوانوں کی محفل ہے۔ ایسی جگہ آتے ہوئے اپنے تئیں شرم محسوس نہیں کرتا؟'' یہ کہہ کر وہ پہلوانوں کے غول کے ساتھ ڈپو روانہ ہوا۔ اور اس

فقیر کو کمال خفت اٹھانی پڑی۔ سوچنے لگا یہی مردک کبھی تانگے کے گھوڑے کی طرح لاغر تھا۔ خدا کی شان کہ ڈپو ملتے ہی اس قدر توانا ہو گیا کہ ہاتھی بھی دیکھے تو بغیر پانی مانگے شرم سے ڈوب مرے۔ اور اس پر ایسی گفتگو۔۔۔ واللہ، یہی جی چاہتا تھا کہ سڑک پر دراز ہو جاؤں اور اپنے آپ کو جاں بحق تسلیم کروالوں۔ یکایک ایک صدائے رُوح پرور سنائی دی۔ کیا دیکھتا ہوں کہ ایک خوش پوشاک نوجوان (جو فقط ایک لنگوٹے سے مرصّع تھا) ڈھول پر رقصاں ہے۔ بس پہ اس خاکسار کے پاپوشوں کو حرکت ہوئی۔ یہ حرکت آہستہ آہستہ تمام جسم میں حلول کر گئی۔ یہاں تک کہ ضبط نہ رہا اور یہ حقیر اس قلندرِ خوش لباس کے پیچھے ہو لیا۔ آگے چل کر معلوم ہوا کہ ڈھول والے کی کمر پر ایک بورڈ ہے۔ چشم زدن میں چشمہ (جو ماموں جان کے دھپ سے اتر گیا تھا)۔ جیب سے نکالا۔ آہِ سرد بھری جس سے شیشوں پر چند قطرے نمودار ہوئے۔ قمیض سے عینک صاف کر کے ناک پر رکھی تو آنکھوں کو وہ تقویت پہنچی کہ بیان جس کا احاطۂ تحریر سے باہر ہے۔ بعد از مطالعہ انکشاف ہوا کہ وہ ریڈیم ٹانک پلز کا اشتہار تھا۔

عمِّ محترم کا وہ طعنہ جو اس ناچیز کی صحت پر کھلم کھلا حملہ تھا تیر کی طرح پیوست ہو چکا تھا۔ قصد انتقام کا یہ نیاز مند کر چکا تھا۔

ایک دن ماموں جان نے اپنی دُکان پر کسی کو چینی دینے سے معذرت چاہی کیونکہ حقیقتاً اتنی چینی بچ رہی تھی جو اس کے احباب کے لئے درکار تھی۔ اس نے گاہک کو اپنی شیریں بیانی سے خوش کرنا چاہا لیکن وہ شخص کہ شرارت کرنے پر تلا بیٹھا تھا کاغذ کا ایک پرزہ دکھا کر دکان کی تلاشی لینے کا متلاشی ہوا۔ عین اس وقت جب وہ مفسد دکان کے اندر گیا۔ عم محترم اپنی بیوک میں بیٹھ کر محل سرا پہنچا اور خواجہ سرا سے رخت سفر بندھوا کر سرحد کا قصد کیا۔ لیکن سب انتظامات پہلے سے مکمل ہو چکے تھے۔ ماموں جان کو روک لیا گیا اور سرکاری مہمان خانے میں (کہ اس ملک میں جیل کہلاتا ہے) قیام و طعام کا بندوبست دو روز تک رہا۔ اتنی دیر میں بلند مرتبہ اور عالی مقام حضرات کی سفارشیں پہنچ چکی تھیں۔ چنانچہ جب اُسے قاضی صاحب کے سامنے لایا گیا تو انہوں نے فقط پہلوان السندھ کا خطاب واپس لے کر چھوڑ دیا۔

ماموں جان کو اس صدمے نے نڈھال کر دیا۔ کیونکہ اسے پہلوانی اور سیاست

بیحد عزیز تھے۔ اس کی زندگی کا مقصد صرف یہ دو چیزیں تھیں۔ میں نے بہتیرا سمجھایا کہ پہلوان السندھ کوئی ایسا بڑا خطاب نہیں جس کے لئے جان ہلکان کرلی جائے۔ آپ پہلوان الہند بھی بن سکتے ہیں۔ جیسا کہ فاضلِ اَجَلّ علامہ اقبال فرما گئے ہیں ——

ستاروں سے آگے جہاں اور بھی ہیں ——

میرا ماموں اس پر پھڑک اُٹھا اور کہنے لگا —— "واہ واہ۔ مگر برخوردار اس کا اگلا مصرعہ کیا ہے؟ وہ غالباً میرے حق میں زیادہ مفید ہوگا۔"

"دوسرا مصرعہ اے محترم، عشق کے امتحانوں کے متعلق ہے۔"

"واہ تو عشق کے امتحان بھی ہوتے ہیں۔ کونسی یونیورسٹی لیتی ہے؟"

میں نے اس مردِ جاہل سے زیادہ بحث کرنا مناسب نہ سمجھا۔ حق تو یہ ہے کہ گو یہ شخص عم اس ناشدنی کا تھا، بزرگوں کا ادب پاس حکم خداوندی ہے، مگر جہالت اس کے چہرے پر ہُن کی طرح یوں برستی تھی کہ اس ناچیز کو اس کے ساتھ چلنے میں شرم محسوس ہوتی۔

"عشق کے امتحانوں کے متعلق کیا فرما گئے ہیں علامہ؟" اس نے اصرار کیا۔

"یہ دوسرا مصرعہ اے عم محترم آپ جیسے پیر فرتوتوں کے لئے نہیں۔ مجھ جیسے نوجوانوں کے لئے ہے۔ بہتر ہوگا کہ آپ پہلے مصرعے کا ہی اپنے اوپر انطباق کریں؟" میں نے سینہ ٹھونکتے ہوئے کہا۔

"مجھے ستاروں سے قطعاً دلچسپی نہیں (وہ آہِ سرد کھینچ کر بولا) مگر دوسری چیز عشق بالکل میری لائن میں ہے اور برخوردار تو گستاخ ہوتا جارہا ہے۔"

اس نے اپنی اُنگلی کا ٹھینگا بنا کر میرے سر کے مختصر سے گنج پر مارا۔ نہایت مترنم آواز نکلی جو کانوں کو بھلی معلوم ہوئی لیکن خودداری نے لعن و ملامت شروع کردی۔ یہی خیال آتا تھا کہ ملک چھوڑ کر کہیں چلا جاؤں۔ پلیٹ فارم ٹکٹ خرید کر سٹیشن پہنچا۔ معلوم ہوا کہ صبح سے پہلے کوئی گاڑی کہیں نہیں جاتی۔ پھر سوچا کہ اے مردِ مجہول، کیوں اپنے ماموں سے ڈرتا پھرتا ہے۔ طاقتور بن اور اس کا مقابلہ کر۔

چنانچہ اس دن سے کافی ہاؤس جانا ترک کردیا اور ساری کتابیں ایک بھٹیارے

کے حوالے کیں کہ وہ بقدرِ ضرورت استعمال میں لاوے' اور ریڈیم ٹانک پلز کھانے اور مگدر گھمانے میں زندگی بسر کرنے کا تہیہ کرلیا۔ ڈنٹر پیلنے کے بعد تین گولیاں کھاتا۔ لنچ تک بیٹھکیں نکالتا۔ لنچ پر چار گولیاں پھر ڈنٹر اور مگدر' رات کو پانچ گولیاں۔ یقین جانیئے کہ چند ہی ہفتوں میں بدن سے شعاعیں نکلنے لگیں۔ اندھیری سے اندھیری رات میں بغیر روشنی کے چل پھر سکتا۔ طاقت کا ایک سمندر تھا کہ ٹھاٹھیں مار رہا تھا۔ ایک دن خواہش پیدا ہوئی کہ شیر ببر پر سواری کی جائے۔ لنگوٹا کس کر چڑیا گھر پہنچا۔ مگر شیروں کو پنجروں میں دھاڑتے دیکھ کر اپنی رائے تبدیل کرنی پڑی۔ اس کے بعد خیال آیا کہ کیوں نہ عمّ محترم کی خبر لی جائے۔ چنانچہ اسی لنگوٹ میں ماموں کے محل سرا پہنچا۔ نوکر چاکر ڈر کر بھاگ گئے۔ کیا دیکھتا ہوں کہ ماموں بسترِ استراحت پر بصد خضوع و خشوع دعا مانگ رہے ہیں کہ اے باری تعالیٰ میرے اس نابکار بھانجے کو توفیق دے کہ کافی ہاؤس جانا ترک کردے اور اپنی روزی خود کمانے لگے۔ مجھے بھی یہی توفیق دے۔ ہم سب کو یہی توفیق دے۔ میں اب بالکل سیدھا ہو گیا ہوں۔ تیری شان ہے کہ جس کی ڈیوڑھی پر پیکارڈ اور کیڈی لک جھومتی تھیں وہاں اب گدھا تک نظر نہیں آتا۔ خداوند تعالیٰ کہیں مجھے کسی انٹلکچوئل کی بددُعا تو نہیں لگی——؟"

"بس بس اے مردِ بدبخت اُٹھ! میں نے تیرے فیل تن ہونے کا راز پا لیا ہے۔ اور خبردار جو کسی انٹلکچوئل کو برا بھلا کہا ہے تو۔ خبردار جو کسی کو بھی برا بھلا کہا ہے تو۔ کیا ہم سب ایک جیسے نہیں؟ سب برابر نہیں؟ میں برابر ہوں برنارڈ شا کے' برنارڈ شا برابر ہے کنفیوشس کے' کنفیوشس مساوی ہے ابن بطوطہ کے——"

"اے عزیز از جان بھانجے! آج سے مجھے اپنا ساتھی سمجھ۔ تیرے حق میں جو دُعا کی تھی وہ میں واپس لیتا ہوں——" اس نے تھر تھر کانپتے ہوئے کہا۔

دفعتہً مجھے محسوس ہوا کہ صحت بہتر ہونے کے ساتھ ساتھ میرے عقیدے بھی بدل چکے ہیں۔ مجھے انٹلکچوئل پنا دوبھر دکھائی دینے لگا کہ اس طبقے میں رہنا بڑا مشکل ہے۔ مشہور یہی ہے کہ لوگ انہیں سمجھتے نہیں۔ ہر وقت مذاق اڑاتے ہیں۔

سارا جیب خرچ طبیبوں کی جیب میں چلا جاتا ہے کیونکہ صحت اس طبقے کی نہایت خستہ ہوتی ہے۔ ملازمت کے لئے انٹرویو میں جاؤ تو آسان سے سوالوں کے

انٹلکچوئل جواب سن کر بورڈ کے ممبروں کو احساسِ کمتری ہو جاتا ہے اور وہ خواہ مخواہ فیل کر دیتے ہیں۔ ویسے پبلک حلیہ دیکھ کر ہی دوڑ جاتی ہے۔ الغرض اُن لوگوں کو سوائے ہوا پھانکنے کے اور کچھ میسر نہیں آتا اور ہوا میں غذائیت نہیں۔ سچ پوچھو تو ارادہ اس خاکسار نے اس روز بدلا جب عید گاہ میں دو بزرگوں کو بغل گیر ہوتے دیکھا۔ دونوں بھینگے تھے مگر بلا کے انٹلکچوئل تھے۔ دونوں نے ایک دوسرے کو دیکھا' ہاتھ پھیلائے' مسکرائے' زیرلب کلماتِ خوشگوار لائے مگر ایک دوسرے کے برابر سے نکل گئے۔ جب غلطی کا احساس ہوا تو نعرے بلند ہوئے — "کہاں چلے گئے —؟" — "میں تو یہاں ہوں اور تم؟" — "یہ رہا —"

مڑے اور بغل گیر ہونے کے قصد سے واپس لوٹے۔ لیکن اس مرتبہ پھر نشانہ خطا گیا۔ آخر تیسری مرتبہ بغل گیری دوسروں کی مدد سے پایۂ تکمیل کو پہنچی۔

رات کو اس نیاز مند نے ایک خواب دیکھا کہ اپنے ایک انٹلکچوئل اُستاد سے بغل گیر ہوتے وقت جو اُن کی کمر پر ہاتھ پھیرتا ہوں تو چونک پڑا۔ اُن کی دُم غائب تھی۔ جاگا تو عبث شرمندہ ہوا۔ اُسی دن سے میں نے اس انٹلکچوئل پنے بلکہ نیم انٹلکچوئل پنے سے کنارہ کشی کی — بھئی تُو سن نہیں رہا ہے اُونگھ رہا ہے۔"

"نہیں تو —" جہاز باد خورد دفعتہً جاگا۔

"اچھا بتائیں کیا کہہ رہا تھا —؟"

"جہاد باد جندی' رہاز بادِ رندی' نہاز بادِ ننری۔"

"معلوم ہوتا ہے یہ بیئر کا اثر ہے۔"

"ہرگز نہیں! یہ سفر ہی بہت لمبا تھا۔ معلوم ہوتا ہے کہ پیدل طے کیا گیا تھا۔ اور یا ہمدم وہ پرندہ کون سا تھا جو آپ کے سر مبارک کے اوپر سے گزرا؟"

"اے ہمدم نہایت افسوس سے کہنا پڑتا ہے کہ پرندہ وہ بُوم تھا' کیونکہ اس کے بعد بھی کئی مرتبہ وہ اس حقیر کے سر پر سے گزرا۔"

کرنا تمام پہلا سفر جہاز باد سندھی کلاں کا' رُخصت ہونا جہاز باد سندھی خورد کا' ساتھ وعدہ آنے کے اگلے روز' بغرض سماعت سفر دوم۔

اگلے روز جب محفل منعقد ہوئی تو اس میں صرف دو حضرات شامل تھے'

خورد اور کلاں۔ ہر چند جہاز باد کلاں نے شہزادے شہزادیوں کا بے صبری سے انتظار کیا۔ بارہا ٹیلی فون کیا لیکن مایوسی ہوئی۔ ناچاری چاء منگوائی۔ خورد چاء دیکھ کر نہایت غمگین ہوا اور یہ مصرعہ زبان پر لایا — چاء راکن چاء در پیش — لیکن کلاں نے اُس کی بات سنی اَن سنی کر دی اور بولا —

جہاز باد سندھی کا دوسرا سفر

"حسینوں سے فقط صاحب سلامت دُور کی اچھی
نہ ان کی دوستی اچھی نہ ان کی دوستی اچھی!

اے عزیز از جان ہم نام، ایک دن چوک میں مَیں نے ایک شخص کو ہجوم کے سامنے تقریر کرتے سنا — وہ کہہ رہا تھا کہ — سب لوگ برابر ہیں، سب مرد برابر ہیں، سب عورتیں برابر ہیں، سب بچے ایک سے ہیں۔ لہٰذا سب کو برابر حقوق ملنے چاہئیں۔ زندگی آسان ہو سکتی ہے۔ بس میں سفر کیجیے، ساڑھے چار آنے میں سیکنڈ شو دیکھئے، اندھیرا ہو جانے پر اندر جائیے اور روشنی ہونے سے پہلے باہر نکل جائیے۔ میونسپلٹی نے کہیں کہیں ریڈیو نصب کئے ہیں اور ان پر موسیقی (جو اسّی فیصدی فلمی ریکارڈوں پر مشتمل ہے) اور خبریں سنی جاسکتی ہیں۔ بک سٹال پر کھڑے ہو کر ذرا سی دیر میں تازہ رسائل اور نئی کتب کا جائزہ لیا جاسکتا ہے۔ ایک لمبے سے اوور کوٹ سے سردیاں نکل سکتی ہیں اور دو رنگین بش شرٹوں سے گرمیاں — ذرا سی خوشامد سے باآسانی محبت کی جاسکتی ہے۔ لیکن یہ مت بھولیے کہ سب لڑکے ایک جیسے ہیں اور سب لڑکیاں ایک سی ہیں، مثال کے طور پر رُوس میں —

وہ روس کا ذکر زبان پر لایا تو مجھے شبہ سا ہوا۔ اگرچہ معلومات اس احقر کی روس کے بارے میں نہایت محدود ہیں تاہم بحث کرنی ہو تو گھنٹوں بول سکتا ہوں۔ اے ہم نامِ خورد تیرا روس کے متعلق کیا خیال ہے؟"

"اے ہم نامِ کلاں معلومات تو میری بھی ایسی ویسی ہیں۔ اگرچہ میں نے

GROUCHO MARX کی لکھی ہوئی مشہور و معروف کتاب سرمایہ داری پڑھی ہے۔"

"نہیں' یہ کتاب KARL MARX نے لکھی ہے__"

"تو وہ بھی تو MARX BROTHERS میں سے ہوگا__ مارکس برادرز کو ماشاءاللہ کون نہیں جانتا__"

"خیر' تو میں تقریر سنتا رہا۔ اس نوجوان کے بعد ایک شہزادی نے تقریر شروع کر دی۔ خاکسار نے تقریر سے زیادہ شہزادی میں دلچسپی لی۔ معلوم ہوا کہ اس پارٹی میں چند اور شہزادیاں بھی ہیں۔ ان میں سے دو تین شہزادیاں تو واللہ خوب تھیں۔ ناچیز نے چشم و دل کو ان کی دید سے تر و تازہ پایا اور اپنے تئیں اس ٹولی میں شامل ہونے پر آمادہ پایا۔

لیکن پتہ چلا کہ شامل ہونا آسان نہیں۔ کافی چھان بین کے بعد یہ لوگ اپنے ساتھ شریک کرتے ہیں۔ بڑی کوشش کے بعد میں نے اُن کے سرپرست کا کھوج نکالا۔ کسی نے بتایا کہ اُن کے بچے سبزی ہائے تازہ سے پرہیز کرتے ہیں۔ طبیبوں کا اصرار ہے کہ سبزیاں بچوں کی بہبودی کے لئے از حد اشد ہیں۔ اُدھر بچے ہیں کہ نباتات' جمادات اور معدنیات سب کچھ کھا جاتے ہیں۔ لیکن سبزیوں کو چھوتے نہیں۔ میں نے اُن حضرت سے مل کر اس مہم کا بیڑا اُٹھایا۔ چند گاجریں تکیوں کے نیچے رکھ دیں' کچھ ٹماٹر بالائے طاق رکھے' شلجم کتابوں کے نیچے چھپا دیئے۔ بچوں کو جب یہ چیزیں فرداً فرداً ملیں تو سمجھے کہ انہوں نے چرائی ہیں' لہٰذا خوب سیر ہو کر کھائیں۔ بچوں کے ابا نہایت خوش ہوئے اور گلہ اپنے پیارے کتے کا کرنے لگے جو علیل تھا مگر دوائی پینے سے احتراز کرتا۔ میں نے پہلے تو دوائی اس سگِ نابکار کے دہن میں اُنڈیلنا چاہی۔ جب اس نے متواتر نارضامندی کا اظہار کیا تو جھنجھلا کر شیشی فرش پر پٹخ دی۔ تِس پہ اِس سگِ ناعاقبت اندیش نے زبان سے ساری دوائی چاٹ لی اور کیفرِ کردار کو پہنچا۔ وہ حضرت کمال درجہ مہربان ہوئے اور بولے__ "اے مردِ عاقل! تو دولتِ نفسیات سے مالامال معلوم ہوتا ہے۔ بتا کیا مانگتا ہے؟"

میں نے آرزو بیان کی کہ کاش کہ مستقل طور پر آپ کی صحبت سے ذوق

حاصل ہوتا۔ الحمدللہ اس مردِ گرامی نے مجھے اپنی جماعت میں شریک فرمایا۔

ایک ایک دن عیش و کامرانی میں گزرتا۔ ہم سب ایک دوسرے کے دوست تھے۔ ایک سگریٹ کا ٹین کھولتا اور سب اس پر ٹوٹ پڑتے۔ یعنی ٹین پر۔ اسی طرح ایک دوسرے کے کپڑے‘ جوتے‘ روپیہ‘ حجامت کا سامان —— غرضیکہ جو کچھ ہاتھ آجاتا بلا تکلف استعمال کرتے۔ ویسے ہم لباس اچھا پہنتے تھے لیکن جب کام پر جانا ہوتا تو نہایت معمولی اور کھردرا سا لباس ہوتا‘ ایک خاص قسم کے سستے کپڑے کا بنا ہوا۔ سر پر ایک عجیب سی ٹوپی ہوتی۔ واسکٹ اور چپلیوں کا استعمال بھی ضروری تھا۔ ویسے ہمارا کام آسان تھا۔ کتابیں اور کتابچے تقسیم کرنا‘ پوسٹر لگانا‘ خاص خاص جلسوں میں تقریر کرنا۔ جہاں کوئی کھیل تماشہ ہو یا کسی تقریب میں بہت سے لوگ جمع ہوں وہاں شور وغل مچا کر رنگ میں بھنگ ڈال دینا۔ اس کے لئے ہمیں معاوضہ ملتا تھا۔ ہمیں اپنی ٹولی کے ممبروں کے علاوہ ہر شخص سے للّٰہی بغض تھا۔ مگر یہ خاکسار محض شہزادیوں کے لئے ان لوگوں میں شریک ہوا تھا۔ اس لئے زیادہ نہ سیکھ سکا۔ اور ویسے کا ویسا رہا۔ آگ خشک و تر کو یکساں جلاتی ہے۔ شہزادیوں کے قرب نے خرمن صبر و شکیب پر کچھ اچھا اثر نہیں کیا۔ اور یہ فقیر اُن میں ضرورت سے زیادہ دلچسپی لینے لگا۔ شہزادیوں نے سردیوں میں تو خوب تبلیغ کی۔ گرمیاں آئیں تو تیز دھوپ سے اُن کی رنگت سنولانے لگی۔ ہر جگہ پنکھوں اور برف کا خاطر خواہ انتظام نہ تھا۔ موٹر بھی کئی بار پنکچر ہوئی اور پیدل چلنا پڑا۔ شہزادیوں کو شکایت تھی کہ باشندوں کی تعداد کتنی زیادہ ہے۔ اِدھر ہم کتنے تھوڑے ہیں؟ لوگ اَن پڑھ ہیں‘ سمجھتے نہیں۔ بلکہ اب تو لوگ ہم سے چڑنے لگے ہیں۔ بھلا اور لڑکیاں ہماری طرح خدمت کرنے کیوں نہیں نکلتیں؟ اس طرح تو کچھ نہیں ہوگا۔ پھر ایک روز ہم نے سنا کہ ایک شہزادی نے خان بہادر قلندر بیگ سے شادی کرلی ہے۔ حالانکہ خان بہادر موصوف کی گزشتہ سے پیوستہ سب بیویاں صحیح سلامت تھیں۔ دوسری نے ایک رائے بہادر کو چنا‘ جو سب کی رائے میں کافی بزرگ تھے۔ جن کی بیوی کے متعلق افواہیں اُڑ رہی تھیں کہ سرگباش ہو چکی ہیں یا ہونے والی ہیں۔ یہ تازہ شگوفہ جو پھولا تو یہ ناچیز ساری چوکڑی یک دم بھولا۔ لیکن پھر سوچا کہ شہزادیوں پر بھروسہ کرنا دلیل حماقت ہے۔ اُن کی استقامت کا دم بھرنا عین جہالت ہے۔ یکایک تیسری

شہزادی نے ایک دولت مند زمیندار سے عقد کیا جس نے فوراً دو مربعے بیچ کر ایک پیکارڈ خریدی۔ الغرض خزاں سے پہلے ساری شہزادیاں ٹھکانے لگیں۔ ان میں سے ایک بے وفا کو میں نے یہ لکھ کر بھیجا ــــ ع

جو کیا تھا وعدہ نکاح کا تمہیں یاد ہو کہ نہ یاد ہو

اُدھر سے جواب آیا ؎

بہت دنوں کے تقابل نے تیرے پیدا کیا
وہ اِک نکاح جو بظاہر نکاح سے کم ہے

ہم طرح طرح کی آزادیاں چاہتے تھے۔ سوچنے کی آزادی' جو جی میں آئے کر گزرنے کی آزادی۔ ایک آزادی نے اس خاکسار کو کمال ذلیل وخوار کیا۔ ہوا یوں کہ ایک روز میں نے ایک نوجوان کو دیکھا کہ سر بازار اپنے پاؤں پر کلہاڑی مار رہا ہے۔ سب دیکھتے ہیں اور کوئی کچھ نہیں کہتا۔ مجھ سے نہ رہا گیا۔ قریب جا کر نصیحت شروع کی ہی تھی کہ نوجوان نے ترچھا وار کر کے ایک میرے پاؤں پر بھی جڑ دی۔ دو مہینے ہسپتال میں پڑا رہا۔ قصور نہ میرا تھا نہ اس کا ـــ میں نے آزادئ گفتار دکھائی تھی اور اس نے آزادئ کردار۔

خدا کا کرنا کیا ہوا کہ ایک عجیب خواب اس ناشدنی کو نظر آیا۔ ایک رات سویا تو کیا دیکھتا ہوں کہ جیسے گھوڑے پر سوار ہوں اور گھوڑا جنگل میں سے گزر رہا ہے۔ یکایک آہ سنائی دی۔ حیران ہو کر اِدھر اُدھر دیکھا تو وہاں کوئی نہ تھا۔ کچھ دیر کے بعد آہ نمبر دو سنی' دوسری بار حیران ہوا۔ جب تیسری آہ سن کر تعجب کا اظہار کیا تو آواز آئی۔

"میں نے بھری ہے ـــ" گھوڑے نے بڑی سلیس اُردو میں کہا ـــ "اور میں کیوں نہ بھروں؟ میں بھی تو جاندار ہوں۔ منہ میں زبان رکھتا ہوں۔ تم انسانوں کے لئے تو حقوق مانگتے ہو' جانوروں نے کون سا گناہ کیا ہے۔ ڈارون کی تھیوری کے مطابق ہم سب ارتقاء کی مختلف منزلوں پر ہیں۔ ہمارا ماخذ ایک ہے۔ لہٰذا ہم سب ایک دوسرے کے کزن ہیں۔ اے میرے کزن میں تھک گیا ہوں' اب تم گھوڑے بنو اور میں سواری کروں گا ـــ"

چار و ناچار اس حقیر کو گھوڑا بننا پڑا۔ باری باری ہم نے سواری کی۔ جنگل سے باہر نکل کر خیال آیا کہ اگر دونوں ساتھ ساتھ پیدل چلتے تو بہتر رہتا۔ رُخصت ہوتے وقت میں نے اپنے نئے کزن سے دریافت کیا کہ اگر وہ انسان بننا چاہے تو کسی ماہر نفسیات سے مل کر AUTO SUGGESTION کا انتظام کرا دیا جائے۔ لیکن وہ نہ مانا اور بولا کہ ان دنوں تانگے کے گھوڑوں کو چھوڑ کر بقیہ گھوڑوں کی پوزیشن انسان کی پوزیشن سے بدرجہا بہتر ہے۔

صبح جاگا تو بڑا پریشان ہوا۔ اس گفتگو کا یہ اثر ہوا کہ تانگے میں بیٹھنے سے احتراز کرنے لگا۔ اور کوئی سواری میسر نہ تھی لہٰذا نقل و حرکت محال ہو گئی۔ سائیکل چلا چلا کر برا حال ہوا تو عقیدے بدلنے پڑے۔ ادھر شہزادے بھی تتر بتر ہو گئے۔ کچھ ریاستوں راجواڑوں میں جا بسے۔ ایک دو ایکٹر بن گئے۔ باقی کے ریڈیو میں ملازم ہو گئے۔ ایک رہ گیا تھا اُسے ہر وقت یہ وہم رہنے لگا کہ ع

شاید کہ پولیس خفیہ باشد

بعد میں سنا کہ وہ بھی نائب تحصیلدار بن گیا — اور اس کے ساتھ میرا دوسرا سفر تمام ہوا۔ عزیز القدر ایسی نگاہوں سے الماریوں کی طرف مت دیکھ کہ موم بھی پتھر بن جائے۔ مجھے احساس ہے کہ سورج غروب ہو چکا ہے۔ آج دیسی مہنگائی ہے کہ چلو میں اُلّو کرتی ہے۔"

اگلے روز جب خاتونِ شب نے چادرِ سیاہ میں رُخِ انور چھپایا اور شاہ خاور نے اورنگِ سپہر پر جلوہ فرمایا — (یعنی جب صبح ہوئی) — تو دونوں جہاز بادوں کو آرام کرسیوں پر سوتا پایا کہ ساتھ ان کے چند خرگوش بھی خوابیدہ تھے اور یہ ساری پارٹی خوابِ خرگوش سے لطف اندوز ہو رہی تھی۔ آنکھ کھلنے پر غنچۂ صبح کِھلکھلایا۔ مرغانِ خوش اَلحان کی ترانہ سنجی سے کانوں نے لطف مزید پایا۔ جہاز بادکلاں شرمایا اور زبان پر یہ کلمے لایا —

"اے مردِ نیک طینت! بادۂ دیسی نہایت تیز نکلا۔ اب تک حالت خستہ ہے۔ آج اچھی طرح اس شعر کے معنے سمجھ میں آئے ہیں ؎

جو آج پی ہو تو ساقی حرام شے پی ہو
یہ کل کی پی ہوئی مے کا خمار باقی ہے

یہ بتا کہ تیرے عزیز واقرباء تیرا انتظار تو نہ کرتے ہوں گے؟ شاید تھانے یا کانجی ہاؤس پوچھنے گئے ہوں۔"

"میں خدا کے فضل و کرم اور آپ کی دُعا سے نا کتخدا ہوں__" خورد نے شرما کر کہا۔

"تو ملا ہاتھ! میں بھی ناخدا__ یعنی نا کتخدا ہوں__ تو پھر سناؤں تیسرا سفر؟"

"ذرا صبر فرمائیے 'سمند کلام کو زیرِ لگام لائیے__"

اتنے میں ملازم نے مژدۂ جانفزا سنایا کہ چھوٹا حاضری تیار ہے۔ چاء پی کر کلاں ضبط نہ کر سکا اور یوں گویا ہوا__

جہاز باد سندھی کا تیسرا سفر

"دِل سے شوقِ رُخِ نکُو نہ گیا
تانکنا جھانکنا کبھو نہ گیا

اے مردِ مخلص! میں موسم گرما گزارنے ملتان اور چولستان کے مرغزاروں میں گیا۔ وہ سرزمین جو رنگین مزاجوں کے لئے عشرت افزا گلشن اور درویشوں کے لئے دِل کشا خلوت کدہ ہے۔ جب کچھ عرصہ خوش وقت ہو کر واپس لوٹا تو ایک نیا نام سننے میں آیا جس سے کان قطعی طور پر نا آشنا تھے__ یہ نام تھا ترقی پسندی!

معلوم ہوا کہ میری غیر حاضری میں ایسی خوشگوار ہوا چلی کہ بچہ بچہ ترقی پسند بن گیا۔ شاعری ترقی پسند ہوئی' ادب ترقی پسند بنا۔ سارا ملک ترقی پسندی کے گن گا رہا تھا۔ یہ غلام بہت خوش ہوا۔ ترقی کون نہیں چاہتا؟ بہت سے احباب جو ملازم تھے ترقی کے لئے مدتوں سے کوشاں تھے۔ یہاں تک کہ اس سلسلے میں کئی مرتبہ بیش قیمت تحفے تحائف بھی دے چکے تھے۔

نوجوان تو اس تحریک کے اس قدر گرویدہ ہوئے کہ ترقی پسندی کو اپنے نام کے ساتھ بطور ڈگری استعمال کرنے لگے۔ تعارف کراتے وقت ہمیشہ ذکر کیا جاتا کہ

فلاں ترقی پسند ہے یا نہیں۔

اِدھر ترقی پسند ادب کا ریکٹ بڑے زوروں پر تھا۔ یہاں تک کہ پبلشرز اور ایڈیٹروں نے حد بندی مقرر کر دی اور ترقی پسند رسالوں اور اخباروں میں صرف ترقی پسند چیزیں ہی چھپ سکتیں۔

اس فدوی نے بڑے شوق سے اس نئے ادب کا مطالعہ کیا اور اسے بے حد عام فہم پایا۔ ہر کتاب دوسری کتاب سے ملتی تھی۔ تمام افسانے ایک جیسے تھے۔ ساری غزلیں ایک سی تھیں۔ تھوڑے سے مطالعے کے بعد اتنی خود اعتمادی آ گئی کہ افسانے کا آغاز پڑھ کر انجام بنا سکتا تھا۔ غزل کا مطلع سن کر پیشین گوئی کر سکتا کہ بقیہ اشعار میں کیا ہوگا۔ اُدھر لوگ بڑی سرعت سے ادیب اور شاعر بن رہے تھے۔ جن حضرات کو میں سڑکوں پر سارا دن بے کار گھومتے یا کافی ہاؤس میں گپیں ہانکتے دیکھا کرتا تھا اب اسی نئی دنیائے ادب میں نام پیدا کر چکے تھے۔

یہ حقیر شاعری تو کر چکا تھا لہٰذا ادیب بننے کا شوق چرایا۔ چنانچہ اسی دُھن سے ساز ملا کر اسی لے میں الاپنا شروع کر دیا۔ میری چیزوں پر ترقی پسند حلقوں میں تو واہ واہ ہوئی لیکن کچھ لوگ خواہ مخواہ لٹھ لے کر پیچھے پڑ گئے۔ معلوم ہوا کہ ان دنوں دو متضاد کیمپ بن گئے ہیں جو ایک دوسرے کے سامنے مورچہ باندھے منتظر رہتے ہیں۔ میں کچھ حیران ہوا اور ایک بہت بڑے ترقی پسند سے ملا۔ پوچھا کہ کیا یہ ضروری ہے کہ لکھنے کے لیے کسی ایک کیمپ میں رہا جائے؟

اُس نے بتایا کہ یہ بے حد ضروری ہے۔

میں نے کہا ــــ ”لیکن ان دونوں کیمپوں میں ہر وقت تو تو میں میں ہوتی رہتی ہے جو مجھے پسند نہیں۔ کیا کوئی غیر جانبدار ہو کر نہیں لکھ سکتا؟“

وہ بولا ــــ ”اگر آپ غیر جانبدار رہنا چاہتے ہیں تو لکھنا چھوڑ دیجیے۔“

چنانچہ یہ حقیر مجبوراً نقاد بن گیا ــــ اس میں بھی ایک راز مضمر تھا جو ابھی بتاؤں گا ــــ ویسے ترقی پسندی کا فلسفہ کچھ مشکل نہ تھا ــــ اپنے جیسے لوگوں کی سدا تعریفیں کرنا اور جو اشخاص لکھنے لکھانے کے علاوہ روزی کمانے کے لئے محنت کرتے ہیں اُنہیں ادب کا دشمن قرار دینا۔

افسانہ' مقالہ' غزل — سب کے لئے سانچے موجود تھے۔ چنانچہ ترقی پسندی کا لیبل لگانے کے لئے یہ ضروری تھا کہ صرف ان مسائل پر قلم اُٹھایا جائے جن پر اس تحریک کی بنیاد رکھی گئی۔ تنقید کرتے وقت نہ میں پلاٹ کو جانتا' نہ مصنف کے پیغام کو' نہ پیغام کی افادیت کو' ہر چیز میں وہی جانے پہچانے موضوع' وہی مقررہ ترکیبیں اور الفاظ ڈھونڈتا۔ اگر یہ مل جاتے تو ترقی پسندی کا ٹھپہ لگا دیتا —"

"آپ نے فرمایا تھا کہ نقاد بننے کی وجہ تسمیہ بیان کریں گے —" خورد نے بات کاٹی۔

"ہاں' تو بات دراصل یہ تھی کہ اس عفی عنہٗ کو چند افسانہ نگار اور شاعر شہزادیاں پسند تھیں۔ ان میں سے دو ایک کو تو میں یونیورسٹی سے جانتا تھا اور کئی سال سے لگاتار ان پر فریفتہ تھا۔ لیکن انہوں نے میرا اتنا سا بھی نوٹس نہیں لیا۔ لکھتی وکھتی وہ ایسا ہی تھیں۔ میں نے سوچا کہ اگر ان کی تعریف کرنے لگوں تو شاید ملتفت ہو جائیں۔ موقع بھی میسر تھا۔ چنانچہ میں نے اُن کی بے تکی تخلیقات کو سراہنا شروع کر دیا۔ ہر دوسرے تیسرے مہینے اپنے ٹھوس مضامین میں اُن کی تعریفیں کرتا لیکن تعجب ہوا کہ یہ مدح سرائی رائیگاں گئی۔ کسی سے پتہ کرایا تو معلوم ہوا کہ شہزادیوں نے ایک لفظ بھی نہیں پڑھا تھا۔ مجھے شبہ ہوا تو اِدھر اُدھر پوچھنے پر انکشاف ہوا کہ انہوں نے کیا کسی نے بھی نہیں پڑھا۔ ایسے مضامین یہاں کوئی نہیں پڑھتا کیونکہ اُنہیں خشک اور ثقیل سمجھا جاتا ہے' جو کہ یہ درحقیقت ہوتے ہیں۔ ویسے بھی نقادوں کی تعداد دن بدن بڑھتی جا رہی ہے —"

"اُن کیمپوں کا کیا بنا؟" خورد نے جمائی روکتے ہوئے پوچھا۔

"بتاتا ہوں' سُن — یوں تو ہر تحریک کچھ عرصے کے لئے مقبول ہو جاتی ہے۔ لیکن ترقی پسندی کے نام سے خواہ مخواہ خوش فہمی ہوتی تھی کہ اب ہر چیز بہتر ہو جائے گی۔ حالات سدھر جائیں گے۔ انسان ترقی کرے گا۔ دنیا بہتر بن جائے گی۔ لیکن آہستہ آہستہ مایوسی چھانے لگی۔ ادب بالکل جرنلزم بن کر رہ گیا۔ آج کوئی اُلٹا سیدھا واقعہ ہوا اُسی ہفتے اس پر نظم لکھ دی گئی یا افسانہ' اور اگلے مہینے ایک پوری کتاب۔ لوگوں کو بہت جلد معلوم ہو گیا کہ اس تحریک کا پیرہن کاغذی تھا۔ اس تحریک کا مقصد

تخریب تھا، تعمیر مفقود تھی۔ یہ ہیرو نہیں تھے۔ پبلک اب تک غلط گھوڑوں پر BETTING کرتی رہی تھی۔ ان ترقی پسندوں کی زندگی عمل سے خالی تھی۔ اُن کا نظریۂ حیات مریضانہ اور قنوطی تھا۔ یہ چاہتے تھے کہ ہر پڑھنے والے کو مالیخولیا ہو جائے۔ ادب کسی خاص طبقے کی میراث نہ ہوا ہے نہ ہوگا۔ چنانچہ لوگ اس وقتی ہنگامے سے تنگ آگئے۔ اور ادب سے ایسے بدگمان ہوئے کہ انہوں نے فلمی رسالے پڑھنے شروع کر دیئے۔ فلمی رسالے تو فراری ادب میں بھی شامل نہیں کیے جا سکتے۔ ساتھ ہی ایک عجیب و غریب ادب نے جنم لیا — موقعے کا فائدہ اٹھاتے ہوئے متعدد حضرات نے تاریخی اور مذہبی ناول لکھنے شروع کر دیئے جو ہاتھوں ہاتھ بکے۔ معلوم ہوتا ہے کہ آپ بور ہو رہے ہیں۔"

"جی نہیں، بور تو نہیں ہو رہا —" خورد جمائی لے کر بولا۔ "فراری ادب پر مجھے ایک چشم دید واقعہ یاد آگیا۔ طے ہوا کہ ہمارے ضلعے کے جیل میں قیدیوں کو اخلاقی کتابیں پڑھائی جائیں۔ لیکن داروغۂ جیل اتفاق سے رجعت پسند تھا۔ وہ سب کتابیں فراری ادب پر خرید لایا۔ نتیجہ یہ نکلا کہ دو مہینوں کے اندر اندر سارے قیدی فرار ہو گئے —"

"خیر، تو یہ کمترین بدستور ترقی پسند رہا۔ محض ایک ماہ پارہ کے عشق کی وجہ سے۔ اس بتِ طنّاز کو میں نے مینا بازار میں دیکھا۔ میں اپنے دو کتے لیے جا رہا تھا کہ خیال آیا کہ ذرا مینا بازار کا نظارہ کر لوں۔ ایک سٹال پر کچھ خریدنا چاہا، لیکن دونوں ہاتھوں کو گھرا پایا۔ ایک حسینۂ پر تمکین کو قریب پا کر کتوں کی زنجیریں اس کے ہاتھ میں تھما دیں۔ جب خرید سے فراغت ہوئی تو حسینۂ مذکور سے کتے طلب کیے۔ اُس نے کمال بھولپن سے کہا — "ایک کتا تو بلی کے پیچھے بھاگ گیا۔"

انگشت بدنداں سخت پریشان ہوا اور سوال کیا کہ کیونکر بھاگ گیا۔

"یوں بھاگ گیا —" اُس نے دوسرا کتا دوسری بلی کے پیچھے بھگاتے ہوئے کہا۔

کتے تو دونوں مل گئے لیکن ادا یہ اس کی اس درجہ بھائی کہ بجز عاشق ہونے کے اور کوئی صورت نظر نہ آئی۔ اختر شماری شروع کر دی۔ اس علاقے میں جتنے اختر

حسن، اختر حسین، جسن اختر، محمد اختر وغیرہ تھے سب گن ڈالے مگر افاقہ نہ ہوا۔

آخر اپنی کزن کی مدد چاہی۔ وہ خالہ جائی بلائیں لے کر بولی ——"میں آج ہی اُسے کلب میں بلاؤں گی۔" چنانچہ شام کو وہ ماہ جبیں کلب میں آئی، اس ٹھسّے سے کہ بھاری فرشی غرارہ پہنے، عطر لگائے، زیورِ بیش بہا عجب بہار دکھاتا تھا۔ گلے میں جگنی، چمپا کلی، موتیوں کی مالا، دھگد گی۔ کانوں میں پتے بالیاں، ہاتھوں میں حسین بند، الماس کے کڑے، پاؤں میں سونے کے چھڑے، ناک میں ہیرے کی نتھ، انگلیوں میں جواہرات کی انگوٹھیاں، سر پر چھپکا۔ اس فقیر نے دیکھتے ہی یہ شعر پڑھا۔

جان پڑ جاتی ہے زیور میں پہننے سے ترے
کہیں اُڑ جائے نہ جگنی تری جگنو ہو کر

لیکن میری کزن نے بڑے زور سے ہِشت کر کے چپ کرا دیا اور اس سے گویا ہوئی —— کہ "کلب میں بلانے کا تو فقط بہانہ تھا۔ اصل میں تمھیں ایک پیغام سنانا تھا۔ میرا کزن جوانِ زیبا خرام، خوبرو گلگوں، دیکھتے ہی آپ پر شیفتہ و دوالہ ہوا، عشق کا بول بالا ہوا۔ وہ ہزار جان سے تمہارے گل رُخسار کا عندلیب شیدا ہے، ہونٹوں پر آہِ سرد اور دِل میں دَرد سے عشق کا مرض پیدا ہوا۔ ماشاء اللہ عجیب و غریب نوجوان ہے۔ عجب آن بان ہے۔ لاکھوں جوانوں میں انتخاب ہے، حسن و خوبی میں اپنا آپ جواب ہے۔ تم دونوں کی خوب نبھے گی۔ گہری چھنے گی۔ وہ بھی کمسن، تم بھی جوان، وہ بھی نازک بدن، تم بھی دھان پان، وہ محو جادو آفرینی، تم سرو چمن زارِ نازنینی——"

"اُفوہ! اتنی لمبی چوڑی تمہید کی کیا ضرورت تھی"—— حسینہ نے بات کاٹی۔ "والدین میری شادی کا تہیہ کر چکے ہیں تبھی مجھے پارٹیوں اور کلب وغیرہ میں جانے کی اجازت اتنی آسانی سے مل جاتی ہے۔ کئی اخباروں میں اشتہارات بھی دیئے گئے ہیں۔ غالباً اگلے مہینے میرا سوئمبر رچایا جائے گا، اگر آپ کے کزن کو اتنا ہی ذوق و شوق ہے تو سوئمبر میں شرکت کرے——"

حسینہ کی یہ تقریر اس حقیر کو نہایت ترقی پسند معلوم ہوئی۔ جب مغربی موسیقی شروع ہوئی تو اس نیاز مند نے اس کے ساتھ RUMBA ناچنا چاہا لیکن زیوروں سے ایسی عجیب و غریب آوازیں آنے لگیں کہ ارادہ ترک کر دیا۔ پھر SAMBA ناچنے کی

کوشش کی مگر ایک دوسرے کے ملبوسات آپس میں اُلجھ کر رہ گئے۔ چنانچہ رقص کی حسرت حسرت ہی رہی۔

سوئمبر قریب آیا تو میری کزن نے اخبار میں چھپا ہوا اشتہار دکھایا۔ جو ''ضرورت رشتہ'' کے عام اشتہاروں سے ملتا جلتا تھا۔ مگر ترقی پسندی کی عینک لگا کر پڑھا تو عبارت کا مفہوم کچھ یوں سمجھ میں آیا ——

اشتہار برائے پبلک

ہر خاص و عام کو اطلاع دی جاتی ہے کہ اگلے مہینے کی پہلی تاریخ کو صبح چھ بجے سے شہزادی ولیمہ جہاں کے سوئمبر کا ٹورنمنٹ شروع ہو گا اور مناسب اور معقول اُمیدواروں کو شہزادی پر عاشق ہونے کی اجازت ہو گی۔ بشرطیکہ وہ مندرجہ ذیل شرائط پر پورے اُترتے ہوں:۔

1۔ کنوار پنے کا سرٹیفکیٹ جس پر صاحب بہادر ڈپٹی کمشنر کے دستخط ہوں اور امیدوار کے والد کی سالانہ آمدنی اور جائیداد کی تفصیل درج ہو۔

2۔ تندرستی کا سرٹیفکیٹ جس پر سول سرجن صاحب بہادر کی تصدیق ہو۔

3۔ دو معزز آدمیوں کے نام اور پتے جو اُمیدوار کے چال چلن کی ضمانت دیں اور اس کے رشتہ داروں میں سے نہ ہوں۔

4۔ سرکاری خزانے میں پانچ روپیہ جمع کرانے کی رسید۔

5۔ طلسماتی چیزیں مثلاً زمینداروں اور سیاستدانوں کی سفارشیں ممنوع ہیں۔

6۔ اُمیدوار ایک ہفتے کا راشن، بستر اور وفادار ملازم ہمراہ لائیں۔

7۔ مہاجر کو ترجیح دی جائے گی۔

8۔ کامیاب امیدوار کو شہزادی ولیمہ کے علاوہ جائیداد کا تہائی حصہ بطورِ انعام ملے گا۔

نوٹ: سب کو خبردار کیا جاتا ہے کہ خواہ مخواہ عاشق ہونے کی ہرگز اجازت نہیں ہے۔ اس قسم کا امیدوار ایسی سزا کا مستحق ہو گا جو پچاس روپے جرمانہ یا تین ماہ کی قید یا

دونوں ہو سکتی ہے۔

اس ناچیز نے اس شاندار ترقی پسند سپرٹ پر اظہار مسرت کیا اور دعا مانگی کہ دُنیا کی ہر شہزادی کی شادی اسی طرح ہوا کرے۔ فوراً کا غذات مکمل کر کے گھوڑا منگایا۔ سیڑھی لگا کر سوار ہوا اور سوئے ٹورنامنٹ روانہ ہوا۔ مقابلہ نہایت شاندار رہا۔ طرح طرح کے امتحان لیے گئے۔ آئی۔ کیو (I-Q) بھی ٹیسٹ کیا گیا۔ جو زیادہ ذہین تھے انہیں نکال دیا گیا۔ اتفاق سے ایک حبشی بھی کہیں سے آن ٹپکا۔ اُسے یہ سزا دی گئی کہ فہرست سے خارج کرتے وقت اس کے منہ پر سفیدی مل کر سارے شہر میں پھرایا گیا تاکہ سب کو عبرت ہو۔

چند رجعت پسند اُمیدواروں نے آتے ہی پہلا سوال یہ کیا کہ جائیداد کا کون سا حصہ ملے گا' شمالی یا جنوبی؟ جواب ملنے پر وہ راتوں رات فرار ہو گئے کیونکہ وہ علاقہ نہری نہ تھا۔ وہاں ٹیوب ویل لگانے کی ضرورت تھی۔

خاکسار سیمی فائنل جیت کر فائنل تک جا پہنچا۔ اتنے میں نہ جانے شہزادی کے ماموں کا لڑکا کہاں سے آمرا۔ یہ مردک کہ بیحد نحیف و نزار تھا ایک بہت بڑی جائیداد کا تنہا وارث تھا (اور صحت اس کے باپ کی گرتی جا رہی تھی) ——اس مردود کے مقابلے میں یہ ناچیز قدرے مفلس تھا—— مفلس عاشق کہلاتے ویسے بھی شرم محسوس ہوتی ہے۔ مگر یہ سچ ہے کہ——

مفلسی سب بہار کھوتی ہے
آدمی کا وقار کھوتی ہے

اس کم بخت کے آجانے سے ٹورنمنٹ کا رنگ ہی بدل گیا۔ نہایت سرمایہ دارانہ سوالات پوچھے جاتے۔ ادھر شہزادی کی اماں نے برادر زادے کے لیے رو رو کر برا حال کر لیا۔ آخر وہ سب کے سب رجعت پسند ثابت ہوئے اور فیصلہ اس ملعون کے حق میں کیا گیا۔

ٹورنامنٹ کے نتیجے کی خبر وحشت ناک سنتے ہی موم جامہ ٔصبر چاک ہوا۔ ماتمی لباس پہنے اس حال میں تھا کہ نہ سر پر جوتا نہ پاؤں میں پگڑی۔ لیکن شہزادی کے والد نے اس حقیر کو خلاف توقع مبارک باد دی اور کہا کہ لڑکی کو اس کی والدہ نے بے حد

بگاڑ رکھا ہے۔ شاید تو نے بیگم کو نہیں دیکھا جو دراصل ــــ بے غم ــــ ہے۔ لڑکی بھی چند سال کے بعد ویسی ہی لحیم و شحیم بن جائے گی۔ اگرچہ مجھے موٹاپا مرغوب نہیں لیکن وائے نادانی کیا بتاؤں کہ ــــ ع میں اسیر دام فربہی رہا ہوں۔ اے نوجوان تو گھاٹے میں نہیں رہا۔ اس کے بعد ترنم سے فرمایا:

تم بھی بیاہ کرو تو جانو
ہم دکھیوں کی فریادوں کو

اس بیان سے اس نیاز مند کو تسلی تو نہ ہوئی لیکن یہ یقین ہو گیا کہ شہزادیاں اس ملک کی ہرگز ترقی پسند نہیں ہیں۔

"یا پیر و مرشد ایک بات پوچھوں؟" خورد نے ڈرتے ڈرتے کہا۔

"دو پوچھ ــــ"

"اب دو ہی پوچھوں گا۔ یہ بتائیے کہ کبھی آپ کو کسی سے سچ مچ محبت بھی ہوئی؟"

"ہاں ہوئی تھی۔ یہ شہزادی فارغ التحصیل بلکہ فارغ الضلع ہو چکی تھی۔ ہم دونوں JOURNALISM کی کلاس میں ملتے۔ ہائیکورٹ کے پاس جو باغیچہ ہے' وہاں اکثر جایا کرتے۔ وہیں میں نے اسے کورٹ کرنا شروع کیا۔ اس کے رخ روشن پر عموماً ایک خال ہوتا۔ یہ خال کبھی پیشانی پر ہوتا' کبھی رخسار پر' تو کبھی ٹھوڑی پر۔ اور کسی روز سرے سے غائب ہوتا۔ میں حیرت سے یہ شعر زبان پر لایا ؎

مصحف رُخ پہ تیرے خال نگہبان ہوا
یہ غلام حبشی حافظِ قرآن ہوا

بس پہ اس نے فوراً مطلع کیا کہ خال وہ مصنوعی تھا اور سرمے سے محض زیبائش کی خاطر بنایا جاتا۔ میں نے جھٹ سرخ ہونٹوں کی تعریف کی ؎

لال ہیں آپ ہی لب سرخیٔ پاں دور رہے
نازکی کہتی ہے' یہ بارگراں دور رہے

اس پر شہزادی سے نے عجب تمسخر سے فرمایا کہ یہ پان وان کی سرخی نہیں

میکس فیکٹر کی بڑھیا لپ سٹک ہے۔ اگرچہ اس فقیر کو علم تھا کہ لپ سٹک کی سب سے بڑی مصیبت یہ ہے کہ سٹک نہیں کرتی' تاہم موضوع بدلنا پڑا اور پامسٹری کا ذکر چھڑا۔ وہ بولی کہ میں جانتی ہوں آپ حیلے سے میری خوشامد کرنا چاہتے ہیں۔

میں نے چوڑیوں کی طرف دیکھ کر کہا: "کیا میں انہیں چھو سکتا ہوں؟"

وہ بولی: "آپ اسی بہانے سے میرا ہاتھ تھامنا چاہتے ہیں۔"

اس صاف گوئی پر یہ درویش باغ باغ ہو گیا۔ ماشاء اللہ کیا ترقی پسند محبوبہ تھی۔ بے حد مسرت کا سامنا ہوا۔ سوچا کہ جب انجام مقررہ ہے تو فرار بزدلی میں شامل ہے ۔

بیاہ کا ایک دن معیّن ہے
نیند کیوں رات بھر نہیں آتی

چنانچہ میں نے اسے شادی کے لیے کہہ دیا۔

بولی: "آپ خراٹے تو نہیں لیتے؟" میں نے نفی میں سر ہلا دیا۔

اس پر کہنے لگی۔۔۔ "تو پھر مجھے کوئی اعتراض نہیں۔ آپ جائیے اور میرے والدین کو منا لیجیے۔"

یہ جواب بھی ترقی پسند تھا اور اس فدوی کو پسند آیا۔ میں سیدھا اس کے والدین کے پاس پہنچا اور سوال کیا۔ انہوں نے پہلے تو اس کمترین کا شجرۂ نسب حضرت آدم تک دریافت کیا۔ پھر جملہ متعلقین کے متعلق طرح طرح کے سوالات پوچھتے رہے۔ معلوم ہوتا تھا گویا تہمت لگا رہے ہوں۔ پھر بولے: "اگر تم دونوں میں سے خدانخواستہ کسی کا انتقال ہو گیا تو لڑکی کے لیے کیا انتظام ہو گا؟ کوئی ذاتی ملکیت یا بیمے کی پالیسی ہے؟" پھر مہر کا قضیہ شروع ہوا۔ جیسے نیلامی ہو رہی ہو۔ میں نے عرض کیا: "میرا ارادہ نیک ہے اور انشاء اللہ مہر کی ادائیگی تک نوبت ہی نہ پہنچے گی۔ آخر آپ اپنے اتنے لمبے چوڑے مہر کے لیے کیوں مُصر ہیں۔ معلوم ہوتا ہے کہ آپ کو یقین ہے کہ یہ شادی کبھی کامیاب نہیں ہو سکتی۔ وہ بولے۔ "اگر مہر تھوڑا لکھا گیا تو دنیا کے سامنے ہماری ناک کٹ جائے گی۔" خیر یہ حقیر مان گیا۔

وہ یہ بھی چاہتے تھے کہ پرانی رسومات ساری ادا کی جائیں۔ میں معروض ہوا

کہ ہجوم اکٹھا کر کے غل مچانا ایام جاہلیت کی رسم ہے جب پبلسٹی کا یہی ایک طریقہ تھا کہ لوگوں کو بلا کر دکھا دیا جاتا تھا کہ واقعی شادی ہوئی ہے تاکہ وہ سب بعد میں گواہ رہیں۔ اب تو فوراً اخبار میں تصویر آجاتی ہے۔ اور پھر شور و غل سے یہ احقر بہت گھبراتا ہے۔ ہاتھ پاؤں میں رعشہ آتا ہے۔ یوں محسوس ہوتا ہے کہ جیسے میں سچ مچ کچھ کر بیٹھا ہوں' لیکن وہ بدستور مُصر رہے۔

آخر یہ تجویز پیش کی کہ شادی دو حصوں میں ہو۔ پہلے مجھے فارغ کر دیں' پھر مہینوں بلکہ سال بھر تک روشنیاں جلا کر خوب ڈھول بجائیں اور دعوتوں پر سارے ایشیا کو (معہ ایشیائے کوچک کے) مدعو کر لیں۔

وہ کمال درجہ رجعت پسند نکلے کہ نہ مانے۔

اسی طرح وقت گزرتا گیا۔ کسی نے مشورہ دیا کہ شہزادی کو دوبارہ بغور تو دیکھو۔ دیکھا تو واقعی حلیہ بدل چکا تھا۔ بھنویں اکھیڑنا' بال ترشوانا' ناخن پالنا — ان خوبیوں کا مجھے پہلے علم نہ تھا۔ اونچے جوتوں اور میک اپ سے کسی روز بے حد لمبی معلوم ہوتی۔ گھر میں سادہ کپڑوں میں دیکھتا تو چھوٹی اور موٹی دکھائی دیتی۔ رنگ و روغن کی وجہ سے اصلی شکل دیکھنا محال تھا۔ چنانچہ عشق و عاشقی کو بالائے انگیٹھی رکھا اور ان رجعت پسندوں کو ان کے حال پر چھوڑا۔

بعد میں ایک روز کا ذکر ہے کہ کچھ تنزل پسند ایک ترقی پسند کو سر بازار پھول مار رہے تھے اور وہ خاموش کھڑا برداشت کر رہا تھا۔ میں کچھ دیر تو کھڑا دیکھتا رہا' پھر ایک اچھا سا پتھر اٹھا کر کھینچ مارا۔ وہ بلبلا اٹھا اور بولا — "اے مردِ سخن فہم' یہ سب تو بے سمجھ ہیں' یہ نہیں جانتے کہ کیا کر رہے ہیں' تو تو ترقی پسند ہے۔ تجھ سے ہرگز یہ امید نہ تھی۔"

اس واقعے کے بعد الجھن سی پیدا ہو گئی۔ کیسے ترقی پسند اور کہاں کی ترقی پسندی؟ لوگ جہاں تھے وہیں کے وہیں ہیں۔ کوئی کسی رخ میں بھی ترقی نہیں کر رہا۔ ویسے میرے اور ترقی پسندی کے تعلقات ہمیشہ کشیدہ ہی رہے۔ ہم نے ایک دوسرے کو زیادہ سمجھنے کی کوشش نہیں کی۔ شاید مجھے شہزادیوں کی وجہ سے اس طبقے سے کچھ چڑ سی ہو گئی تھی —"

"اس کے بعد کیا ہوا؟"

"اس کے بعد یہ ہوا کہ تنقید نگاری کی بدولت مجھے پگڑیاں اچھالنے میں خاصی مہارت ہو گئی۔ ادھر فلمی پرچوں کی مانگ بڑھتی جا رہی تھی۔ چنانچہ یہ فقیر فلمی نقاد بن گیا اور فلمی ستاروں کے متعلق تازہ ترین افواہیں بہم پہنچانے لگا۔ کروڑوں پڑھنے والے میری رنگین تحریروں کا بڑی بے صبری سے انتظار کیا کرتے۔ فلمساز اور اداکار مجھ سے ڈرنے لگے۔ کئی حسیناؤں سے اسی بہانے دوستی ہو گئی۔ ترقی پسند اور رجعت پسند دونوں مجھ پر رشک کرنے لگے——"

"پھر کیا ہوا——؟"

"پھر خاک ہوا' ڈھول ہوا——" کلاں نے جھلّا کر کہا۔

"ابھی کتنا سفر باقی ہے؟"

"تو بڑا بے صبر ہے۔ اچھا لے یہ سفر یہیں ختم ہوا۔ یونہی طبیعت بدمزہ کر دی۔ اگلی مرتبہ جب فرصت ہو تو آئیو——"

سرِ شام جہاز باد خورد آن دھمکا اور یوں گویا ہوا——

"صبح جو کچھ ہوا اس کے لیے معافی کا خواستگار ہوں۔ سزا کے طور پر تیسرا سفر دوبارہ سننے کو تیار ہوں۔"

جہاز باد کلاں مسکرا کر بولا: "ہم معاف کرتے ہیں اور چوتھا سفر پہلی مرتبہ بناتے ہیں۔"

جہاز باد سندھی کا چوتھا سفر

"فصل بہار آئی پیو صوفیو شراب
بس ہو چکی نماز مصلّا اٹھائیے

اے رفیقِ دیرینہ! ایک رات کا ذکر ہے کہ میں نے ایک بھونکتے ہوئے کتے کو مارنے کے لیے ایک وزنی سی کتاب اٹھائی۔ کتا دور جا چکا تھا' لہٰذا ورق گردانی کرنے لگا اور پڑھتے پڑھتے سو گیا۔ علی الصبح جو اٹھا تو اپنے آپ کو پرولتاری پایا۔ سوچا کہ شاید

مشیّت ایزدی اسی میں ہے کہ پرولتاری بنوں اور نام پاؤں——"

"اے ہمدم طوطی گفتار' لفظ پرولتاری سے آپ کی کیا مراد ہے؟"

"یہ ایک انگریزی لفظ کا نعم البدل ہے اردو میں۔ ڈکشنری دیکھیے' بہت کچھ معلوم ہوگا۔ پرولتاری بننا آسان کام نہیں۔ بڑی ہمت چاہیے۔ دن رات بھاری بھاری کتابوں کا مطالعہ کرنا پڑتا ہے۔ طویل اور BORING لیکچروں میں جانا پڑتا ہے۔ پریکٹیکل الگ ہوتے ہیں۔ بہت جلد فدوی نے یہ کورس مکمل کر لیا۔ ساتھ ہی زندگی میں کئی تبدیلیاں آگئیں۔ اٹھنا بیٹھنا صرف پرولتاریوں میں ہوتا۔ بڑی طویل بحثیں ہوا کرتیں۔ پرولتاری ہونے کا سب سے بڑا فائدہ یہ تھا کہ ہمیں مذہب' سیاست' جنس اور دیگر اہم مسائل پر اپنے ہونق اور اوٹ پٹانگ نظریوں کا اظہار کرنے کی پوری آزادی تھی۔ ہماری انوکھی اور بصیرت افروز باتیں سن کر عوام چونک چونک پڑتے۔ ہر مذہب کو ہم تضیع اوقات سمجھتے۔ انسانی رویے کے عالمگیر قوانین ہمارے لیے لغو اور مہمل تھے۔ ہر انسان' ہر اصول' ہر مسلمہ حقیقت کو ہم نہ صرف شبہے کی نظر سے دیکھتے بلکہ منٹوں میں دھجیاں اڑا دیتے۔ عجب دن تھے وہ بھی—— کیا رعب تھا' کیا دبدبہ تھا—— سڑک پر پرولتاری چلتا تو لوگ ادھر ادھر ہٹ کر راستہ دیتے' جھک جھک کر سلام کرتے۔ کیا مجال جو کوئی ہم سے بحث کر سکے۔

ہمارے چند ہی فقروں کے بعد وہ یوں خاموش ہو جاتا جیسے سانپ سونگھ گیا ہو۔ بڑے سے بڑے ہجوم میں محض چند پرولتاریوں کی آمد قیامت برپا کر سکتی تھی۔

"بھاگ چلو یارو' پرولتاری آگئے۔"—— کا نعرہ لگا کر وہ ایسے بھاگتے کہ ٹوپیاں اور جوتیاں تک چھوڑ جاتے۔

جہاں ہم نے مقامی پبلک کو آگے لگا رکھا تھا' وہاں مقامی لڑکیاں تھیں کہ سیدھے منہ بات نہ کرتی تھیں۔ وہ ہم سے بدگمان تھیں۔ ہم مذہب' دوستی' ایمان' فلسفہ' عشق—— سب کے پرخچے ضرور اڑاتے تھے' لیکن یہ سب دکھاوے کے لیے تھا۔ کبھی کبھی ہمارے دل بھی محبت کی آگ سے سلگنے لگتے۔ ضرورت پڑنے پر ہم خدا کا واسطہ دیا کرتے۔ مصیبت پڑتی تو دعائیں مانگتے۔ رہ گئی جنس' سو اس کے متعلق ہمارا تجربہ اتنا ہی تھا جتنا کہ غیر پرولتاریوں کا۔ لیکن ہماری معلومات کا ماخذ فرائیڈ' ڈی ایچ

لارنس اور دیگر حضرات کی کتابیں تھیں۔ خیالات ان کے تھے بیان ہمارا تھا۔ اگرچہ ہم نے ان مصنّفین کا حوالہ کبھی نہیں دیا اور ہاں میں بتانا بھول گیا کہ پرولتاری ایک انقلاب بھی چاہتے تھے۔"

"کیسا انقلاب؟"

"کبھی ایک عالمگیر انقلاب' تو کبھی ملکی یا غیر ملکی انقلاب۔ بعض اوقات ہم مقامی انقلاب پر ہی قناعت کر جاتے ہیں۔ بس انقلاب ہو' کہیں' کسی قسم کا' کسی سائز کا۔ چنانچہ ہم بار بار پبلک کو انقلاب کے لیے اکساتے' ہم چاہتے تھے کہ ہنگامے بپا ہوں اور افراتفری مچے' دنگے فساد ہوں' تاکہ لوگوں پر ہماری اہمیت واضح ہو جائے۔ لیکن مجھے غصہ تھا تو اس پر کہ یہی لڑکیاں جو ہم سے ملنا اپنی ہتک سمجھتیں کلب میں اغیار کے ساتھ وہ دھاچوکڑی مچاتیں کہ خدا کی پناہ۔ ایک خاص طبقے سے تو خوب چہلیں کرتیں۔ یہ حضرات بھی عجیب تھے۔ ویسے اچھے بھلے تھے' لیکن اپنے آپ کو بے حد غمزدہ اور بدنصیب سمجھتے۔ اس کی وجہ اپنی بے جوڑ شادی بتاتے' حالانکہ ہر ایک ماشاءاللہ چھ چھ سات سات بچوں کا باپ تھا۔ ان کی ایک ہی رٹ تھی کہ ان کی ازدواجی زندگی نہایت غم ناک ہے اور وہ بیوی سے تقریباً تقریباً علیحدہ ہو چکے ہیں۔ اتنی بڑی دنیا میں کسی نے انہیں سمجھنے کی کوشش نہیں کی۔ اس بہانے وہ ہر لڑکی سے فلرٹ کرتے' چونکہ ان کے پاس کاریں تھیں' اس لیے یہ بورژوا تھے۔"

"اس ناچیز کے چچا جان جو تھانیدار ہیں کار رکھتے ہیں۔ کیا وہ بھی بورژوا ہیں؟" خورد نے پوچھا۔

"ضرور ہوں گے۔ تو یہ شادی شدہ بورژوا حضرات دن بھر کاروں میں لڑکیوں کو لیے لیے پھرتے۔ لطف یہ ہے کہ ان میں سے کوئی پینتالیس پچاس برس سے کم نہ تھا۔ پتہ نہیں انہیں اس میں کیا ملتا تھا؟"

"غالباً انہیں سن تیس اکتیس کے پرانے ماڈل پسند نہیں تھے اور نئے STREAM LINED ماڈل درحقیقت دیدہ زیب ہوتے ہیں۔" خورد نے مؤدبانہ عرض کیا۔

"مگر یہ نئے ماڈل اُن کا خوب مذاق اڑاتے۔ ملتے ہی سوال ہوتا ہے کہ آپ کی

ننھی بچی کا اب کیا حال ہے؟ آپ کے لڑکے کا بخار اترا؟ بیوی کا کوئی خط آیا؟ بڑی لڑکی کی کب شادی ہو رہی ہے؟ دیکھئے ہمیں ضرور بلایئے' مگر یہ بورژوا تھے کہ ___"

"ویسے بورژوا ہوتا کیا ہے؟"

"بورژوا وہ ہے ___ (کلاں نے چہرے کے اظہار اور ہاتھوں کی جنبش سے بتانے کی کوشش کی) جو ___ جو ___ بالکل بورژوا ہو ___! سنا ہے کہ فرانس میں سوداگروں کا ایک طبقہ رہتا تھا اسے بورژوا کے نام سے پکارتے تھے' لیکن یہ کافی عرصے کا ذکر ہے ___"

"یا پیرومرشد' ایوننگ ان پیرس کی نیلی شیشی پر بھی عطر کے نام کے نیچے بورژوا لکھا ہوتا ہے ___"

"اللہ بہتر جانتا ہے کہ اس کے کیے میں دخل دینا سخت نادانی ہے۔ تو میں نے لڑکیوں سے ان بورژوا حضرات کی خوب برائیاں کیں اور انہیں بہت سمجھایا۔ یہ بھی کہا کہ یہ سب سرمایہ دار ہیں اور سماج کے دشمن ہیں۔ وہ ہنسنے لگیں کہ کار کو چھوڑ کر ان کے پاس پھوٹی کوڑی بھی نہیں ہے۔ بینک میں ان کا حساب صفر ہے بلکہ مقروض رہتے ہیں۔ میں نے بتایا کہ سرمایہ دار ہونے کے لیے سرمائے کی ضرورت نہیں۔ یہ سرمایہ دارانہ ذہنیت ہے جس پر غصہ آتا ہے۔ وہ بولیں' جب سرمایہ نہیں تو ذہنیت کا سوال ہی پیدا نہیں ہوتا۔ اگرچہ میں خود پرولتاریت سے اکتا چکا تھا' لیکن یہ گلے کا ڈھول تھا' کچھ عرصہ بجانا پڑا۔

آخر ایک دن میں نے آؤ دیکھا نہ تاؤ۔ ایک ذلیل سی پرانی موٹر کہیں سے خریدی اور بورژوا بن گیا ___ دہنے بائیں ہر لڑکی سے فلرٹ کرنا شروع کیا اور ہرجائی کے نام سے شہرت پائی ___"

"آہا تو آپ ہرجائی بھی رہ چکے ہیں ___ ملایئے ہاتھ۔ یہ ناشدنی بھی ہرجائی رہ چکا ہے۔ آہ! سب سے بڑی ٹریجڈی یہ ہے کہ زندگی بے حد مختصر ہے اور حسین چہرے تعداد میں اتنے زیادہ ہیں۔"

"لیکن دو تین لڑکیاں تو سچ مچ پسند آ گئیں اور ارادہ اس خاکسار کا شادی کرنے کا تھا ___"

''ان سب سے؟'' خورد چونک پڑا۔

''نہیں ایک سے، لیکن معلوم ہوا کہ لڑکیوں کی توقعات بہت زیادہ ہیں۔ کورٹ شپ میں وہ صرف لڑکے کے نقائص معلوم کرنا چاہتی ہیں۔ انہیں فوراً پتہ چل جاتا ہے کہ ہونے والی ساس کس مزاج کی ہے۔ کنبے میں بہت زیادہ لوگ تو نہیں۔ لڑکے کی تنخواہ کا گریڈ کیا ہے اور یہ گریڈ اسے ملے گا بھی یا نہیں۔ مرید بننے کے کیا امکانات ہیں۔ شکی مزاج تو نہیں کہ ذرا دوسرے مرد سے بات کی اور خفا ہو گیا ——''

''پتہ نہیں —— البتہ شادی کے متعلق سنجیدگی سے صرف ایک طبقہ سوچتا ہے —— اور وہ ہے خاوندوں کا طبقہ۔ یہ امر تسلیم شدہ ہے کہ حقیقی مسرت کو انسان تب تک نہیں پہچانتا جب تک اس کی شادی نہیں ہوتی —— لیکن تب بہت دیر ہو چکتی ہے ——''

''یار تو بات مت کاٹ، چپ چاپ سنتا رہ۔ یہ لڑکیاں بے حد —— MATERIALISTIC تھیں۔ جوں جوں وقت گزرتا گیا، میں ہر چیز سے بیزار ہوتا گیا۔ یہاں تک کہ شادی سے ڈرنے لگا۔ ان لوگوں سے بھی خوف کھاتا جو خسر بنتے بنتے بال بال بچ گئے۔ ہر رات سونے سے پہلے اس قسم کی دعا مانگتا کہ —— اے پروردگار میرے حال پر رحم فرما۔ رشیدہ کی کہیں شادی کر دے۔ نرگس بن غفور کی کہیں منگنی ہو جائے۔ مس ریٹا معراج الدین اور ڈوروتھی فتومل کا بھی کہیں انتظام کرا دے ——''

''لیکن اس کا بورژوا ہونے سے کیا تعلق ہے؟ کاش کہ موضوع بدل جائے۔'' خورد جو اتنی دیر میں ڈکشنری دیکھ چکا تھا بولا۔

''بہت اچھا اب اس سفر میں ایک چیز باقی رہ گئی ہے۔ تجھے یاد ہو گا کہ الف لیلہ کے سندباد کی ملاقات تسمۂ پیر سے ہوئی تھی جس کے چنگل سے بڑی مصیبتوں کے بعد نکلا تھا۔ میرا بھی ایک ایسے ہی مسخرے سے واسطہ پڑا۔ ایک سمندری سفر سے لوٹتے وقت میں ایک بندرگاہ پر اترا جہاں بندر ہی بندر تھے۔ وہاں ایک انشورنس ایجنٹ میرے پیچھے لگ گیا۔ ایسا تعاقب کسی نے کسی کا نہ کیا ہو گا۔ چوبیس گھنٹوں میں وہ فقط تین چار گھنٹے مجھے چھوڑتا ورنہ ساتھ رہتا۔ اس سے دور رہنے کے لیے میں نے کیا کیا جتن نہ کیے۔ اس کی منت سماجت کی، اسے ڈرایا دھمکایا، آخر تنگ

آکر خودکشی کی دھمکی دی، بس پہ وہ بولا کہ میں بھی ساتھ خودکشی کروں گا اور پالیسی دینے کے لیے اگلے جہاں تک پیچھا نہ چھوڑوں گا۔ جب میں نے سچ مچ پستول دکھایا تو وہ ملتجی ہوا کہ اے مرد نیک خصلت اگر تو واقعی خودکشی کر رہا ہے تو پالیسی مفت لے لے لیکن وارث مجھے بنا جا۔ مجھے اتنا غصہ آیا کہ خودکشی کا ارادہ ترک کر دیا اور سیدھا کباڑی بازار میں الف لیلہ کا نسخہ مطالعہ کرنے گیا تاکہ کوئی ترکیب نکالوں۔ سندباد نے اس مرد نابکار کو انگوروں کی شراب پلا کر مدہوش کیا تھا' لہٰذا میں نے بادۂ افرنگی پلایا' لیکن اثر الٹا ہوا۔ پی کر وہ اپنے تئیں ہوش میں نہ رہا' کچھ دیر واہی تباہی بکتا رہا پھر اس حقیر کو خوب زدوکوب کیا۔ بے حد حیران ہوا کہ خود اپنے ہاتھوں اسیر دام بلا ہوا' خود گرفتار بحر ستم ہوا۔

جب اگلے روز وہ مجھے سڑک پر ملا تو شرما کر اس نے منہ دوسری طرف پھیر لیا۔ اس کے بعد جب کہیں ملتا خجل ہو کر رہ جاتا ہے۔ خیر اس طرح میری نجات ہوئی لیکن الف لیلہ سے عقیدہ اٹھ گیا——"

"گستاخی معاف۔" خورد بولا: "شروع سے اب تک جو واقعات آپ نے سنائے ہیں' بالکل الل ٹپ ہیں۔ غالباً آپ کے پاس کہنے کو کچھ نہیں ہے۔ پتہ نہیں آپ ثابت کیا کرنا چاہتے ہیں؟ آپ کا یہ سفر بھی نہایت بے تکا رہا——"

"مگر تو نے مجھے بار بار ٹوکا بھی تو ہے۔ شاید ایک دن میں دو سفر سن کر تو اکتا گیا ہے۔ اب آئندہ تجھے ایک لفظ نہ سناؤں گا جب تک تو ہونٹ سی لینے کا وعدہ نہ کرے——"

"کس کے ہونٹ؟ آپ کے؟؟"

"نہیں اپنے——"

اور وہ دونوں خنداں ہوئے۔ فرحاں ہو کر شک و شبہات دور ہوئے۔ دل صاف ہوئے اور جہاز باد کلاں کا چوتھا سفر تمام ہوا۔

اگلے روز جب شاہباز نجوم نے آفتاب پر جال پھینک کر شکار کیا۔ سپاہ انوار کو شکست ہوئی۔ ظلمت کی حکمرانی ہوئی تب جہاز باد خورد حاضر ہو کر بولا—— "یا استاد کلاں اپنا پانچواں سفر بیان کر کہ میں دو روز تک تیرے ہاں قیام کروں گا۔ اپنی گھڑی بھی کسی کو

دے آیا ہوں اور دو بوتلیں ساتھ لایا ہوں۔ اب مجھے سماعت کے لیے تیار سمجھ۔"
جہاز باد کلاں نے یوں کلام کیا۔

جہاز باد سندھی کا پانچواں سفر

"دل دُکھایا کسی گل چیں نے کوئی گل توڑا
باغ سے نالۂ بلبل کی صدا آتی ہے!"

اس پر خورد پھر بول اٹھا "بھائی ایک صلاح ہم دیں گے۔ وہ یہ کہ آئندہ آپ ایسے اوٹ پٹانگ اور بے محل شعر کم از کم اپنے محل میں نہ پڑھا کریں۔ اب تک جو اشعار حضور نے پڑھے ان کا قصے سے کوئی سروکار نہ تھا۔"

"اے نوجوان بلند بخت! اعتراض کرنا تیری سرشت میں ہے۔ یہ اشعار میں نے روایات قدیم کو مد نظر رکھتے ہوئے پڑھے۔ پرانے زمانے میں دستور تھا کہ داستان گوئی اشعار کے بغیر نامکمل تھی۔ اسے محض رواداری سمجھ۔ ع رواداری بشرط استواری اصل ایماں ہے "

"رواداری نہیں وفاداری بشرط استواری "خورد نے لقمہ دیا۔

"اچھا بابا وفاداری سہی، لیکن واسطہ ہے تجھے اپنے پیر کا اگر تیرا کوئی پیر ہے تو تُو خاموش رہ آج کا سفر بالکل مختصر ہے اور غالباً آخری سفر ہو گا۔ لہٰذا آج کی رات سازِ درد نہ چھیڑ

سن میں زیادہ دیر بورژوا نہ رہ سکا۔ لوگ اس لفظ کے نہ ہجے کر سکتے تھے نہ صحیح تلفظ کسی کو آتا تھا۔ بار بار معنے پوچھتے۔ ادھر میری کار بھی بک چکی تھی۔ سوچا کہ ذہنی ارتقاء کی منزلیں طے کرنے کی غرض سے یہ سفر شروع کیے تھے ورنہ کافی ہاؤس برا نہ تھا چنانچہ پھر باہر نکلنے کی ٹھانی۔ موسم گرما گزارنے کے لیے سانگلہ ہل کا رخ کیا کہ اسی بہانے بڑے بڑے آدمیوں سے ملاقات ہو جائے گی۔ وہاں نہ جانے کیا ہوا کہ خیالات اس ناچیز کے دفعتہً بدل گئے۔ غالباً یہ اونچے طبقے کی صحبت کا اثر تھا کہ خاکسار منزلیں مارتا کہیں کا کہیں جا نکلا۔ آخر کار اس جگہ پہنچ گیا جہاں تو مجھے آج دیکھ رہا ہے۔ اب میں

بالکل بے نیاز ہوں۔ کسی کی پروا نہیں کرتا۔ مطلب ہو تو خیر ورنہ کسی کی مدد نہیں کرتا۔ کسی کو خط نہیں لکھتا۔ لوگوں سے تب ہی ملتا ہوں اگر کوئی کام ہو۔ بلاغرض کسی کو مدعو نہیں کرتا۔ نہ زیادہ سوچتا ہوں نہ محنت کرتا ہوں ـــــ بھلا دنیا کے جھمیلے آج تک کسی سے ختم ہوئے ہیں جو میں اور تو انہیں ختم کر سکیں گے؟ ہر قسم کی تقریر و تحریر سے اعتبار اٹھ چکا ہے۔ پڑھنا، لکھنا، ملنا، جلنا یہ سب بے کار باتیں ہیں۔ شہزادیوں کی متواتر بے وفائی سے شادی میں بھی دلچسپی نہیں رہی۔ بچوں کی سماجی حیثیت پالتو جانوروں پرندوں کی سی ہے۔ چند سال کھیلو پھر بڑے ہو جاتے ہیں اور ماں باپ کو بیوقوف سمجھنے لگتے ہیں۔ میرے پڑوسیوں نے میرے نظریوں کی استقامت میں بڑی مدد دی ہے۔ آ تجھے بھی قدرت کا تماشہ دکھاؤں ـــــ"

یہ کہہ کر وہ خورد کو دریچے تک لے گیا۔ کواڑ کھولنے کی دیر تھی کہ دوسرے گھر سے چیخم دھاڑ سنائی دی۔ کئی بچے بڑی بھیانک آواز میں چلّا چلّا کر رو رہے تھے۔ خورد نے کانوں میں انگلیاں ڈالیں تو کلاں نے دریچہ بند کیا۔

"اے میرے دوست! جب کبھی مجھے گھر بسانے کا یا آئندہ نسل کے متعلق خیال آتا ہے تو فوراً یہ دریچہ کھول کر بیٹھ جاتا ہوں اور عبرت حاصل کرتا ہوں اور پھر اگلی نسل کی مجھے کوئی پرواہ نہیں۔ جس روز میں اس جہان سے رخصت ہوا وعدہ کرتا ہوں کہ بچوں کو خاندان کا نام روشن کرتے دیکھنے دوبارہ ہرگز نہیں آؤں گا۔"

"اُفوہ! ـــــ چچ ـــــ چچ ـــــ یہ بیٹھے بٹھائے کیا ہو گیا ـــــ" خورد نے اظہارِ افسوس کیا۔

"اب میں NIHILIST ہوں 'نی ہلسٹ'!" کلاں نے اپنے سینے پر مکوں کی بارش کرتے ہوئے کہا۔ "خبردار جو اس لفظ کے معنی پوچھے ہوں تو ـــــ اور اے مردِ جلد باز میرے پانچوں سفر تمام ہوئے۔ آفیشلی مجھے سات سفر کرنے چاہئیں تھے لیکن دنیا کے حالات کو مدِ نظر رکھتے ہوئے پانچ کافی ہیں۔ ویسے بھی محسوس ہو رہا ہے کہ ذہنی تگ و دو میں اپنی منزل میں نے پا لی ہے۔ میرا مقام مجھے ہاتھ آ گیا ہے۔ اور تو جو یوں بے وقوفوں کی طرح دیکھ رہا ہے اگر چاہے تو بقیہ دو سفر تو کر آ۔ میری طرف سے اجازت ہے ـــــ"

"جی نہیں — ایسے ماحول اور ایسا محل چھوڑنے کو کس کا جی چاہتا ہے؟"

"یہ محل میرا کہاں ہے' الاٹ شدہ ہے۔ شروع شروع میں خاکسار نے اخباروں رسالوں میں بڑے دردناک بیانات چھپوائے کہ میں ایک اردو اکادمی کھولنا چاہتا ہوں۔ پبلک نے زبانی حوصلہ افزائی تو بہت کی لیکن چندہ کسی نے نہ بھیجا۔ دراصل پبلک بڑی ہوشیار ہو گئی ہے' فوراً سمجھ جاتی ہے — (سرگوشیوں میں) اے رفیقِ تنہائی یہ اکادمی کا ریکٹ چل جاتا تو دولت کا ڈھیر لگ جاتا اور برخوردار تیری POST WAR PLAN کیا ہے؟ نوکری کے لیے اپنا نام رجسٹر کروایا؟"

"نام رجسٹر تو نہیں کرایا لیکن جس محلے میں رہتا ہوں' وہاں چوہے بلیاں اور کتے بہت زیادہ ہیں۔ سوچ رہا ہوں کہ وہاں ایک چینی ریستوران کھول لوں —"

"اس سے تو یہ بہتر ہے کہ میرے ساتھ شرکت کر۔ تُو کافی فرمانبردار نوجوان نظر آتا ہے کہ کام تجھے کوئی خاص نہیں ہے۔ تیری بلند پیشانی کو دیکھ کر میرا موڈ یک لخت ادبی و علمی ہو گیا ہے —"

"یہ بلند پیشانی نہیں' گنجے پن کی پہلی نشانی ہے۔"

"یہ گنجِ بے بہا تو نے کیونکر پایا؟"

"ایک دو مرتبہ سول سروس کے مقابلے میں شرکت کی تھی۔"

"اخاہ! پھر تو تُو URANIUM میں تولنے کے لائق ہے۔ پہلے اپنی ہیئت کذائی ٹھیک کر۔ حجامت کرا' عینک بدل' ہر ہفتے غسل کیا کر اور ہر روز شیو۔ کپڑوں کو دھلوا کر استری کروایا کر —"

"کہیں مجھے انٹلکچوئل اپنی برادری سے نہ نکال دیں۔"

"تو کیا ہوا؟ خیال ہے کہ چند شرفاء ذی مرتبہ کو خوش کرنے کے لیے ایک بلند پائے کا معیاری رسالہ جاری کروں۔ ویسے کام دوسرے لوگ کریں گے لیکن نام ہمارا ہو گا۔ کیا ارادہ ہے — ؟"

"خاکسار آمادہ ہے؟"

"اب جبکہ تو نے سب کچھ سن لیا ہے بتاؤ کہ تو بھی کبھی ایسی کٹھن منزلوں سے گزرا؟ کبھی ایسی مصیبتیں تجھ پر بھی پڑیں — ؟"

خورد نے کلاں کا ہاتھ چوما اور آنکھوں میں آنسو لا کر بولا۔۔۔ ''آپ واقعی بڑے بڑے مصائب سے دوچار ہوئے۔ صیدِ انتشار ہوئے۔ اب آپ حظ اٹھائیں' دل کھول کر کھائیں اور کھلائیں۔ خدا کرے تم عمر شادر ہو' فائز بمرام و بامراد ہو۔''

اس پر جہاز سندھیٔ کلاں نے خورد کے سر پر دست شفقت پھیرا۔ اس کا رتبہ اور بھی بڑھایا۔ جب تک وہ زندہ رہے دو جان اور دو قالب ہو کر رہے۔

خالقِ زمین و زمان' آفرینندۂ ہر دو جہاں' کارسازِ مطلق' قادرِ برحق کا ہر حال میں شکر ادا کرنا چاہیے کہ بندوں کو کیسی کیسی مصیبتوں سے بچاتا ہے۔ گاڑھے وقت میں اسی کا فضل آڑے آتا ہے۔

نتیجہ۔۔۔ پس اے پیارے بچّو! نتیجہ اس کہانی سے یہ نکلا کہ یہ ضروری نہیں کہ ہر کہانی سے نتیجہ نکلے۔

دو نظمیں

1- کون

کون ہے میری جواں سال امنگوں کا سہارا مرے ہمدم میرے دوست!
تجھ کو معلوم اگر ہے تو بتا
کس کے شب رنگ معطّر گیسو
میرے بازو پہ بکھر جاتے ہیں؟
کس کے خوابیدہ شبستانوں میں
کیف آمیز اندھیرے لے کر
نیند کی دیوی' تکلف کے بغیر
میری پلکوں' میری آنکھوں میں دبے پاؤں چلی آتی ہے؟
موزے جب گردشِ رفتار سے گھِس جاتے ہیں
سوزنِ سادہ سے کون ان کو رفو کرتا ہے؟
میری بکھری ہوئی بوسیدہ کتابیں آخر
کون چُن دیتا ہے ترتیب سے الماری میں؟
سلوٹیں دیکھ کے ملبوس پہ خم کھائی ہوئی
استری کون کیا کرتا ہے؟
آنکھ کس کی مرے بٹوے پہ جمی رہتی ہے

کون ہر ماہ چکا دیتا ہے دھوبی کا حساب؟

جب کبھی زندگی درماندہ و واماندہ نظر آتی ہے
اور بن جاتی ہے اک خوں بھرا جام
تلخیاں روح میں رچ جاتی ہیں
تہ بہ تہ ظلمتیں جم جاتی ہیں
زیست اور موت میں رہتا نہیں ننھا سا تفاوت باقی
ایسے لمحوں میں سدا
کون دیرینہ رفیق آ کے پکڑتا ہے مجھے بازو سے؟
اور لاتا ہے سوئے بزم' جہاں میرا لہو کھول کے تپ جاتا ہے
تو بتا سکتا ہے کیا؟
ہاں ذرا میں بھی سنوں
کیا کہا___ ؟
تیرے گستاخ تبسم پہ ہنسی آتی ہے
تیرا وجدان ابھی تک ہے بہت خام اے دوست!
کیا بتاؤں میں تجھے
وہ کوئی اور نہیں___
وہ تو میں خود ہوں___ میری جاں' مرے ہمدرد' میرے دوست!

2- خرّاٹے

اس نے خرّاٹے سنے___
دفعتہً چونک پڑا' جاگ اٹھا'
لبِ نازک پہ مچلتے تھے "رسیلے نغمے"
اور بیوی تھی کہ خوابیدہ تھی
فربہی تھی کہ جوانی کا سہارا لے کر
تہہ بہ تہہ جسم پہ اس طرح جمی جاتی تھی
جس طرح کیک کرسمس کا ہو___

اس نے خرّاٹے سنے___
مٹھیاں بھینچ کے یوں کہنے لگا
آج نیند آئی تھی دو روز کے بعد
کہ حسیں ہونٹوں کے "نغموں" نے سکوں چھین لیا
اور اب زندگی بھر دل کو نہ آئے گا قرار
کہ یہ "نغمے" کسی اندوہِ مسلسل کا پتہ دیتے ہیں'
ایسے جینے پہ خدا کی پھٹکار!

اس نے خرّاٹے سنے___
(اپنی بیوی کی لگاتار علالت کا خیال
یہ عیادت کا مسلسل بُحران
کہ کسی پل بھی سکوں مل نہ سکا
اور پھر اس پہ ستم ویدوں طبیبوں کا نزول
حسنِ بیمار___ مگر ویسا ہی بیمار رہا

جیسے صدیوں کا سماج)

اس نے خرّاٹے سنے —
اٹھا آئینے میں صورت دیکھی
آنکھ کے گرد سیاہ حلقوں کو رقصاں پایا
سبزۂ خط تھا ہم آغوش ذقن
اپنی صورت سے ڈرا —
اور کیا جانیئے کیا سر میں سمائی وحشت
دل میں اک عزمِ جواں جاگ اٹھا

اس نے خرّاٹے سنے —
اور کچھ سوچ کے الماری کی جانب لپکا
استرا کانپتے ہاتھوں میں لیا — کھولا — پرکھ کر دیکھا
دھار تھی تیز کسی تیغِ مجاہد کی طرح
دیکھ کر بیوی کے مَرمَر سے گُلو کی جانب
اس نے آئینے میں خود پر بھی نظر دوڑائی
اور سوچا کہ یہی موقعہ ہے —

اس نے خرّاٹے سنے —
کمرے سے جھانک کر باہر دیکھا
اک ہمہ گیر خموشی تھی فضا پر طاری
دُور اک کتّا پڑا سوتا تھا
اس نے سوچا کہ یہی موقعہ ہے
— استرا زور سے پکڑا، کانپا
اور پھر شیو بنانے لگا جلدی جلدی!

ٹیکسلا سے پہلے اور ٹیکسلا کے بعد

خالد نے ولایت سے آکر مقصود گھوڑے کو HOME SICK کر دیا____

خالد کے آنے پر کرکٹ کا میچ ہوا، جس میں ایک طرف خواتین تھیں اور دوسری طرف حضرات۔ حضرات کو برقعے پہننے پڑے۔ ماڈرن قسم کے مصری، ترکی یا اصلی بغدادی برقعے نہیں بلکہ پرانی وضع کے شٹل کاک نما برقعے جنہیں پہن کر باہر والوں کو اندرون برقعہ کی خبر نہ ہو اور اندر سے مقامی حالات کا کچھ پتہ نہ چلے۔ باؤلنگ کرتے وقت بھی برقعوں کے HOOD بند رہتے اور گیند کے پیچھے بھاگتے وقت بھی۔ لوگوں کو شاید پہلی مرتبہ احساس ہوا کہ برقعے پہننا کیا معنی رکھتا ہے۔ حضرات نے الجھ کر خوب نٹوں کے تماشے دکھائے۔

میں سکور گن رہا تھا اور شیطان بیٹھے نِٹنگ کر رہے تھے۔ وہ اس قسم کی تقریبوں پر ہمیشہ نٹنگ کیا کرتے ہیں، اپنی محبوبہ کے لیے، کبھی سویٹر بُن رہے ہیں، کبھی جرابیں۔ آشوب چشمی صاحب بھی تشریف لائے تھے۔ وہ جنرل گارڈن پر تنقید کر رہے تھے۔ حبشیوں پر بحث ہو رہی تھی۔ میں حبشیوں کا طرف دار تھا کیونکہ وہ افریقہ میں رہتے ہیں۔

اس روز بالکل معمولی سی صبح طلوع ہوئی۔ روزمرہ کی طرح جمائیاں لیتا سورج نکلا۔ پرندے بھی انہی پرانی سروں میں چہچہائے۔ ریڈیو پر حسب معمول سارنگی پر بھیرویں سنائی گئی۔

کسے پتہ تھا کہ یہ معمولی صبح ایک اہم دن میں تبدیل ہوا چاہتی ہے۔

خالد دو سال کے بعد لوٹے تھے۔ اب وہ پرانے خالد نہیں تھے جو ہر وقت لائف کا رونا رویا کرتے کہ "فلاں کی لائف بن گئی" یا "فلاں نے فلاں کی لائف تباہ کر دی۔" اب وہ مجسم آئن سٹائن کی تھیوری تھے۔

خالد کا شیطان سے تعارف کرایا گیا۔ خالد خاص غیر ملکی لہجے میں بولے ــــــ "میں آپ کے لیے کیا کر سکتا ہوں؟"

"پہلے آپ اپنے لیے کچھ کیجیے۔" شیطان نے صابن کی جھاگ کی طرف اشارہ کیا جو خالد کے چہرے پر لگا ہوا تھا۔

دونوں دور دور جا بیٹھے۔

"بیٹی' اب آ بھی جاؤ۔ اتنی دیر کر دی۔" چشتی صاحب کار کی طرف دیکھ کر چلائے۔

"اتنی دیر سے کہہ تو رہی ہوں کہ بس ایک منٹ میں آئی۔" ہم سب مڑ کر دیکھنے لگے۔ دروازہ کھلا اور کوئی چیز بَلّا ہاتھ میں لیے نکلی جو چند لمحوں کے لیے لڑکی سی معلوم ہوئی۔ معلوم ہوا کہ یہ چشتی صاحب کی دخترِ نیک اختر ہیں۔ ان کا نام انجم ہے اور محبوبۂ شیطان ہیں۔

شیطان کی زندگی میں پہلے دو انجم آ چکی تھیں جنھیں تمیز کرنے کے لیے انجم خورد اور انجم کلاں کہا جاتا تھا۔

"اور یہ تیسری انجم؟"

"یہ انجم خورد بُرد ہے۔" بولے۔

میں نے انہیں بتایا کہ اب تو شاید ہی آس پاس کے علاقے میں کوئی انجم باقی رہی ہو۔ کتنا اچھا ہو کہ اگر اس قسم کا اشتہار دے دیا جائے ــــــ

"کیا آپ انجم ہیں؟

اگر ہیں تو مزید وقت ضائع مت کیجیے۔ فوراً مندرجہ ذیل پتے پر خط و کتابت کیجیے جو صیغۂ راز میں رکھی جائے گی۔"

چشتی صاحب کے عزیزوں سے تعارف ہوا۔

"یہ کلیم الدین عرف کالُو ہیں۔"

"آداب عرض!"

"اور یہ بہاء الدین عرف بُھورو ہیں۔"

"اور آپ کی تعریف ــــ ؟" ایک صاحب نے ان کے متعلق پوچھا جو کالُو اور بُھورو صاحب کے ساتھ کھڑے تھے۔

"انہیں ڈبّو سمجھ لیجیے ــــ " شیطان نے جواب دیا۔

چار بالکل ایک قسم کے حضرات سے مل کر شیطان نے کہا "مجھے آپ چاروں سے ملکر بہت خوشیاں ہوئیں۔"

میں نے انجم کے متعلق پوچھا اور عاشق ہونے کی وجہ تسمیہ دریافت کی۔ وہ بولے: "میں انجم پر ہرگز عاشق نہ ہوتا اگر وہ رضیہ سے اس درجہ مشابہت نہ رکھتی۔" میں نے انہیں بتایا کہ رضیہ اور انجم میں صرف اس قدر مشابہت ہے کہ دونوں کی دو دو آنکھیں ہیں، ایک ایک ناک اور دو دو کان ہیں بس!

اب مردوں کی باری تھی۔ خواتین فیلڈ کرنے نکلیں۔ تالیوں کے شور میں دو حضرات برقعے پہن کر نکلے۔ تھوڑی دور گئے ہوں گے کہ بھٹک گئے۔ ایک کا رخ شمال مشرق کی طرف ہو گیا اور دوسرے کا شمال مغرب کی طرف۔ خواتین نے ان کی مدد کی اور انگلی پکڑ کر انہیں وکٹوں کے سامنے لایا گیا۔

پہلی گیند پر ایک صاحب نے برقعے کے اندر حیرت انگیز ہٹ لگائی۔ دوسری گیند پر گیند بلّا برقعہ سب آپس میں الجھ گئے۔ تیسری پر انہوں نے زور سے بلّا اپنے گھٹنے پر دے مارا اور بجائے سامنے بھاگنے کے وکٹ کیپر کی طرف چل دیئے۔ آواز دے کر انہیں واپس بلایا گیا۔ ایک صاحب نے خواہ مخواہ اچھلنا کودنا شروع کر دیا۔ معلوم ہوا کہ برقعے میں بِھڑ داخل ہو گئی ہے۔ برقعہ اتار کر بِھڑ کو باہر نکالا۔ انجم کو گھورتے رہنے کے باوجود مقصود گھوڑا اچھا کھیلا۔ پھر موٹر سائیکل کی آواز سنائی دی۔ مقصود گھوڑا بھاگتا بھاگتا رک گیا اور سڑک کی طرف دیکھنے لگا۔ موٹر سائیکل کے چلے جانے کے بعد اسے پتہ چلا کہ وہ رن آؤٹ ہو چکا ہے۔

انجم نہ جانے کِس بات پر کِس سے خفا ہو رہی تھیں۔ خالد نے آگے بڑھ کر

معافی مانگی۔

"معافی؟ معافی کس بات کی؟"

"پتہ نہیں — لیکن چونکہ میں مرد ہوں اس لیے قصور لازمی طور پر میرا ہی ہو گا۔"

انجم شرمانے لگیں۔ دراصل ان کا ہاتھ چھِل گیا تھا اور ڈاک کے ٹکٹ جتنے زنانہ رومال سے مالش کر رہی تھیں۔ شیطان بولے "اس پر تھوڑی سی سپرٹ لگا لو۔"

پھر انجم کے چہرے کو غور سے دیکھ کر بولے — "اس پر تھوڑی سی سپرٹ بیشک مت لگاؤ۔"

میں نے شیطان سے خالد کے متعلق رائے پوچھی۔ انہوں نے بتایا "یہ شخص اتنا چست ہے کہ ہاتھ میں کیمرہ لے کر خود اپنی تصویر اتار سکتا ہے۔"

"اور یہ لڑکی — ؟" شیطان نے بے صبری سے پوچھا۔

"اس کے سامنے ایک شاندار ماضی ہے۔" میں نے بتایا۔

"اور چشمی صاحب — وہ بزرگ نما شخص؟" بعد میں خالد سے پوچھا گیا۔

"وہ شخص —" خالد نے ہونٹ چبا کر کہا۔ "ایسا ہے کہ اگر پنیر سے اس کا واسطہ پڑ جائے تو پنیر ہار مان لے اور دوبارہ دہی بن جائے۔"

اگلی صبح اخباروں میں چھپ گیا کہ خواتین نے حضرات کو تقریباً ڈیڑھ سو رنز سے شکست فاش دی۔

چشمی خاندان تین سو سال پرانا تھا۔ اس کا ثبوت خاندان کے افراد کے چہروں سے بھی ملتا تھا۔ وہ کسی دوسرے ملک سے آئے تھے' اور وہاں کسی اور ملک سے۔ لوگ قیاس آرائیاں کرتے کہ بھلا وہ وہاں سے یہاں کیوں آئے۔ میرا خیال تھا کہ ایسے لوگ کسی ملک میں زیادہ دیر نہیں قیام کر سکتے۔ مقامی باشندے تنگ آ جاتے ہیں۔ وہ چشمی کیوں کہلاتے تھے؟ یہ ایک راز تھا۔

خاندان کے سارے افراد کی تعداد دو ڈھائی درجن کے لگ بھگ تھی۔ لوگوں کی رائے تھی کہ وہ درجن بھر ہی کافی ہوتے۔ خاندان کے موجودہ سرکردہ ایک جہاندیدہ بزرگ تھے اور ان بزرگ کی سرکردہ چند جہاندیدہ خواتین تھیں۔

یوں دیکھنے میں وہ سب بڑے شرمیلے تھے' لیکن آپس میں ہرگز شرمیلے نہیں تھے۔ اس کا ثبوت ان متعدد شادیوں سے ملتا تھا جو چشمی خاندان میں ہوتی رہتیں۔ چشمی حضرات شروع شروع میں بڑے خلیق اور مہمان نواز ہوتے' لیکن بہت جلد سیکھ جاتے۔ چشمی بچے بہت خوبصورت ہوتے لیکن پھر بڑے ہو جاتے۔ وہ بچے جنہیں آزادانہ تعلیم دی جاتی کہ خود صلاحیتیں پیدا کر سکیں' خلاف توقع نامعقول نکلتے اور وہ بچے جنہیں ڈرا دھمکا کر پڑھایا جاتا' وہ بھی خلاف توقع نامعقول نکلتے۔ چنانچہ سارے چشمی بچے احمق تھے۔ بڑے چشمی اور بھی زیادہ احمق تھے کیونکہ ان کا وزن زیادہ تھا۔

ویسے چشمیوں میں کچھ اتنی زیادہ برائیاں بھی نہ تھیں' مصیبت یہ تھی کہ ان کی خوبیاں نہایت بیہودہ تھیں۔ شیطان کی عادت ہے کہ کسی نئی جگہ پہنچتے ہی ادھر ادھر دیکھتے ہیں اور سب سے عجیب و غریب کنبہ چن کر اس کے ساتھ ضرورت سے زیادہ سوشل ہو جاتے ہیں۔

جب یہ خبر مشہور ہوئی کہ وہ انجم چشمی عرف نُور چشمی پر عاشق ہونے کی کوشش کر رہے ہیں تو سارے دوست حیران ہوئے سوائے میرے۔ میں شیطان کی کسی بات پر حیران نہیں ہوتا۔

اس خاندان میں سب سے نمایاں شخصیت آشوب صاحب کی تھی۔ یوں تو وہ شاعر بھی تھے لیکن ان کی سب سے بڑی خصوصیت ان کی باتیں تھیں۔ متواتر ان تھک باتیں۔ مجموعی طور پر ان کی آواز بری نہیں تھی' بس وہ اسے ضرورت سے زیادہ استعمال کرنے کے عادی تھے۔ یہ استعمال فضول خرچی کی حد تک پہنچ چکا تھا۔ جب کبھی ان کے ہاں فون کیا جاتا آشوب صاحب کی آواز بیک گراؤنڈ میں ضرور سنائی دیتی۔

ان کے کمرے میں چھوٹی چھوٹی مونچھوں والے کئی حضرات ہر وقت بیٹھے رہتے۔ یہ حضرات آشوب صاحب کی طرح بے کار تھے۔ ان کا گزارہ بھی مکانوں اور دکانوں کے کرائے پر تھا۔ ان میں سے اکثر لوگ ایسے تھے جو کسی نہ کسی غرض سے آتے۔ قرض مانگنے' اپنی مصیبتیں سنانے' یا چشمی لڑکیوں کے رشتے کی درخواست کرنے۔

لیکن ہر ایک کو چشمی صاحب کی باتیں سننا پڑتیں۔ چنانچہ صبح شام' دن رات'

گرمی سردی، ملاقاتیوں اور باتوں کا تانتا بندھا رہتا۔ افواہ تھی کہ اگر وہ باتیں نہ کریں تو انہیں مالیخولیا ہو جاتا ہے۔ حقیقت یہ تھی کہ مالیخولیا کو وہ ہو جاتے تھے۔ ایک مرتبہ وہ تبدیلیٔ گفتگو کی غرض سے پہاڑ پر گئے۔ وہاں خواتین زیادہ تھیں، لٰہذا باتیں سننے والا کوئی نہ مل سکا۔ آشوب صاحب کو نروس بریک ڈاؤن ہو گیا۔

وہ طرح طرح کی مفید باتیں سناتے۔ مختلف شہروں کے زیادہ سے زیادہ اور کم سے کم ٹمپریچر بتاتے۔ یہ بتاتے سلفانمائیڈ دوائیاں مغلوں کے زمانے میں بھی استعمال ہوتی تھیں۔ لیکن بے خبری کے عالم میں۔ ایکس رے اور ریڈیم اشوک کے وقتوں میں دریافت ہو چکے تھے لیکن باقاعدہ استعمال انگریزوں کے کہنے پر شروع ہوا ہے۔ اگر شیخ سعدی اپنی سیاحت کے دوران میں ایک چکر نیوزی لینڈ کا لگا آتے تو جناب مشرقی ایشیا کی تاریخ بلکہ جغرافیہ مختلف ہوتا۔ حقّہ حضرت نوح علیہ السلام کے وقتوں کی چیز ہے۔ امرود میں وٹامن اے بی سے لے کر وائی زیڈ تک ہوتے ہیں۔ ہنری ہشتم نے ہشت شادیاں کیں لیکن کامیاب ایک بھی نہ ہوئی۔ ساتھ ساتھ وہ اپنے خواب بھی سناتے جو اکثر ان کے احباب کے متعلق ہوا کرتے۔ خوابوں میں زمین پھٹتی اور ان کا ایک دوست اندر سما جاتا۔ یا دیکھتے دیکھتے بجلی کڑکتی اور ان کے ایک دوست کے اوپر گر جاتی۔ یا ایک دیو آتا اور ان کے کسی دوست کو اٹھا کر دوڑ جاتا۔

جب وہ اپنے ڈراؤنے اور تباہ کن خواب چھوٹی چھوٹی مونچھوں والے حضرات کو سناتے تو ہمدردی کا اظہار بھی کرتے جاتے اور ایسی نگاہوں سے انہیں دیکھتے جیسے ان کی زندگی کے دن گنے گنائے رہ گئے ہیں۔ اب اللہ ہی حافظ ہے۔

ان کے پاس تھوڑی دیر بیٹھ کر مجھے یوں محسوس ہوتا جیسے بہت دیر سے بیٹھا ہوں۔ باتیں خواہ کتنی آہستگی سے کی جاتیں، انہیں سنائی دے جاتیں۔ بعض اوقات تو وہ خیالات تک سن لیتے۔

لیکن شیطان کا رویہ ان کے ساتھ از حد برخوردارانہ تھا۔ یوں معلوم ہوتا تھا جیسے دونوں کے خیالات صدیوں سے یکساں ہیں۔ ان کی ہر بات پر شیطان بڑی متانت سے جی ہاں کہتے۔ اکثر یہ جی ہاں فقرہ ختم ہونے سے پہلے کہہ دی جاتی۔ لوگوں کا خیال تھا کہ شیطان قرض کے سلسلے میں بہت کچھ برداشت کر لیتے ہیں۔ کچھ لوگ

کہتے کہ اس طرح انہیں نور چشمی پر لگاتار عاشق رہنے کے موقعے ملتے رہتے ہیں۔ بقیہ لوگوں کا خیال تھا کہ وہ محض مشق کر رہے ہیں۔ ان دنوں اور کسی سے واقفیت نہیں ہے اور وہ آؤٹ آف پریکٹس نہیں ہونا چاہتے۔ شیطان اس قسم کے تجربے کرنا کبھی بند نہیں کرتے جیسے خواتین اپنے کوٹ کے بٹن سردیوں میں کبھی بند نہیں کرتیں۔ مجھ سے وہ اکثر کہا کرتے: ”حالات اور بھی خراب ہو سکتے تھے۔ کیا ہوتا اگر میں اور تم چشمی ہوتے۔“

خالد اور شیطان کے درمیان کھنچاؤ یا تناؤ جو کچھ بھی تھا بدستور رہا۔ دونوں ایک دوسرے کے ساتھ کتابی قسم کے آداب برتتے۔ تصنّعات سے کام لیتے اور اکثر خاموش رہتے۔ آخر ایک روز شیطان بولے — ”خالد صاحب! آپ نہایت نامعقول قسم کے انسان ہیں۔“

”رُوفی صاحب‘ آپ نہایت بیہودہ شخص ہیں۔“ جواب ملا۔

اس کے بعد جو فقرے استعمال کیے گئے وہ ناقابل اشاعت تھے۔

پھر شیطان نے آگے بڑھ کر خالد کو اس زور سے گلے لگایا کہ ان کی جیب میں رکھے ہوئے دو سگار چور چور ہو گئے۔ ”بسم اللہ! بسم اللہ! — دیکھئے اب بے تکلف ہوئے ہیں۔“

لیکن شیطان انجم والے رومان سے کچھ زیادہ مطمئن نہیں تھے۔ انہوں نے ہمیں بتایا کہ زندگی میں انہیں ایک وسیع خلاء محسوس ہوتا ہے‘ ایسا خلاء جسے ایک رقیب ہی پُر کر سکتا ہے۔ کیا خبر تھی کہ زندگی میں ایسے دن بھی دیکھنے ہوں گے کہ ایک رقیب کے بغیر محبت کرنی پڑے گی۔ اس قسم کا یہ پہلا موقع تھا۔ کاش کہیں سے آتا‘ کوئی رقیب — محبت کے سہانے افق پر آہستہ آہستہ جلوہ نما ہوتا — یا تاریکیوں سے دفعتہً آن کودتا۔

اس سے پہلے بھی وہ رقیب کی خواہش کر چکے تھے۔ مجھ سے کہا تو میں نے معذوری ظاہر کی کہ میرے حالات ایسے ہیں کہ کم از کم سال بھر مجھے ایسے مخصوص سے دور رہنا پڑے گا۔ خالد سے پوچھا‘ وہ بولے کہ میں اس قدر تبدیل ہو چکا ہوں کہ مجھ میں اب رقیب بننے کی صلاحیت ہی نہیں رہی۔

شروع شروع میں ان کا معیار بلند تھا — سرد آہ کھینچ کر کہتے "دنیا بھر کو رقیب ملتے ہیں۔ اگر نہیں تو ہماری ہی قسمت میں نہیں۔ کاش کسی طرح آتا، کوئی رقیب۔ کیسا ہی ہو۔ خوبصورت اور معمولی دماغ کا، یا معمولی شکل والا اور ذہین۔ (آہستہ آہستہ معیار بدل گیا) موٹا یا بھدا رقیب۔ باتونی، عینک لگانے والا یا منشی فاضل۔ (آخر میں) زندہ ہو یا مردہ —"

اس سٹیج پر مقصود گھوڑے کو لایا گیا۔

مقصود گھوڑا ہوسٹل میں امن اور چین سے دن گزار رہا تھا۔ وہ ہمیشہ سچ بولتا، بڑوں کا ادب کرتا، سگریٹ پیتا نہ کوئی اور چیز۔ ہر روز علی الصبح اٹھتا اور رات کو جلد سو جاتا — الغرض وہ نہایت اعلیٰ، پاکیزہ اور پھیکی زندگی بسر کر رہا تھا۔ دفعتہً اس کے ماموں جان کو چند ماہ کے لیے کہیں جانا پڑا۔ انہوں نے مقصود گھوڑے کو اپنی کوٹھی کا چوکیدار مقرر کیا اور ہدایات دیں کہ وہ کوٹھی میں منتقل ہو جائے۔ گھر کا خیال رکھے — یہ انتقال فوراً عمل میں لایا جائے۔

پہلا ہفتہ تو ہوسٹل کے انداز میں گزرا۔ پھر بڑے بڑے آراستہ و پیراستہ کمرے، حریری پردے، ملائم قالین، گلدان میں سجے ہوئے معطّر پھول، جذباتی قسم کی تصویریں، ریڈیو سے نکلتے ہوئے پُرسوز نغمے — مقصود گھوڑے کے اعصاب پر سوار ہونے لگے۔

گھر، کار، تجوریاں — خدا کا دیا سب کچھ تھا لیکن مقصود گھوڑا خوش نہیں تھا۔ وہ دن بدن غمگین ہوتا گیا۔ آہیں بھرنے لگتا۔ کلاس میں بیٹھا بیٹھا ایسا کھو جاتا کہ پروفیسر بھی نہ پا سکتے۔ موقع بے موقع چاند کی طرف دیکھنے سے بھی نہ چوکتا۔ آخر ایک روز اس نے چاء پر عجیب سی گفتگو شروع کر دی، زندگی کے بے تکے پن پر — "یہ کیا ستم ہے کہ ہر روز مقررہ وقت پر اٹھو، شیو کرتے وقت اپنا چہرہ دیکھو، وہی چہرہ جو بار بار دیکھا ہے، جسے دیکھ کر تعجب ہوتا ہے کہ یہ کیا چیز ہے۔ ناشتہ کرو تو وہی ڈبل روٹی بمکالج جاؤ تو وہی لڑکیاں، دوپہر کے کھانے کے بعد ریڈیو پر وہی ریکارڈ، ایک اور ضروری اعلان، رات کو رات کا کھانا — زندگی میں کس قدر جمود ہے۔ ایک دن دوسرے دن

جیسا ہے' دوسرا تیسرے جیسا' تیسرا چوتھے جیسا' چوتھا ـــــ"

"تم اس جمود کو توڑتے کیوں نہیں۔" شیطان بولے ـــــ "صبح اٹھ کر رات کا کھانا کھایا کرو' پھر قیلولہ کرو' سہ پہر کو کالج جایا کرو' وہاں غسل کرو اور سنگل روٹی کا ناشتہ۔ حجام سے شیو اکراؤ اور حجام کا شیو خود کرو ـــــ"

"آہ تم سمجھے نہیں ـــــ اس جمود کی وجہ تنہائی ہے۔" مقصود گھوڑا آسمان کی طرف دیکھ کر بولا ـــــ ہم سمجھ چکے تھے۔

چنانچہ اسی شام کو ایک نجومی آیا۔ ویسے ہمیں کسی نجومی کی ضرورت نہیں تھی کیونکہ جس قسم کی زندگی ہم گزار رہے تھے' اس کے لیے نجوم بیکار تھا' لیکن مقصود گھوڑے کی قسمت پوچھی گئی۔ نجومی نے شیشے کے گولے کو سامنے رکھ کر ایسی زبان میں باتیں شروع کیں جیسے برما' ملایا اور چین کے سننے والوں کے لیے ریڈیو کا پروگرام ہوتا ہے۔ پھر وہ عام فقرے استعمال کرنے لگا ـــــ "اب دھند صاف ہو رہی ہے۔ وہ سامنے امریکن کار جا رہی ہے۔ وہ دیکھئے اس کا اگلا حصہ گزر رہا ہے ـــــ اب درمیان کا حصہ گزرا ـــــ اور اب آخری ـــــ لیجیے پوری کار گزر گئی ـــــ ریڈیو نما کوٹھی کے سامنے آکر رکی ـــــ یہ کون اتر رہا ہے؟ یہ چہرے پر کیا الابلا پہنے ہوئے ہے ـــــ ٹانگے کا گھوڑا معلوم ہوتا ہے ـــــ افوہ یہ تو سہرا باندھے ہوئے ہے ـــــ اب دھند چھا رہی ہے۔ جتنی دیر دھند صاف ہو مجھے ایک سگریٹ دیجیے ـــــ اور یہ کون ہے؟ ایک لڑکی آئینے کے سامنے کھڑی بھوئیں اکھیڑ رہی ہے ـــــ سامنے ایک نوجوان اپنی مونچھیں تیز کر رہا ہے ـــــ اب وہ سرمے سے بھویں بنا رہی ہے ـــــ ارے! وہ نوجون تو یہی ہیں۔" اس نے مقصود گھوڑے کی طرف اشارہ کیا۔ (انجم بھویں اکھیڑتی تھی)۔

رات گئے وہی شخص شیطان سے پچپن روپے مانگنے آیا۔ شیشے کا وہ گولہ CRACK ہو گیا تھا۔

ہمیں کسی نے بتایا کہ چشمی بیمار ہیں' ہم عیادت کو گئے تو دیکھا کہ وہ بے حد زندہ ہیں اور گلیڈ سٹون کو برا بھلا کہہ رہے ہیں۔ بیگم چشمی نے حسب معمول خالد کو نہیں پہچانا۔ خالد نے حسب معمول انہیں یاد دلایا۔ "ایک چھوٹی سی کار میں وہ ایک روز بازار گئی تھیں جہاں انہوں نے مشین پر اپنا وزن بھی کیا تھا (وزن کے کارڈ پر قسمت یہ

لکھی تھی۔ آپ کا محبوب آپ کے لیے تڑپ رہا ہے)۔ موٹر کی اگلی سیٹوں پر ایک تو ڈرائیور تھا اور سفید قمیض پہنے ہوئے ایک شخص ـــــ "ہاں یاد ہے۔" وہ بولیں۔ "وہ شخص میں تھا ـــــ"

چشمی ڈاکٹروں کی برائیاں کرنے لگے ـــــ "پہلے انہوں نے میرے گلے کے غدود نکالے، پھر ٹانسل، پھر نصف سے زائد دانت، پھر اپینڈکس۔ اگر ان کی بتائی ہوئی ہدایات پر عمل کرتا تو کبھی کا سدھار چکا ہوتا ـــــ اپنے رخصت شدہ اعضاء سے ملنے۔"

"آپ مری کیوں نہیں جاتے؟"

"کیا مطلب ـــــ ؟" چشمی چمک کر بولے۔

"جی میرا مطلب ہے کوہ مری ـــــ" خالد نے وضاحت کی۔

"اوہ ـــــ"

جس وقت ریڈیو پر "خونِ دل پینے کو اور لختِ جگر کھانے کو۔" ہو رہا تھا تو خالد ایک موٹے تازے بچے کو للچائی ہوئی نظروں سے دیکھ رہے تھے۔ بچے کو فوراً اندر بھجوا دیا گیا۔

"اس بچے کا نام کیا تھا؟" خالد نے پوچھا۔

"لطیف۔"

"اور اس کا ـــــ ؟" خالد نے ایک نہایت ہونّق بچے کی طرف اشارہ کیا۔

"شکیل۔"

"اور وہ ـــــ ؟" سامنے ایک بے وقوف سی بچّی بیٹھی تھی۔

"فہمیدہ۔"

"ہم لوگ نام رکھنے میں بہت جلدی کرتے ہیں۔ میرے خیال میں آٹھ دس سال کی عمر سے پہلے نام نہیں رکھنے چاہئیں۔ اس کے بعد بچے کی شکل و صورت، حرکتیں وغیرہ دیکھ کر فیصلہ کیا جائے۔"

"اور اتنی دیر تک ـــــ اتنے دنوں انہیں نمبروں سے پکارا جائے ـــــ ؟" چشمی صاحب چڑ کر بولے۔

"جی نہیں عارضی نام دے دیئے جائیں۔"

چشمی صاحب اٹھ کر دوسرے کمرے میں چلے گئے جہاں چھوٹی چھوٹی مونچھوں والے کئی حضرات ان کے منتظر تھے۔

اگر آپ کو کوئی ایسا انسان نظر آئے جو تندہی سے اپنے کام میں مشغول ہو' پھر ریل کی سیٹی یا موٹر سائیکل کی آواز سن کر اسے دورہ سا پڑ جائے اور وہ سب کچھ چھوڑ چھاڑ کر آواز کی سمت میں ٹکٹکی باندھ کر دیر تک دیکھتا رہے تو سمجھ لیجیے کہ آپ نے مقصود گھوڑے کو دیکھا ہے۔ وہ نہایت کم گو اور خاموش طبیعت ہے۔ اس لیے کہ اسے باتیں کرنی نہیں آتیں۔ آپ اس سے کوئی سوال کیجیے۔ وہ آپ کو کسی اور سوال کا جواب دے گا۔ ضدی اتنا ہے کہ ہمیشہ اسی طرح کرے گا جس طرح اس کا جی چاہے۔ اگر اسے منع کیا جائے تو کہیں اور جا کر اسی طرح کرے گا۔ پہلے لوگوں کا خیال تھا کہ وہ رقیق القلب ہے لیکن بعد میں معلوم ہوا ہے کہ رقیق القلب ہونا تو ایک طرف رہا اسے اس لفظ کے ہجے تک نہیں آتے۔ البتہ وہ قنوطی ضرور ہے۔ قنوطی بھی ایسا کہ جب صبح صبح لوگوں کی گھڑیوں میں آٹھ بجتے ہیں تو اس کی گھڑی میں شام کے آٹھ ہوتے ہیں۔

"پتہ نہیں؟" اور "ہو سکتا ہے ــــ" اس کا تکیہ کلام تھا یا تھے۔ لوگوں کا خیال تھا کہ وہ زبردست ڈپلومیٹ ہے لیکن شیطان کہا کرتے کہ وہ ان لوگوں میں سے تھا جنہیں سچ مچ کچھ بھی پتہ نہیں اور جن کے لیے واقعی سب کچھ ہو سکتا ہے۔ جو دوگانۂ شکر کو وہ پیار بھرا گانا سمجھتے ہیں جسے ایک لڑکا اور ایک لڑکی مل کر گائیں۔

وہ پُرسوز گانے گایا کرتا۔ ہمیشہ درخت یا پودے یا کسی چیز کی آڑ لے کر تا کہ اگر اس کی طرف کچھ پھینکا جائے تو اسے نہ لگے۔ اس سوز کی وجہ کوئی ٹریجڈی تھی جو اس کی زندگی میں آئی۔ ٹریجڈی کی وجہ ایک لڑکی ہی ہو سکتی ہے' چنانچہ اس حادثے کے بعد اس نے کسی لڑکی کی طرف نہیں دیکھا' یا کم از کم زیادہ دیر تک نہیں دیکھا۔

ہمارا زیادہ وقت اس کی پُر تکلف کوٹھی میں گزرتا۔ اس کے ماموں کی کار کو لیے پھرتے۔ اس کی لائبریری کی ساری جاسوسی کتابیں ہمارے لیے تھیں۔ اس کے پیانو پر شیطان ایک عجیب و غریب راگنی بجاتے۔ خالد نے بتایا کہ وہ مصری اساوری

تھی۔ انہوں نے صحراؤں میں بارہا ساربانوں کو یہی چیز گاتے سنا تھا۔ البتہ دور سے یہ پتہ چلانا مشکل تھا کہ کون گا رہا ہے؟ ساربان یا اونٹ؟ یا دونوں؟

اس سارے شور و غل کے باوجود مقصود گھوڑا اداس رہتا۔ کبھی وہ اپنے آپ کو ازلی کنوارا سمجھتا' کبھی ابدی کنوارا۔ خالد مشورہ دیتے کہ فوراً شادی کر لو۔ اس ملک میں کنوارا رہنا بہت مشکل ہے۔ جو یہاں پیدا ہوتا ہے' اس کی ہتھیلی پر شادی کی لکیر سب سے پہلے آتی ہے۔ اگر تم سوشل ہوئے تو لوگ شبہ کریں گے کہ لفنگے ہو اور اگر الگ تھلگ رہے تب بھی لوگ شبہ کریں گے کہ لفنگے ہو۔

مقصود گھوڑا دوسرے ملکوں کی مثال دیتا جہاں لاتعداد کنوارے اطمینان اور چین کی زندگی بسر کر رہے ہیں۔

"وہاں کی بات اور ہے۔ ان لوگوں کے مشاغل بے شمار ہیں۔ بھلا تمہارا کیا مشغلہ ہے؟"

"میں ہاکی کھیلتا ہوں۔" حقیقت یہ تھی کہ وہ ہاکی نہیں کھیلتا تھا۔ ہاکی اسے کھیلتی تھی۔

"یہ کوئی مشغلہ نہیں۔ اور پھر وہاں لوگ اس قدر مصروف رہتے ہیں کہ انہیں افواہیں سننے یا پھیلانے کی فرصت نہیں ہوتی۔ ادھر افواہیں ہماری زندگی کے چند گنے گنائے مشغلوں میں سب سے اہم ہیں۔ یہی ہماری محبوب ترین تفریح ہے۔ وہ لوگ کم گو ہیں۔ ان کے مرغے ایک دفعہ کاک اے ڈوڈل ڈو کہہ کر چپ ہو جاتے ہیں۔ ہمارے مرغوں کی طرح دن رات ککڑوں کوں نہیں کرتے۔ مجال ہے کہ غیر ملکی الّو دو تین دفعہ سے زیادہ ٹُووِٹ ٹُووو کہے۔ ادھر سودیشی الّو ہیں کہ رات بھر وہ ہاؤ ہو مچاتے ہیں کہ بس توبہ ہی بھلی۔ اور قنوطیوں کے لیے تو شادی بڑی ضروری ہے۔ جب تک اپنی بیزاری' اپنا رنج و غم کسی اور کے سر بھی نہ منڈھا جائے' زندگی کا لطف نہیں آتا۔ اگر تم نے دو تین برس اور اسی طرح گزار دیئے تو وہ وقت مری جان بہت دور نہیں ہے جب لوگ تم سے بھاگیں گے۔ دوست کترانے لگیں گے۔ ملک بھر میں ہر گھر تمہارے لیے آؤٹ آف باؤنڈ قرار دیا جائے گا۔ جہاں جاؤ گے علیک سلیک کے بعد یہ معلوم کرنے کی کوشش کی جائے گی کہ تمہاری تشریف آوری کا مقصد کیا ہے۔

بوڑھے ہو جاؤ گے تو تمہارے بھتیجے اور بھانجے تمہاری جائیداد کو بڑی محبت بھری نگاہوں سے دیکھیں گے اور نہایت خلوص سے تمہارے انتقالِ پُرملال کی دعائیں مانگیں گے۔"

مقصود گھوڑا بہت گھبراتا۔ آخر اسی گھبراہٹ میں اس نے اپنی زندگی کی ٹریجڈی سنادی جو بالکل ویسی ہی تھی جیسی اکثر زندگیوں کی ٹریجڈیاں ہوتی ہیں۔ بھلا وہ اپنی پہلی اور سچی محبت کو کیونکر بھول جاتا؟

"زندگی کی پہلی اور سچی محبت کا علاج زندگی کی دوسری سچی محبت ہے۔" خالد نے اسے بتایا۔ آخر مقصود گھوڑے نے ہتھیار ڈال دیئے اور اپنے رشتہ داروں کو مطلع کر دیا کہ وہ شادی کرنا چاہتا ہے۔

اس کے بعد مقصود گھوڑے کو اس مقابلے کا سامنا کرنا پڑا جو اس ملک میں تقریباً ہر نوجوان کو کرنا پڑتا ہے۔ اس مقابلے کے تین راؤنڈ ہوتے ہیں۔

پہلے راؤنڈ میں مقصود گھوڑے کی کزن آئیں۔ چچازاد' ماموں زاد اور پھوپھی زاد بہنیں' کنبے بھر کے پُرشفقت فقرے' بزرگوں کی نصیحتیں اور الٹے سیدھے جذبات۔ ایک دو لڑکیاں خاصی تھیں' لیکن یہ راؤنڈ کنبوں کا کنبوں کے ساتھ تھا۔ لہٰذا نہ کزنوں نے مقصود گھوڑے کی قدر کی اور نہ اس نے ان کی۔ ہم نے اسے بتایا کہ ایسی شادیاں دیرپا نہیں ہوتیں۔ فریقین بہت جلد بے پروا ہو جاتے ہیں۔ لڑکے اپنے لباس' حجامت اور رویے کا خیال نہیں رکھتے۔ ادھر لڑکیاں موٹی ہو جاتی ہیں۔ یہ سب تب درست ہو گا جب لڑکیاں اور لڑکے اقتصادی طور پر آزاد ہو جائیں گے۔ پھر ایک دوسرے کو جیتنے کے لیے رشتہ داری کی جگہ خوبیوں اور صلاحیتوں کی ضرورت ہو گی۔ مقابلہ دوہرا ہو گا۔ اس لیے انتخاب سے پہلے اپنے آپ کو اس قابل بنانا ہو گا۔ چونکہ اقتصادی آزادی میں ابھی کافی دیر ہے' اس لیے مقصود گھوڑا پہلا راؤنڈ جیت گیا۔

دوسرے راؤنڈ میں دور کی رشتہ دار لڑکیاں آئیں۔ خالہ کی چچازاد بہن کے نواسے کی چچی کی قسم کی لڑکیاں۔ شیطان فوراً پنسل لے کر حساب لگاتے۔ جواب ہمیشہ بالکل غلط نکلتا۔ لڑکی یا تو برخوردار ہوتی یا بے حد بزرگ۔ ایک لڑکی تو تحقیقات کے بعد پوتی نکلی۔ شیطان بولے: "اس سے شادی تبھی کر سکتے ہو' جب تم خود اپنے پوتے ہو۔"

ادھر مقصود گھوڑے کو کوئی پوچھتا ہی نہ تھا۔ سب اس کے والدین اور خاندان کی باتیں کیا کرتے تھے ــــ یہ راؤنڈ بھی مقصود گھوڑے کا رہا۔

تیسرے راؤنڈ میں ''رشتے کی فوری ضرورت'' کے عنوان سے اشتہار دیئے گئے جواب آئے، لیکن ان میں سے زیادہ ایسے تھے جو لڑکوں نے شرارتاً بھیجے تھے۔ ان میں سے کئی کو تو ہم نے پہچان بھی لیا۔ وہ اس شغل کو بطور تفریح کیا کرتے اور اسی طرح قسم قسم کی تصویریں جمع کیا کرتے۔ بقیہ خطوط پر ہمیں شبہ ہو گیا۔

''یہ جو لوگ ہر وقت کہتے رہتے ہیں کہ ــــ اپنے ملک میں سب کچھ ہے پیارے ــــ ایسی اچھی لڑکیاں مل سکتی ہیں۔ کہاں ہیں وہ سب لڑکیاں ــــ ؟'' مقصود گھوڑے نے تیسرے راؤنڈ کی طوالت سے تنگ آ کر پوچھا۔

''ویسے میں کئی حسین و جمیل لڑکیوں کو جانتا ہوں۔'' شیطان بولے۔ ''یہ دوسری بات ہے کہ فی الحال وہ دوسروں کی بیویاں ہیں ــــ اور ــــ''

''لیکن ؟''

''جب میں ٹوک رہا ہوں مت بولا کرو ــــ دراصل ہم نے اشتہار غلط دیئے ہیں کہ خاوند کے لیے بیوی کی ضرورت ہے۔ مقصود جیسا بیزار نفس اور صلح پسند انسان تو کسی عورت کی بیوی زیادہ اچھی طرح بن سکے گا۔'' شیطان نے بتایا۔

ہم مقصود گھوڑے کو لے کر چشتی صاحب کے ہاں گئے۔ وہ قطب الدین ایبک پر خفا ہو رہے تھے کہ پولو جیسا خطرناک کھیل مار کوپولو جیسے انسان سے کیوں سیکھ لیا اور مار کوپولو سے انہیں یہ گلہ تھا کہ بالا بالا چین کی طرف نکل گیا اور لاہور نہ آیا۔

تعارف ہوا۔ چشتی صاحب نے فرمایا کہ مقصود نامکمل سا نام ہے۔ اس کے ساتھ اور ناموں کی طرح کوئی اضافت ہونی چاہیے۔ بلبل زئی' جائے نمازی قسم کی۔

''جی یہ اسپی ہیں۔'' خالد بولے۔

''اسپی کون لوگ ہوتے ہیں؟''

''ان کا شجرہ ارپ ارسلان سے جا ملتا ہے۔''

''مجھے ارپ ارسلان بالکل ناپسند ہے۔ خاص طور پر اس کی سیاسی غلطیاں ــــ

اور برخوردار تم کیا کرتے ہو؟"

"جی کالج میں چھٹا یعنی آخری سال ہے۔"

"اچھا تو طالب علم ہو۔ اور تمہارے مشاغل کیا ہیں؟"

"ہاکی کھیلتا ہوں۔"

"یہ کوئی مشغلہ نہیں۔ مشغلے اور ہوتے ہیں۔ مثلاً دوسرے ملکوں کے ٹکٹ جمع کرنا۔ تتلیوں کے پر اکٹھے کرنا۔ میری لڑکی انجم نے طرح طرح کی تتلیاں پکڑی ہیں۔ پڑوس میں ایک بوڑھا انگریز رہتا ہے۔ وہ اپنے فرصت کے لمحات تتلیاں پکڑنے میں صَرف کرتا ہے اور اس جیسا مسرور انسان میں نے نہیں دیکھا۔ انجم نے اس ہی دیکھ کر تتلیاں پکڑنی شروع کی تھیں۔ اس میں کوئی شبہ نہیں کہ انجم درجن بھر لڑکوں سے زیادہ عقلمند ہے اور اسے سب کچھ میں نے سکھایا ہے۔ اپنی زندگی میں مَیں نے کیا کچھ نہیں دیکھا۔ اگر اپنی سوانح عمری لکھوں تو امریکہ والے اس کی فلم بنانے کو تیار ہو جائیں۔ اور یہ سب کچھ تقدیر سے ملا۔ یہ تقدیر ہی تھی کہ ـــــ"

"تقدیر کی جگہ کوئی اور لفظ استعمال کیجیے۔ میں اس کا قائل نہیں۔" خالد بولے۔

چشمی صاحب نے ایک لمبی تقریر کی جس میں تقدیر کے معنی' اس کی اہمیت اور فوائد بتائے۔

خالد نے کہا "شاید آپ کو یاد ہو۔ آپ کا ایک چھوٹی مونچھوں والا دوست آپ کے پاس خوشبوئیں لایا کرتا تھا۔ اس نے خوشبوؤں کا نیا نیا کاروبار شروع کیا تھا اور وہ حوصلہ افزائی کا خواہاں تھا۔ آپ خوشبو سونگھ کر کہا کرتے کہ مجھے تو خاک پتہ نہیں چلتا کہ شیشی میں کیا ہے۔ ایک مرتبہ آپ نے عطر حناء درجہ اول کے متعلق فرمایا تھا کہ شیشی سے تربوز کی بو آرہی ہے۔ اس نے خوشبوؤں کو بہتر بنانے کی بہتیری کوشش کی۔ آخر اس قدر بیزار ہوا کہ کاروبار چھوڑ کر بھاگ گیا۔ قصور اس کی قسمت کا نہیں تھا۔ آپ کے نزلے زکام کا تھا جو آپ کو ہر وقت رہتا ہے' اور آپ کچھ بھی نہیں سونگھ سکتے۔ پرانے زمانے میں ہماری فوجوں کے پاس مُڑی ہوئی تلوار کی جگہ سیدھی یورپین تلوار ہوتی تو آج حالات مختلف ہوتے۔ مڑی ہوئی تلوار سے دشمن کو دھادھم کوٹا

جاسکتا ہے، لیکن سیدھی تلوار والی چستی اور پھرتی ہرگز نہیں آتی۔"

چشمی صاحب خفا ہونے لگے۔

"آپ بہت جلد خفا ہو جاتے ہیں۔ اس کی وجہ بھی مجھے معلوم ہے۔ شاید آپ نہیں جانتے کہ آپ کا کتا بے حد زود رنج اور چڑچڑا ہے۔ بات بات پر بھونکنے لگتا ہے۔ آپ کی بلی خود غرض اور ایذا پسند ہے۔ رات بھر دھاڑیں مار مار کر روتی ہے۔ کتے بلیاں ایک کنبے پر کس قدر اثرانداز ہوتے ہیں، اس کا علم شاید آپ کو نہیں۔ پالتو جانوروں کی خصلت کنبے کے افراد کے تحت الشعور پر اثرانداز ہوتی ہے۔ ایک تندرست کتا، ایک خوش طبع بلی، گھر کی مسرتوں میں اضافہ کرتے ہیں۔ اسی طرح ذرا سی غلطی سے کئی زندگیاں تباہ ہو سکتی ہیں۔ تعجب ہے کہ ہم لوگ اس طرف ذرا بھی توجہ نہیں دیتے۔ ذرا اپنے کتے بلی کو لائیے تو سہی۔ میں نے مشرق وسطیٰ میں جانوروں کا نجوم اور قیافہ شناسی سیکھی ہے۔"

کتا بلی لائے گئے۔ خالد نے دونوں کے پنجے دیکھے۔ پھر ان کے ناموں کے الفاظ کو کاغذ پر لکھ کر حساب لگایا اور افسوس سے سر ہلایا۔ "کتے پر زُحل کا سایہ ہے۔ یہ شہرت کا خواہشمند ہے۔ اس گھر میں اسے شہرت نہیں ملے گی، چنانچہ یہ خونخوار بن جائے گا۔ بلی کی قسمت کی لکیر غائب ہے۔ اس کا ستارہ گردش میں ہے۔ آپ ان دونوں کو کہیں دور بھجوا دیں۔ کل تک ایک تندرست کتا اور ایک ہشاش بشاش بلی آپ کے ہاں پہنچ جائے گی۔ پھر دیکھئے کہ کتنا فرق پڑتا ہے اور یہ بہت سی خالی بوتلیں کیسی ہیں؟"

چشمی صاحب نے مشکل سی زبان میں ایک بیماری کا نام لیا جس سے جوڑوں میں درد ہو جاتا ہے۔

"یہ بیماری مجھے پیدائش سے ہے۔ اپنے جوڑوں کو باقاعدہ استعمال نہیں کر سکتا۔ آج تک کبھی تیز نہیں چل سکا۔ حسرت ہی رہی۔"

"مجھے بھی یہی بیماری تھی لیکن مشرق وسطیٰ کے ایک تیر بہدف نسخے نے اسے غارت کر دیا۔ اس کی دوائی کتے بلی کے ساتھ بھجوا دوں گا۔"

مقصود گھوڑے نے ایک چھوٹا سا جال خریدا اور بڑے جوش و خروش سے

تتلیاں پکڑنی شروع کر دیں۔ اُدھر بوڑھا انگریز نکلتا اِدھر مقصود گھوڑا منتظر ہوتا۔ وہ آگے آگے، یہ پیچھے پیچھے۔ گھنٹوں یہی شغل رہتا۔ اکثر یہ تعاقب بے سود ثابت ہوتا۔ کبھی کبھی ایک دو تتلیاں جال میں آجاتیں تو مقصود سوچنے بیٹھ جاتا کہ اب ان کا کیا کروں۔ پھر میں نے صبح صبح عجب روح پرور نظارہ دیکھا۔ چشتی سرپٹ بھاگے جا رہے ہیں اور پیچھے پیچھے وہی خالد کا ارسال شدہ کتا ہے۔ مجھے دیکھ کر کتے نے بریکیں لگائیں اور فوراً رک گیا۔ چشتی دور دور تک ویسے ہی بھاگتے چلے گئے۔ آواز دے کر بلایا۔ انہوں نے شکریہ ادا کیا اور شکایت کی کہ یہ حادثہ آج ساتویں مرتبہ ہوا ہے۔ جونہی وہ صبح باغ کا رخ کرتے ہیں یہ نامعقول کتا فوراً بھونکتا ہوا کاٹنے کو دوڑتا ہے اور دوڑ لگتی ہے۔ حتی کہ کتا تھک جاتا ہے۔ ادھر وہ کم بخت بلی دودھ اور بالائی کی دشمن بن گئی ہے۔ چار چار قفل لگادو، لیکن وہ کسی نہ کسی طرح چٹ کر جاتی ہے۔"

"اور وہ آپ کے جوڑوں کا درد؟"

وہ کچھ دیر تک سوچتے رہے پھر بولے: "افوہ! یہ تو خیال ہی نہیں رہا کہ درد کی وجہ سے چلنا پھرنا محال ہونا چاہیے۔"

ایک کیفے میں انجم کا مقصود گھوڑے سے تعارف کرایا گیا۔

شیطان نے انجم سے کہا: "تمہاری زلفیں حکم کے یکے جیسی سیاہ ہیں بلکہ کچھ زیادہ ہی سیاہ ہیں۔"

"آپ بہت اچھے معلوم ہو رہے ہیں۔"

"تم بھی کچھ ایسی بری نہیں لگ رہیں۔"

شیطان اور انجم اس انداز سے ایک دوسرے کو دیکھ رہے تھے کہ آس پاس بیٹھے ہوؤں کو گھر یاد آنے لگا۔ حالانکہ وہاں بیشتر لوگ ایسے تھے کہ اگر وہ گھر میں ہوتے بھی تب بھی ایسا نظارہ میسر نہ آتا۔

مجبوراً انجم کا مقصود گھوڑے سے دوسری مرتبہ تعارف کرایا گیا تو اس کی کار کا بھی ذکر ہوا۔ کار کا ذکر سنتے ہی انجم چونکیں۔

"کون سا ماڈل ہے؟" ماڈل بتانا تھا کہ وہ مقصود گھوڑے کے ساتھ جا بیٹھیں۔

الغرض پورے ساڑھے پانچ بجے انجم مقصود گھوڑے کی زندگی میں داخل ہوئیں۔

وہ دونوں ساتھ ساتھ بیٹھے کار کے متعلق باتیں کر رہے تھے۔ ذرا سی دیر میں وہ بھول گئے کہ وہاں کوئی اور بھی بیٹھا ہے۔ صرف مقصود گھوڑا اور انجم رہ گئے ــــــ اور کار ــــــ !

اگلی صبح مقصود گھوڑے نے شیو کرتے وقت برش کئی مرتبہ چاء کی پیالی میں ڈبویا اور حجامت کے گرم پانی کا پیالہ اٹھایا۔ پھونک مار کر صابن کے جھاگ ہٹائے اور چند گھونٹ بھرے۔ اسے کئی چرکے بھی لگے جن سے خون نکالنا اسے یاد نہ رہا۔

کچھ عرصے کے بعد اس نے ڈرتے ڈرتے انجم کے سامنے اپنے جذبات کا اظہار کیا۔ انجم نے سب کچھ سن کر ایضاً کہا اور بتایا کہ انہیں بھی اس سے سو فیصدی اتفاق ہے لیکن وہ ابھی فیصلہ نہیں کر سکتیں اور اگلے روز سہ پہر کو انہیں کار کی ضرورت ہو گی۔

مقصود گھوڑے کی زندگی میں انقلاب آ گیا!

اب اس کا روزانہ پروگرام حسب ذیل تھا ــــــ

علی الصبح اٹھ کر تتلیاں پکڑنا۔ پھر کالج اور سہ پہر کو انجم سے اظہار محبت کر کے یہ جواب لینا کہ وہ ابھی فیصلہ نہیں کر سکتیں اور اگلے سہ پہر کو انہیں کار چاہیے۔ دوبارہ تتلیاں پکڑنا۔ شام کو سوچتے رہنا کہ پکڑی ہوئی تتلیوں سے کیا سلوک کیا جائے۔

خالد نے بتایا کہ کتے نے چشمی صاحب کے جوڑوں کے درد کا مکمل علاج کر دیا ہے۔ بلکہ بھاگ کر اب کتے کے جوڑوں میں درد شروع ہو گیا ہے۔ بلی نے دودھ اور بالائی پر ہلہ بول کر چشمی خاندان کی تین ضرورت سے زیادہ موٹی خواتین کو دبلا کر دیا ہے۔ اب وہ تینوں قدرے خوبصورت ہو گئی ہیں۔ ان میں انجم بھی ہے۔ چشمی صاحب کے الٹے سیدھے خواب ختم ہو چکے ہیں۔ ان کے ہاضمے کا فتور بھی رفع ہو چکا ہے۔ خالد کی بھیجی ہوئی تیر بہدف دوائی دراصل ہاضمے کا CARMINATIVE مکسچر ہے۔

لیکن خالد اور چشمی کی زبردست ڈوئل ہوئی۔

ہم چشتی کے ہاں چاۓ پر مدعو تھے۔ وہ اپنے دوستوں اور عزیزوں کی مدح سرائی کر رہے تھے۔ ان مخلص اور جاں نثار رفیقوں کو انہوں نے ایک ایک کر کے چنا تھا۔ اپنے عزیزوں کو ایک ایک کر کے سدھایا تھا۔ اب ان کی زندگی کا سرمایہ یہی لوگ تھے۔ قسمت دغا دے سکتی تھی مگر یہ لوگ قابل اعتماد تھے۔ پھر انجم کی تعریفیں ہونے لگیں۔ مقصود گھوڑے نے فوراً تتلیوں کا ذکر چھیڑ دیا کہ وہ ہر روز تتلیاں پکڑتا ہے اور یہ مشغلہ اس کی زندگی میں متعدد خوشگوار تبدیلیاں لے آیا ہے۔ مگر وہ بوڑھا انگریز تو یونہی بے وقوف سا ہے۔ معلوم ہوتا ہے کہ اسے اور کوئی کام ہی نہیں۔ اس عمر میں ایسا مشغلہ کتنا عجیب سا معلوم ہوتا ہے۔

''وہ بے وقوف نہیں آرٹسٹ ہے۔ تتلیوں کے پروں کے ڈیزائن چن کر وہ انگلستان کی ایک مشہور کپڑے کی فرم کو بھیجتا ہے۔ کمپنی نے اسے صرف اسی لیے ملازم رکھا ہے۔'' خالد نے بتایا۔

''ممکن ہے یہ سب فراریت ہو۔ بھلا بوڑھوں کو رنگین چیزوں سے کیا واسطہ؟'' چشتی نے محض بحث شروع کرنے کے لیے کہا۔

''ہو سکتا ہے کہ فراریت ہو' لیکن فراریت کہاں نہیں؟ مذہب' آرٹ' موسیقی'— سب فراریت ہے۔ ہم بھوک سے فرار ہونے کے لیے کھانا کھاتے ہیں۔ ازلی تنہائی سے فرار ہو کر دوست بناتے ہیں' شادی کرتے ہیں۔ جانوروں کی طرح ریوڑوں میں رہنا ہم نے اسی سلسلے میں اختیار کیا اور پھر زندگی بھی تو فرار ہے' اس حالت سے جو زندگی سے پہلے چھائی ہوئی تھی۔'' خالد نے جواب دیا۔

''زندگی کو تم فرار بتاتے ہو۔ لاحول ولا۔ زندگی تو جدوجہد ہے۔ مستقل جدوجہد— یہ عمل چاہتی ہے۔ عمل اور فرار دو متضاد چیزیں ہیں۔ میری زندگی کو لو' اس کا ایک ایک لمحہ میں نے خود ترتیب دیا ہے۔ مجھے یقین ہے کہ اگلی زندگی بھی ایسی ہی اعلیٰ ہوگی۔''

''اگلی وگلی زندگی کچھ نہیں ہوگی۔ بس یہی ایک زندگی ہے۔ موت کے بعد وہی کچھ ہو سکتا ہے جو پیدائش سے پہلے تھا' یعنی نامعلوم۔ آپ کو اپنی پیدائش سے پہلے کا کوئی واقعہ یاد ہے؟ آپ چشتی ہیں کیونکہ آپ اتفاق سے ایسے خاندان میں پیدا ہوئے جو

چشمی کہلاتا تھا۔ آپ جاپانی بھی ہو سکتے تھے یا جنوبی امریکہ کے کسی ہوٹل میں ڈھول بجانے والے بھی۔"

"ایسے خیالات تو صرف دہریوں کے ہو سکتے ہیں، جنہیں مذہب سے کوئی سروکار نہ ہو۔" چشمی حقارت سے بولے۔

"شاید آپ نے سنا ہو گا کہ ایٹم کی نئی تھیوری کے مطابق انسان زمین کا ایک بہت بڑا حصہ تباہ کر سکتا ہے۔ اگر یوں ہو جائے تو چاند کی کشش پر اثر پڑے گا اور چاند اس نظام سے نکل کر کسی سیارے سے ٹکرائے گا یا کسی دوسرے نظام میں شامل ہو جائے گا۔ یعنی انسان چاہے تو نظام شمسی بدل سکتا ہے۔ پھر نہ چاندنی راتیں ہوں گی اور نہ یہ چاند زدہ شاعری (آشوب چشمی بھی اسی قسم کے شاعر تھے)۔ ممکن ہے نظام شمسی خود بدل جائے کیونکہ سورج بڑی تیزی سے ٹھنڈا ہوتا جا رہا ہے۔ اندازہ لگایا گیا ہے کہ گیارہ کھرب سال تک بالکل سرد ہو جائے گا۔"

"اچھا؟" چشمی صاحب کرسی سے اچھل پڑے۔ وہ ڈر گئے تھے۔ "کیا کہا کتنے عرصے میں؟"

"گیارہ کھرب سال۔"

"اوہ!" وہ مسکراتے ہوئے بولے: "میں سمجھا گیارہ ارب سال۔"

"اور پھر دنیا کے سب مذہب بخشش کا وعدہ کرتے ہیں۔ ان کروڑوں انسانوں کا کیا حشر ہو گا جو مذہب سے پہلے اس کُرے پر آباد تھے یا وہ جو دنیا سے بے خبر دور دراز گوشوں میں رہتے ہیں جہاں کوئی بھی مذہب نہیں پہنچا۔"

"لیکن تمام مذاہب کے قوانین ایک سے ہیں۔ نیکی' بدی' گناہ' سزا' ہر دماغ انہیں سمجھ سکتا ہے۔ یہ ضروری تو نہیں کہ کسی کتاب میں لکھ کر پیش کیا جائے۔" چشمی بولے۔

"مگر دنیا کے مختلف حصوں میں حالات مختلف ہیں۔ اس کے کچھ حصے اس قدر سرد ہیں کہ وہاں پانی کی جگہ لوگ شراب پیتے ہیں۔ اگر وہ شراب نہ پئیں تو زندہ نہ رہ سکیں۔"

"شراب نوشی کسی حالت میں جائز نہیں ـــــ میں نہیں مانتا۔ شراب کا

صرف ایک مقصد ہے۔ خواہ گرمی ہو یا سردی‘ افریقہ ہو یا روس۔“ چیشمی اڑ گئے۔

”کل میں نے آپ کے فریجیڈیئر میں بیئر کی بوتلیں دیکھی تھیں۔ شاید اب تک وہیں ہوں ــــ لائیے یہ تجربہ بھی ہو جائے ــــ “پڑوس سے تین گدھے لائے گئے۔ ایک بالٹی میں بیئر اور لیمونیڈ ڈال کر SHANDY بنائی گئی اور گدھوں کو پلائی گئی۔

ایک گدھا تو فوراً آؤٹ ہو گیا اور آنکھیں موند کر وہیں سو گیا۔ دوسرے نے خرمستیاں شروع کر دیں۔ نعرے لگائے اور دولتیاں جھاڑیں۔ کرسیوں کو پھلانگ گیا۔ گلدستے کھا گیا۔ تیسرا گدھا خاموش تھا۔ وہ نیم وا آنکھوں سے خلا میں تک رہا تھا۔ کتابوں اور تصویروں کی طرف بڑی عجیب نگاہوں سے دیکھتا رہا۔ آخر پیانو کے سامنے آ کھڑا ہوا۔ وہاں سے ہٹنے کا نام ہی نہ لیتا تھا۔ خالد کی فرمائش پر ایک جذباتی قسم کا نغمہ بجایا گیا تو گدھے کی آنکھوں میں آنسو آ گئے۔

چیشمی صاحب طیش میں آ گئے۔ گدھوں کو باہر نکال دیا گیا۔ وہ گرج کر بولے‘ ”یہ نئی پود کس قدر گستاخ ہے۔ ہر چیز کا مذاق اڑاتی ہے۔ زندگی پر انہیں یقین نہیں‘ مذہب سے یہ منکر ہیں۔ خوابوں کے یہ قائل نہیں۔ کل کو کہہ دیں گے کہ روح پر بھی عقیدہ نہیں۔“

”آپ روح دکھا دیجیے تو یقین کر لیں گے۔“ خالد نے کہا۔

”روح نظر کیوں کر آ سکتی ہے؟“

”تو اس کی موجودگی ہی محسوس کرا دیجیے۔“

انہوں نے بتایا کہ پڑوس کی کوٹھی آسیب زدہ ہے۔ کبھی وہاں ایک بدنصیب عاشق کا انتقال ہو گیا تھا۔ ہر رات اس کی روح نالہ و شیون کرتی ہے۔ صبح کاذب کے وقت تو ایسی دل دوز صدائیں آتی ہیں کہ آنکھوں میں آنسو آ جاتے ہیں۔ چیشمی صاحب کے دائمی نزلے کی یہی وجہ ہے‘ وہ علی الصبح بلا ناغہ روتے ہیں۔

رات بھر ہم جاگتے رہے۔ صبح کے وقت آوازیں آنی شروع ہوئیں تو چھت کی دیوار سے ہوتے ہوئے دوسری کوٹھی پر پہنچے۔ یہ آواز نالہ و شیون کی ہرگز نہیں تھی۔ یوں معلوم ہوتا تھا جیسے کوئی کسی کا گلا گھونٹ رہا ہے۔ کچھ ڈر بھی لگا۔ سیڑھیاں اتر کر دیکھتے ہیں کہ ایک صاحب ہاتھ میں پانی کا گلاس لیے غرارے کر رہے ہیں۔ انہوں

نے ہمیں بتایا کہ ان کا گلا ہمیشہ خراب رہتا ہے۔ علی الصبح اٹھ کر وہ نمکین پانی کے غرارے کرتے ہیں۔اب کچھ افاقہ ہے۔

چشمی صاحب نے اعلان کر دیا کہ وہ آئندہ ہم لوگوں سے ہر گز بحث نہیں کریں گے۔ "تم لوگ نہ صرف گستاخ ہو بلکہ تمہاری بے معنی گفتگو سے میرے نظریات خراب ہو رہے ہیں۔"

ادھر وہ تینوں گدھے ہر شام کو چشمی صاحب کے مکان کے سامنے آ کھڑے ہوتے۔ بڑی مشکل سے انہیں بھگایا جاتا۔ کئی دنوں تک ایسا ہوا۔

محبت مقصود گھوڑا کر رہا تھا اور شرم ہمیں آ رہی تھی۔ انجم کے دل میں اس کے لیے نہایت کار آمیز اور کار انگیز جذبات تھے۔ پھر بھی مقصود گھوڑے کے رومان کی رفتار غیر تسلی بخش تھی۔

انجم کے بارے میں خالد کی رائے کچھ اتنی اچھی نہیں تھی۔ اگر وہ باذاق ہوتی تو صبح صبح کبھی ایوننگ ان پیرس نہ لگاتی۔ کاہل بھی تھی۔ ایک مرتبہ خالد سے ایک انار کٹوایا، چھلوایا، دانے نکلوائے، نمک چھڑکوایا، پھر جمائی لے کر بولی۔ "اب آپ ہی اسے کھا بھی ڈالیے۔"

خالد اور چشمی ایک دوسرے کو پسند نہیں کرتے تھے۔ چشمی کو خالد کے نظریوں سے نفرت تھی۔ خالد انہیں نظریوں کا فلسفہ سمجھاتے کہ فضا میں ہر قسم کی ریڈیائی لہریں ہر وقت موجود رہتی ہیں۔ مسرور، غمگین، دہشت انگیز، صلح آموز۔ یہ اپنی پسند ہے کہ ریڈیو کو کس طرح ٹیون کیا جائے، لیکن چشمی صاحب سمجھنے سے انکار کر دیتے۔ خالد کہا کرتے کہ اس شخص کو دیکھ دیکھ کر مجھے بنی نوع انسان سے نفرت ہوتی جا رہی ہے۔

کبھی کبھی شیطان کو رضیہ کی یاد ستاتی۔

"رضیہ چار سال پہلے کتنی سیدھی سادی تھی" —— وہ کہتے۔

"اور ہم چار سال پہلے کتنے سیدھے سادے تھے۔" میں جواب دیتا۔

وہ رقیب والا پروگرام بھی التوا میں پڑا ہوا تھا۔ اس کی وجہ مقصود گھوڑے کی بے قدری تھی۔ ادھر اس کا کالج سے فارغ ہونے والا مسئلہ اقوام متحدہ کے مسائل کی طرح ادھورا پڑا تھا۔

وہ جمود جو مقصود گھوڑے کی زندگی سے نکلا تھا' شیطان کی زندگی میں داخل ہو گیا۔ بعض اوقات لوگوں کو چاء پر بلایا جاتا' اس تقریب پر کہ کوئی خاص بات نہیں ہوئی۔ اسی قسم کی ایک تقریب پر انجم اپنی چند سہیلیاں لے کر آئیں۔ ان میں سے ایک فارسی کی سکالر تھیں۔ شیطان کو ایران سے خواہ مخواہ دلچسپی رہی ہے۔ چنانچہ وہ ان خاتون سے دلچسپی کا اظہار کرنے لگے۔ ویسے وہ خود بھی ہر لڑکے میں دلچسپی لے رہی تھیں۔

''اس طرح آگے آگے مت چلیے۔ لوگ سمجھیں گے کہ میں آپ کی بیوی ہوں۔'' انجم نے کہا اور شیطان ان کے ساتھ ساتھ چلنے لگے۔

''تمہاری معلومات میں اضافہ کرنے کے لیے ایک سوال کر سکتا ہوں؟''

''کیجیے۔''

''یہ فارسی زدہ لڑکی کون ہے؟''

''کسی کی منگیتر ہے۔''

''اسے فارسی میں کہہ دیجیے کہ یہ دوسری منگیتروں کے لیے بری مثال قائم کر رہی ہے۔''

''یہ اکیلے اکیلے کیا باتیں ہو رہی ہیں؟'' مقصود گھوڑا لپک کر آیا۔

''کچھ نہیں، انجم کل گھڑدوڑ پر جانا چاہتی ہیں۔'' شیطان بولے۔

''تو پھر؟''

''میں نے کہہ دیا ہے کہ یہیں دوڑ لیں گے۔''

مقصود گھوڑے نے موقع ملتے ہی اپنی مخصوص گفتگو شروع کر دی۔

''تم پان بہت کھاتی ہو، کہیں عادت نہ پڑ جائے۔''

''دس سال سے کھا رہی ہوں۔ اب تک تو عادت نہیں پڑی۔''

''انگیٹھی پر جو تمہارا فوٹو رکھا ہے' نہایت خوبصورت ہے۔ تمہاری شکل سے بالکل نہیں ملتا۔''

اس کے بعد اس نے منگنی کی انگوٹھی کا ذکر کیا۔ انجم جلدی سے بولیں: ”مجھے منگنی کی انگوٹھی بالکل پسند نہیں۔ یہ ایام جاہلیت کی یاد دلاتی ہے۔ پرانے زمانے میں منگنی کے بعد لڑکی کی گردن میں لوہے کا طوق پہنا دیتے تھے۔ مہذب ہونے پر صرف ایک کلائی میں ہتھکڑی پڑنے لگی۔ پھر چوڑی آئی اور آخر میں انگوٹھی۔“

”یہ پھول لو گی؟“

انجم نے پھول سونگھے۔ خوشبو نہیں تھی۔ پھینک دیئے۔ ذرا سی دیر میں وہ شیطان سے کہہ رہی تھیں۔ ”جیسے پھول آپ لاتے ہیں کوئی نہیں لاتا۔“

شیطان کی عادت تھی کہ رنگ برنگے ولائتی پھولوں کو چنبیلی، حنا، خس وغیرہ کی خوشبو میں بسا کر انجم کو دیا کرتے، جو سونگھتا حیران رہ جاتا۔

”اور جیسے خط میں لکھتا تھا ویسے کوئی لکھتا ہے؟“

شیطان کے محبت نامے اپنی نوعیت کے لحاظ سے بالکل نرالے ہوا کرتے۔ ایک مرتبہ انہوں نے ایک لڑکی کو صرف یہ لکھ کر بھیجا ـــــ

؟

جواب آیا ـــــ

!

ایک محبت نامے کے اختتام پر انگوٹھا لگا دیا۔ دوسرے میں العبد اور گواہ شد بھی شامل کیے۔

خالد بڑے زور و شور سے کتوں کی نفسیات پر بحث کر رہے تھے۔ غالباً انہوں نے کوئی غیر معمولی کتا دیکھ لیا تھا۔

”آپ نے یہ علم کہاں سیکھا؟“ فارسی زدہ خاتون نے خالد کے قریب آکر پوچھا۔

”مصر میں۔“

”اہرام مصر کے متعلق آپ کا کیا خیال ہے؟“ وہ اور بھی قریب آگئیں۔

”مصر میں اب ان کی وہ وقعت نہیں رہی جو پہلے تھی۔ ایک دو مرتبہ پولیس نے گولی بھی چلائی۔ اس جماعت کو اب ختم ہی سمجھیے۔“ ـــــ

"وہاں یہ علم کس زبان میں سکھاتے ہیں—؟"

"فارسی میں۔"

اس پر خالد سے

کریما بہ بخشائے بر حال ما
کہ ہستم اسیرے کمند ہوا

کا ترجمہ کرایا گیا جسے خالد نے یوں کیا— کریما بہ بخشا جو تھا وہ برحالِ ما تھا اور ہستم اسیرے جو ہے وہ کمندِ ہوا ہے۔

ہمیں علم تھا کہ خالد انگلستان جاتے وقت ہوائی جہاز سے گئے تھے۔ واپسی بھی ہوائی جہاز سے ہوئی۔ مشرق وسطیٰ کے متعلق ان کی معلومات اتنی ہی تھیں جتنی ان خاتون کی میکسیکو کے بارے میں۔

اتنے میں اطلاع ملی کہ مقصود گھوڑا امتحان میں فیل ہو گیا۔ آہستہ آہستہ دھند سی چھانے لگی۔ ہر شے میں اس خبر کی آمیزش ہوتی گئی۔ بڑا سہانا سماں تھا۔ خنک ہوائیں چل رہی تھیں۔ خوش گوار فیل شدہ دھوپ میں رنگین پھولوں کی خوشبوئیں مچلنے لگیں۔ ہم دیر تک وہیں بیٹھے طرح طرح کی باتیں کرتے رہے۔ پھر ہم نے فیل شدہ چاء پی اور فیل شدہ حسین غروب آفتاب دیکھ کر لوٹے۔

چشمی صاحب کو یقین ہو گیا کہ مقصود گھوڑا دیوجانس کلبی سے بھی زیادہ نکما ہے اور خالد اور شیطان خود تو گمراہ ہو چکے ہیں، دوسروں کو بھی بہکا رہے ہیں۔ چشمی صاحب اپنے بچوں کو ایسے دہشت پسندوں سے محفوظ رکھنا چاہتے تھے اور محفوظ رکھنے لگے۔

مجھے کچھ دنوں کے لیے باہر جانا پڑا۔ لوٹا تو عجیب خبر سننے میں آئی کہ مقصود گھوڑے نے حیرت انگیز کارنامہ دکھایا ہے۔ شہر بھر میں مقصود گھوڑے کا نام مشہور ہو چکا تھا۔

شہر سے باہر ایک سرخ سا پتھریلا ٹیلہ تھا جس کے چاروں طرف پانی تھا۔ مشہور تھا کہ یہ کسی قدیم آبادی کا کھنڈر ہے۔ مقصود گھوڑے نے اسی ٹیلے کو کھدوا کر ایک تاریخی شہر کے آثار برآمد کیے تھے۔ کھدائی میں طرح طرح کی چیزیں نکلیں۔

مٹی کے برتن، ٹوٹے ہوئے مجسمے، مٹکے، زنگ آلود ہتھیار، منکوں کے ہار، گھسے ہوئے سکے۔ ماہرین کا خیال تھا کہ یہ شہر حضرت عیسیٰ علیہ السلام کی پیدائش سے پہلے آباد تھا اور ٹیکسلا کا ہم عصر تھا۔ اپنے وقت میں ایشیائی تہذیب و تمدن کا گہوارہ رہ چکا تھا۔

اخباروں میں مضامین نکلنے لگے۔ نامہ نگار مقصود گھوڑے کو ہر وقت گھیرے رہتے۔ مقصود گھوڑا جہاں جاتا انگلیاں اٹھتیں کہ وہ دیکھو ملک کا مایۂ ناز سپوت جا رہا ہے جس نے ایک قدیم شہر دریافت کیا ہے۔ شیطان نے اصرار کیا کہ مقصود گھوڑے کا نام بھی کوئی ماڈرن قسم کا رکھا جائے۔ لوگ رات کو عبدالکریم اور قطب الدین سوتے ہیں اور صبح اے۔ کے۔ غزنوی اور کیو۔ ڈی۔ نجمی بن کر اٹھتے ہیں، چنانچہ مقصود گھوڑے کا نام ایم۔ جی۔ اسپی رکھ دیا گیا۔ ہر روز طرح طرح کے دعوت نامے آتے۔ حضرت ایم۔ جی۔ اسپی مد ظلہٗ کو مشاعروں کا صدر بنایا جاتا۔ پبلک جلسوں میں ان سے درخواست کی جاتی کہ قدیم تہذب پر تقریر فرمائیں۔ "ایم۔ جی۔ اسپی زندہ باد" کے نعروں سے شہر گونجنے لگتا۔ اسپی سائیکل ورکس، اسپی گھی سٹور اور اسپی لانڈری کا تقرر عمل میں لایا گیا۔ ان سے شفاخانۂ حیوانات کی افتتاحی رسم ادا کی گئی۔ رسالوں میں اس قسم کے مضامین نکلنے لگے۔ اسپی بطور سیاح (از خالد) ــــ خالد بطور ادیب (از روفی) ــــ روفی بطور دوست (از خالد) ــــ روفی بطور نقاد (از اسپی) ــــ اسپی بطور سکالر (از روفی) ــــ روفی بطور سیاح (از اسپی) ــــ خالد بطور انسان (از روفی) ــــ وغیرہ وغیرہ۔

چشتی صاحب کا رویہ بدل چکا تھا۔ مقصود گھوڑے کی کارپر انجم کی توجہ پھر ہونے لگی۔ چشتی اور خالد نے نئے سرے سے بحثیں شروع کر دیں۔ چشتی قبل از مسیح زمانے کے مداح تھے۔ ان کی رائے میں وہ لوگ بہت آگے نکل چکے تھے۔ اُڑن کھٹولے ہوائی جہازوں سے کسی طرح کم نہ تھے بلکہ کچھ اونچے ہی اُڑتے تھے۔ اور یہ کہ موجودہ زمانے کی ساری ایجادوں کا ذکر پرانی کتابوں میں وہ پڑھ چکے ہیں۔ ان دنوں نجات حاصل کرنے کا بہت اچھا رواج تھا جو زندگی کی الجھنوں سے تنگ آ جاتا اسے حکومت کی طرف سے ساری سہولتیں میسر ہوتیں کہ سب کچھ چھوڑ چھاڑ کر نروان حاصل کر لے۔

یہ مباحثے اکثر ناخوش گوار کلمات پر ختم ہوتے۔ ایک روز تو ہم خالد کو بمشکل

گھسیٹ کر لائے۔ کھدائی سے جو عجیب اوزار بر آمد ہوئے تھے، چشتی کا خیال تھا کہ وہ ادویات کشید کرنے کے آلات تھے۔ خالد کہتے تھے کہ وہ بھنگ گھوٹنے کے اوزار تھے۔ چشتی نے خالد سے کہا کہ برخوردار تم وقت سے بہت پہلے دنیا میں آگئے ہو۔ خالد بولے، قبلہ آپ اپنے وقت کے بہت بعد تشریف لائے ہیں۔ دراصل آپ کا تعلق قبل از مسیح کے زمانے سے ہے۔

ان دونوں کی صلح کرانے کے لیے ایک پک نک کیا گیا، جس میں شکار کا پروگرام بھی تھا۔ شیطان نے دو تیتر ہلاک کیے۔ ایک بڑا سا پرندہ خالد کے سامنے سے گزرا۔ انہوں نے پرانی توڑے دار بندوق سے نشانہ لیا اور داغ دی، لیکن کچھ نہ ہوا، بندوق نہیں چلی۔ اتنا بڑا پرندہ یوں سامنے سے نکل جانے پر سب کو افسوس ہوا۔ توڑے دار بندوق کے موجد کے متعلق نہایت غیر مہذب فقرے استعمال کیے گئے۔ چند ہی منٹ گزرے ہوں گے کہ زبردست دھماکا ہوا اور خالد کے کندھے پر رکھی ہوئی توڑے دار بندوق خود بخود چل گئی۔ ادھر چشتی صاحب جو پیچھے آرہے تھے دھم سے گرے۔ سب سمجھے کو بندوق نے اپنا کام کر دیا۔ لیکن چشتی صاحب صرف بیہوش ہوئے تھے۔ ہوش میں آنے پر معلوم ہوا کہ بالکل بہرے ہو چکے ہیں۔ دھماکہ ان کے کان کے قریب ہوا تھا۔ بعد میں انجم نے مقصود گھوڑے سے شکار کے متعلق پوچھا تو اس نے انگلیوں پر گن کر بتایا۔ ایک ہرن، دو تیتر اور ایک چشتی صاحب!

معائنے کے بعد ڈاکٹروں نے یہی کہا کہ فی الحال ان کی سماعت بے کار ہو چکی ہے لیکن ہو سکتا ہے کہ یہ بہرا پن عارضی ہو۔

کھدائی میں کسی پرانی زبان میں لکھے ہوئے کتبے بھی نکلے جن کا ترجمہ شیطان نے کسی ماہر سے کرایا۔ ایک کتبے میں لوگوں کو نصیحت کی گئی تھی کہ پہلے خوب گناہ کریں۔ پھر پچپن برس کی عمر میں توبہ کر کے عبادت شروع کریں تاکہ دنیا سے بھی واقفیت ہو جائے اور دین سے بھی۔ اس قسم کی بہت سی مفید باتیں شیطان نے اخبار میں چھپوائیں۔ پڑھنے والوں نے اشتیاق ظاہر کیا کہ کھدائی سے جو تختیاں اور کتبے بر آمد ہوں، ان سب کا ترجمہ کرایا جائے چنانچہ شیطان کا ایک اور ترجمہ چھپا جو کچھ یوں تھا۔

اس عجوبہ ٔ روزگار شہر کی داغ بیل یونانیوں نے ڈالی اور اصل باشندوں میں بہت جلد گھل مل گئے' چنانچہ بہت جلد یونانیوں کا نام و نشاں تک نہ رہا۔ اس شہر کا ماضی نہایت شاندار تھا لہٰذا باشندوں کی نگاہیں ہمیشہ ماضی کی طرف رہتیں ـــــ ماضیٔ بعید کی طرف' یا زیادہ سے زیادہ ماضیٔ قریب کی طرف۔ زندگی کی مشکلات سامنے آتیں تو وہ پرانی روایتوں کے ذکر سے ان کا مقابلہ کرتے۔ نئی آبادیوں پر کھنڈروں کو ترجیح دیتے۔ کھنڈروں کو دیکھ کر پرانی باتیں یاد آنے لگتیں اور دل کو کمال درجے کا سکون حاصل ہوتا۔ باشندوں کو رنج و الم سے خاص لگاؤ تھا۔ وہ دن رات غمگین اور بیزار رہتے۔ ماشاء اللہ سست الوجود تھے' اس لیے اپنی زندگی سے مطمئن تھے۔ چوبیس گھنٹوں میں پچیس گھنٹے سوئے رہتے۔ یہ نیند عجیب تھی کہ چل پھر رہے ہیں' باتیں کر رہے ہیں مگر خوابیدہ ہیں۔ چونکہ جذباتی تھے اس لیے دوسروں سے خواہ مخواہ کی توقعات رکھتے۔ انسانوں سے توقعات' غیر مرئی چیزوں سے توقعات۔ کوئی ان کے لیے کچھ کر دے۔ کوئی کہیں سے آ کر کچھ دے جائے۔ جب کچھ نہ بن پڑتا تو مذہب پر اتر آتے۔ باشندوں کو دعاؤں پر اس قدر عقیدہ تھا کہ کام وام چھوڑ کر بس دعائیں مانگتے رہتے۔ بارش' آندھی' زندگی' موت' گھڑدوڑ' سٹّا' ہر چیز کے لیے مختلف دعائیں تھیں اور دل کھول کر مانگی جاتی تھیں۔

یہ مضمون چھپا تو لوگوں نے بہت پسند کیا۔ چشتی صاحب نے تو بہت ہی پسند فرمایا اور مشورہ دیا کہ شیطان اپنی تحقیقات جاری رکھیں۔ مزید معلومات فراہم کر کے ''ٹیکسلا سے پہلے'' کے عنوان سے ایک طویل مقالہ لکھیں۔ بہت ممکن ہے کہ انہیں پی ایچ ڈی کی ڈگری مل جائے۔ مشورہ معقول تھا۔ کچھ دنوں کے بعد اسی سلسلے میں ایک اور ترجمہ چھپوایا گیا جو یوں تھا ـــــ

آب و ہوا ـــــ خوش قسمتی سے پہاڑوں کی ترائی میں خوب بھنگ اگتی تھی۔ لہٰذا ہوائیں بھنگ کے بخارات سے بوجھل ہوتیں۔ یہی وجہ تھی کہ بارشوں کے ساتھ خوب مستی و قلندری برستی تھی۔

فنون لطیفہ ــــ قوالیاں، مشاعرے، کبڈی اور دیگر فنون لطیفہ زوروں پر تھے۔

صنعت و حرفت ــــ باریک ململ کی دھوتیاں، نازک صراحیاں، اعلیٰ درجے کے تہمد، دیدہ زیب چلمیں دساور کو بھیجی جاتی تھیں۔

غذا ــــ باشندوں کی خوراک نہایت صحت بخش تھی۔ غذا کا اصلی جزو سرخ مرچیں اور بناسپتی گھی تھا۔ ان دونوں میں کبھی چاول یا سبزی کی آمیزش کر دیتے۔ کبھی گوشت کی تہمت لگا دیتے۔ خوراک کی سب سے بڑی خوبی یہ تھی کہ آدھے گھنٹے کے اندر اندر خمار چڑھنے لگتا اور نیند آجاتی۔ جب آنکھ کھلتی تو چیخیں مار مار کر رونے کو جی چاہتا۔ ان ہی مرچوں اور گھی کا اثر سیاست پر تھا۔ ان ہی کا دخل شاعری اور ادب میں تھا۔ موسیقی میں بھی یہی کار فرما تھیں۔

لباس ــــ ایسا اعلیٰ اور موزوں تھا کہ اچھا بھلا انسان پہن لے تو الف لیلیٰ کا کردار معلوم ہونے لگے۔ اس کی سب سے بڑی خصوصیت یہ تھی کہ موسم کے تغیر و تبدل سے ہرگز نہیں بچاتا تھا۔ ہر وقت کی دھوپ سے چہرہ سنولا جاتا، پیشانی پر بل پڑ جاتے۔ اگلی نسل میں یہ تبدیلیاں مستقل ہو جاتیں۔

تہذیب و تمدن ــــ باشندے بڑے مہذب تھے۔ ہر وقت باتیں کرتے رہتے۔ گفتگو کرتے وقت دل و دماغ کے مابین سلسلۂ آمد و رفت منقطع ہو جاتا اور یہ قطعاً پتہ نہ رہتا کہ کیا کہہ رہے ہیں۔ جب باتیں کر چکتے تو پھر باتیں شروع کر دیتے۔

تمدن ــــ تمدنی لحاظ سے تین طبقے مشہور تھے:-

پہلا طبقہ ــــ یہ لوگ موقعے کے مطابق ہر چیز کے طرف دار بھی تھے اور مخالف بھی۔ ان کی ہمیشہ یہی کوشش ہوتی کہ مخالفین کو برابر برابر چھڑوا دیا جائے۔ اپنی رائے گول مول الفاظ میں دیتے کہ کہیں کوئی خفا نہ ہو جائے۔ اس طبقے کو ابن الوقت مدرسۂ فکر بھی کہا جاتا تھا۔

دوسرا طبقہ ـــ اس جماعت کے ممبر یا تو گھروں سے بھاگے ہوئے تھے یا وہ تھے جو مدرسے میں بار بار فیل ہوئے۔ یہ SUCKERS کچھ نہیں کرتے تھے۔ کسی نے ایک دن بھی ایمانداری سے کام نہیں کیا تھا چونکہ خود زندگی کے ہر شعبے میں ناکامیاب رہے' اس لیے دنیا بھر کے دشمن تھے۔ یہ طبقہ ایسا نظام چاہتا تھا جس میں محنت مشقت دوسرے لوگ کریں اور آسائشیں ان کو میسر ہوں۔ ان کا خیال تھا کہ چند ملک ایسے بھی ہیں جہاں حالات ان کی توقعات کے مطابق ہیں۔ لیکن انہیں نہ سیاحت کا شوق تھا نہ کبھی گھر سے باہر گئے تھے۔ ان کی معلومات سنی سنائی باتوں یا غیر ملکی پراپیگنڈے پر مبنی ہوتیں۔ کئی مرتبہ ان سے کہا گیا کہ دنیا بھر میں کہیں ایسا معاشی نظام نہیں ہے جس میں محنت و مشقت سے جی چرانے والوں کی کھپت ہو سکے۔ اگر کوئی ایسی جگہ آپ کو معلوم ہے تو آپ وہاں چلے کیوں نہیں جاتے؟ لیکن یہ جہاں تھے وہیں ڈٹے رہے۔ یہ کہتے کچھ اور کرتے کچھ۔ لوگوں کو بتاتے کہ اگر انسان کوشش کرے تو پینتیس روپے کچھ آنے ماہوار میں زندگی بسر کر سکتا ہے۔ لیکن خود آسودہ زندگی بسر کرتے۔ دن بھر زہریلے مضامین لکھتے یا قہوہ خانوں میں بحثیں کرتے۔ ان کو کسی پُراسرار طریقے سے غیبی امداد ملتی تھی۔

باشندوں کی زبوں حالی کا ذکر کرتے وقت انہیں کبھی احساس تک نہ ہوتا کہ دیہاتی دیہات میں رہتے ہیں' شہروں میں نہیں۔ کسی کو یہ توفیق نہ ہوئی کہ گاؤں جا کر کسی کی مدد کرتا۔ کسی ناخواندہ کو پڑھاتا۔ کوئی تعمیری کام کرتا۔ اور کچھ نہیں تو اپنے آپ کو ہی معاشرے کا مفید رکن بناتا۔ ان کا خیال تھا کہ سارا قصور دوسروں کا ہے اور وہ خود فقط تماشائی ہیں اور کسی غلط ملک میں آ پھنسے ہیں۔ ان کا محبوب مشغلہ مردوں کی پگڑیاں اور عورتوں کے دوپٹے اچھالنا تھا ـــ ایک اچھالتا' دوسرا اٹھا کر چمپت ہو جاتا۔

آمدِ مذہب سے پہلے یہ مذہب کے پرستار تھے لیکن بعد میں

دہریے بن گئے۔

تیسرا طبقہ ــــ ان کو فرسودہ اور قدامت پسند گردانا جاتا۔ اتنی لے دے ہوئی مگر ان حضرات نے اپنے نظریے نہیں بدلے۔ ان کے خلاف سب سے بڑی شکایت یہ تھی کہ ہمیشہ الٹا گنتے تھے۔ چار سو قبل از مسیح سے تین سو قبل از مسیح تک۔ یہ چاہتے تھے کہ سب لوگ حضرت آدم اور اماں حوا کی طرح زندگی بسر کیا کریں۔ ہر نئی چیز سے انہیں نفرت تھی۔ ہر جدید نظریے کے یہ جانی دشمن تھے۔

ان لوگوں کی دھوپ گھڑیاں تک سست تھیں اور غلط وقت بتاتی تھیں۔ وہ چلتے ہوئے پیچھے مڑ مڑ کر دیکھتے رہتے اور دوسرے کے کندھے پر کمان رکھ کر تیر چلانا ان کا شغل تھا۔

معاشرتی ترقی ــــ متعدد شہر کھود کھود کر نکالے گئے۔ آخر ایک مرتبہ ایک عجیب شہر برآمد ہوا، جس کے متعلق ماہرین آثار جدیدہ نے اندازہ لگایا کہ یہ شہر بیسویں صدی عیسوی سے تعلق رکھے گا۔ کھدائی میں سب سے نمایاں چیز کتابیں اور رسالے تھے۔ اعلیٰ گٹ اپ، شاندار تصویریں، دلآویز سرورق۔ لیکن جب ماہرین نے ترجمہ شروع کیا تو اس ادب میں نہ جانے کیا ایسی بات تھی کہ جو ترجمہ شروع کرتا اس پر وحشت سوار ہونے لگتی۔ کمرہ بند کر کے دھاڑیں مار مار کر روتا اور آخر میں یا تو خودکشی کر لیتا یا کپڑے پھاڑ کر ویرانوں میں نکل جاتا۔ حکومت نے فوراً اس شہر پر مٹی ڈلوا کر اسے دبوا دیا۔ ساتھ ہی احکامات جاری کرا دیے کہ آئندہ کوئی شخص کوئی شہر کھود کر نہ نکالے۔

اس مضمون کو بھی سراہا گیا ــــ!

چشمی صاحب کے بہرے ہو جانے سے حالات ایک حد تک بدل گئے۔ کنبے والوں کو کچھ دنوں تشویش رہی لیکن پھر صبر کر لیا گیا اور انہیں ان کے حال پر چھوڑ دیا گیا۔ ان سے سب کترانے لگے۔ انہیں طرح طرح کے ناموں سے یاد کیا جانے لگا۔ بہرہ ــــ بے بہرہ ــــ بحر الکاہل۔ چونکہ دوسروں کی گفتگو کا اندازہ انہیں صرف

ہونٹوں کی جنبش سے ہو سکتا تھا۔ اس لیے لوگ ان کے سامنے بیٹھ کر اس طرح ہونٹ ہلاتے کہ آواز بالکل نہ نکلتی۔ بچوں کو فوراً موسیقی کا شوق چُرایا۔ ایک طبلہ بجا رہا ہے۔ دوسرا شہنائی، تیسرا ڈھول۔ ساتھ ساتھ چشمی صاحب پر فقرے بھی کسے جا رہے ہیں۔ عزیز و اقارب نظر بچا کر مذاق اڑاتے۔ یوں معلوم ہوتا تھا کہ دنیا میں ان کا ایک بھی دوست نہیں تھا۔ کسی کے دل میں ان کی عزت تھی نہ محبت۔ اور یہ کہ ان کی زندگی کے سارے راز لوگوں پر عیاں تھے۔ آج تک جو قابلِ اعتراض حرکتیں انہوں نے کی تھیں، ان کا سب کو علم تھا اور جو حرکتیں وہ آئندہ کرنا چاہتے تھے، ان کا بھی۔ بیگم چشمی ان کے اندازِ گفتگو اور باتوں کے اتار چڑھاؤ کی نقلیں اتارتیں۔ انہیں بد مزاج، کاہل، سست اور کام چور کہتیں کہ جوانی میں بھی کبھی نہیں مسکرائے۔ جب دیکھو منہ بنا ہوا ہے۔ اور لوگوں پر تنقید ہو رہی ہے۔ دن بھر انگڑائیاں اور جمائیاں لیتے رہتے ہیں۔ نہ جانے ابھی کتنی دیر تک یہ عذاب باقی ہے۔

خبروں کا چشمی صاحب کو بے حد شوق تھا۔ پہلے انجم سے فرمائش ہوتی کہ ریڈیو کی خبریں سن کر کسی کاغذ پر لکھ کر بتا دیا کریں۔ لیکن خبروں کے بارے میں انجم کا نظریہ مختلف تھا۔ یعنی اگر کتا آدمی کو کاٹ لے تو خبر نہیں لیکن اگر آدمی کتے کو کاٹ کھائے تو خبر ہے۔ نتیجہ یہ نکلتا کہ ساری خبریں سن کر وہ نفی میں سر ہلا دیتیں۔

پھر شیطان کی ڈیوٹی لگی۔ وہ خبریں لکھتے ضرور مگر ان میں اصلاح کرتے جاتے — ہانگ کانگ سے خبر آئی ہے کہ دس ہزار چینیوں نے سارے چینی کے برتن توڑ ڈالے — یوگوسلاویہ کے صدر یوگا کی مشق کر رہے ہیں — بقرعید کے موقع پر قربانی کی کھالوں کے لیے اپیل کرتے ہوئے قاضی قدرت اللہ صاحب نے اپنی پوستین اتار کر یتیم خانے میں دے دی — یونان سے خبر آئی ہے کہ دو سو باشندے یونانی دواخانوں میں علاج کرانے آ رہے ہیں — وغیرہ وغیرہ۔

لیکن مقصود گھوڑا نہایت سعادت مند ثابت ہوا۔ وہ ہر روز چشمی صاحب کے ہاں جاتا۔ ان کے ہاں دیر تک بیٹھا رہتا۔ جب ان کی برائیاں کی جاتیں اور اس کی رائے لی جاتی تو — 'ہو سکتا ہے' اور 'پتہ نہیں' کہہ کر خاموش ہو جاتا۔

مقصود گھوڑا اور انجم اکٹھے دیکھے جانے لگے۔ پھر یک لخت شیطان انجم سے

بدگمان ہو گئے۔ مقصود گھوڑے کے رومالوں میں سرخی لگی ہوئی ملی۔ اور یہ سرخی لپ سٹک کی تھی۔ اس کی میز پر ایوننگ ان پیرس کی شیشیاں نظر آنے لگیں۔ یہ خوشبو شیطان انجم کو دیا کرتے ــــ شیطان نے مقصود گھوڑے کو رقیب ضرور بنایا تھا' صرف اس لیے کہ جو کچھ ہو سب کے سامنے ہو' اس لیے نہیں کہ وہ چھپ چھپ کر ایسی حرکتیں شروع کر دے۔ مقصود گھوڑے نے ایک کامریڈ کو ڈبل کراس کیا تھا۔ دونوں کی خوب لڑائی ہوئی۔ شیطان نے انجم سے بھی نہایت غیر شاعرانہ باتیں کیں۔ انجم نے کہا کہ مقصود گھوڑا انہیں آزاد شاعری سکھایا کرتا ہے لیکن وہ نہ مانے۔ انجم خفا ہو گئی اور اس نے ان تصویروں کے نیگیٹو مانگے جو شیطان نے اتاری تھیں۔ شیطان بولے۔ ''نیگیٹو لے لو' پوزیٹو بھی لے لو' کیمرہ بھی لا دوں گا' شاید اس میں کچھ لگا رہ گیا ہو۔ تم میری زندگی میں یوں آئیں جیسے نخلستان میں چپکے سے اونٹ آجائے۔ میں تمہیں رضیہ سے بہتر سمجھتا تھا۔ لیکن اب پتہ چلا کہ ساری لڑکیاں ایک جیسی ہوتی ہیں ــــ بالکل ایک سی۔ فرق ہے تو اتنا کہ کچھ شلوار قمیض پہنتی ہیں اور باقی کی ساڑی اور غرارے۔ خیر مجھے افسوس نہیں' کچھ تمہیں تجربہ تو ہو گیا۔ وہ کیا کہا ہے شیکسپیئر یا ٹینی سن نے کہ محبت کر کے بھاگ جانا محبت نہ کرنے سے ہزار درجہ بہتر ہے۔ یہ لو یہ شیشی' یہ عطر ایوننگ ان پیرس سے بدرجہا بہتر ہے۔ اسے آخری تحفہ سمجھو۔ ان سہانے اور ناقابل فراموش لمحوں کی یاد میں جو ہم نے ایک دوسرے سے دور رہ کر گزارے ہیں۔''

آخر مقصود گھوڑے کی زندگی کا سب سے اہم دن طلوع ہوا۔ چند مشہور غیر ملکی سیاح جو پہاڑوں کی مہم کے سلسلے میں قریب سے گزر رہے تھے' مدعو کیے گئے۔ ان کے ہمراہ غیر ملکی اخباروں کے نامہ نگار بھی تھے۔

اب صرف چند ہی دنوں میں ساری دنیا کو معلوم ہو جائے گا کہ ایک نوجوان نے بے حد قدیم شہر دریافت کیا ہے۔ ایم جی اپسی کا نام بچے بچے کی زبان پر ہو گا۔ بین الاقوامی شہرت مقصود گھوڑے کا انتظار کر رہی تھی۔

سیاحوں نے کچی اینٹوں سے بنے ہوئے چھوٹے چھوٹے مکانوں کو دیکھا۔

تنگ گلیوں کا ملاحظہ کیا۔ اینٹوں کی ساخت‘ طرز تعمیر اور قرب وجوار کا جائزہ لے کر بتایا کہ یہ شہر ایک زرخیز وادی میں آباد تھا اور ایک عظیم شاہراہ پر واقع تھا۔ اس کی تباہی کی وجہ یا تو زلزلہ ہو سکتی ہے۔ اور یا آتش فشاں پہاڑ کا لاوا۔ ایک بہت بڑے ہجوم کے سامنے کھدائی شروع ہوئی۔ ایک مٹکا نکلا۔ سیاحوں نے محدب شیشے سے اس کا معائنہ کیا اور بولے کہ یہ برتن دو ہزار سال پرانا ہے۔ اس کے اندر کوئی چیز ہل رہی تھی۔ مٹی نکالی گئی تو ایک عجیب وغریب شے نکلی —— بلیک اینڈ وائٹ سگریٹوں کا ڈبہ۔ سب ایک دوسرے کی طرف دیکھنے لگے۔ پھر سکندر اعظم کے حملے سے پہلے کی ایک زنگ آلودہ صندوقچی برآمد ہوئی جس میں زنگ آلودہ قفل لگا ہوا تھا۔ قفل سکندر اعظم کے حملے سے پہلے کا نہیں تھا‘ کیونکہ اس پر MADE IN JAPAN لکھا ہوا تھا۔

اگلے روز نامہ نگار نے (جو مقصود گھوڑے کا وفادار دوست تھا) اخبار میں غیر ملکی سیاحوں کے اس رویے کی مذمت کرتے ہوئے لکھا کہ ان کا فرض تھا کہ مزید تحقیقات کرتے۔ ممکن ہے کہ اس قدیم زمانے میں بھی اس قسم کے سگریٹ ہوتے ہوں۔ شاید جاپان ان دنوں بھی تجارتی ملک ہو۔

بعد میں ہمیں پتہ چلا کہ کچھ عرصہ پہلے شیطان کو کباڑی بازار میں اکثر دیکھا جاتا تھا اور انہوں نے مقصود گھوڑے کے مالی سے بہت سے پرانے برتن بھی خریدے تھے۔ شیطان نے ہمیں بتایا کہ ایسے قدیم شہر تو وہ ایشیا بھر میں جگہ جگہ دریافت کر سکتے ہیں۔

”ہماری موجودہ زمانے کی آبادیوں سے برتن‘ گھڑے اور روزمرہ کے استعمال کی کچھ چیزیں لے کر زمین میں دبا دو‘ اور پھر کھود کھود کر نکالتے جاؤ۔ مغربی ملکوں کے لوگ فوراً انہیں نوادرات میں شامل کر لیں گے۔ ویسے اجنبیوں کے لیے تو مشرق کا بسا بسایا شہر بھی آثار قدیمہ سے تعلق رکھتا ہے۔“

پھر عجب تماشا ہوا۔ چشتی صاحب کو کسی نے ریڈیو کے پاس بیٹھے دیکھ لیا۔ گت پر ان کا سر مٹک رہا تھا۔ پھر یہ بھی دیکھا کہ جب تقریر شروع ہوئی تو انہوں نے فوراً سٹیشن بدل دیا اور فلمی ریکارڈ سننے لگے۔ اس خبر سے گھر بھر میں سنسنی پھیل گئی۔

اگلے روز بیگم چشمی نے جان بوجھ کر چشمی صاحب کے پیچھے جا کر چاۓ کی ٹرے فرش پر پٹخ دی تو وہ اچھل پڑے اور سب کو معلوم ہو گیا کہ ان کا عارضی بہرا پن کبھی کا دور ہو چکا تھا۔ انہوں نے ساری باتیں بھی سن لی تھیں۔

ہم شام کو ان کے ہاں گئے تو وہ کنبے سمیت چاۓ پی رہے تھے۔ خاموشی طاری تھی۔ معلوم ہوا وہ اپنا وصیت نامہ دوبارہ ایڈٹ کرنا چاہتے ہیں۔ بیگم نے اس سارے عمل پر نوحہ کہا اور چشمی صاحب کے لیے درازیٔ عمر کی دعا مانگی۔ لیکن انہوں نے بات کاٹ کر کہا کہ ایسی بد دعائیں انہیں نہیں چاہئیں۔ اب ان کی آنکھیں کھل چکی ہیں اور سب کچھ روشن ہو گیا ہے۔ یہاں تک کہ انہوں نے اپنی عینک بھی اتار کر پھینک دی ہے۔ اب وہ قدرتی نظاروں میں دلچسپی لیا کریں گے۔ صبح صبح آج پہلی مرتبہ انہوں نے طلوعِ آفتاب دیکھا۔ اس قدر مسرت ہوئی کہ بیان نہیں کی جاسکتی۔ عنقریب وہ سب کچھ تج دیں گے۔

''میں اس ماحول اور ان لوگوں میں ہرگز نہیں رہنا چاہتا۔ میں حج کرنے چلا جاؤں گا۔''

ہم نے انہیں بتایا کہ حج میں تو ابھی کافی دن ہیں۔

''اگر دن ہیں تب بھی چلا جاؤں گا۔ کل میں یہاں سے جا رہا ہوں۔''

انہوں نے ہمیں بتایا کہ وہ مقصود گھوڑے سے بہت خوش ہیں۔ (غالباً تکیہ کلام کے سلسلے میں)۔ رخصت ہوتے وقت خالد اُن سے دیر تک مصافحہ کرتے رہے۔ ان کا ہاتھ بڑی گرمجوشی سے دباتے رہے۔ ہم نے اس خاص رویے کی وجہ پوچھی۔ خالد بولے ــــ ''میں نے ہاتھ دبایا تو بہت زور سے تھا لیکن کم بخت انگوٹھی اتری ہی نہیں۔''

اگلے روز ایکسپریس ٹرین پر لوگ ہار لے کر پہنچے۔ معلوم ہوا چشمی صاحب اس سے پہلی پسنجر ٹرین سے جا چکے تھے۔

دفعتہً مقصود گھوڑے کو دورہ سا اٹھا۔ فوراً ایک سونے کی انگوٹھی خرید لایا۔ شام کو جب انجم کے کالج سے آنے کا وقت ہوا تو نکڑ پر انتظار کرنے لگا۔ کچھ بھی ہو اب انگوٹھی انجم کی انگلی میں ہو گی۔ چشمی صاحب کی یہ آخری خواہش تھی۔ عین جب انجم کی سائیکل کے آنے کا وقت ہوا تو کہیں سے موٹر سائیکل کی آواز سنائی دی۔ مقصود

گھوڑا درختوں سے میدان کی طرف بھاگا۔ کتنی ہی دیر موٹر سائیکل آس پاس کہیں چکر لگاتی رہی اور مقصود گھوڑا بڑے انہماک سے اس کی آواز سنتا رہا۔ جب اسے ہوش آیا تو دیر ہو چکی تھی۔ اب انجم کے گھر جانا بے سود تھا۔ اگلے روز پھر قسمت آزمائی کے لیے تیار ہوا تو ایک تار منتظر ملا۔ تار میں ماموں کی آمد کی خبر تھی۔ شیطان نے مشورہ دیا کہ فوراً تجوریاں کھول کر دیکھی جائیں۔ اگر کچھ مل گیا تو کوئی غلط سلط خبر اڑا دی جائے گی۔ خالد نے خاص غیر ملکی نسخوں سے قفل کھولے۔ یکے بعد دیگرے ساری تجوریاں دیکھی گئیں۔ سب میں کارتوس رکھے تھے۔ ہر قسم اور ہر سائز کے کارتوس۔

اگلی صبح ماموں جان تشریف لے آئے۔ شام کو مقصود گھوڑا ہوسٹل کے کمرے میں بیٹھا اپنے امتحان کی تیاری میں مشغول تھا۔ اس کی تنہائی اور اس کے رومان انگیز خیالات سب منتقل ہو چکے تھے۔ یہاں تک کہ وہ انگوٹھی بھی جوہری کے ہاں منتقل ہو چکی تھی۔

شیطان کے کمرے میں ہم سب رضائیاں اوڑھے کھانا کھا رہے تھے۔ خالد کہہ رہے تھے —— ''آپ لوگوں کی زندگی میں میری وجہ سے جو خوشگوار یا دوسری تبدیلیاں آئیں یا جو ابھی آئیں گی، ان کی مجھے ذرا بھی پروا نہیں، کیونکہ میں اب ایسی جگہ جا رہا ہوں جہاں سے کوئی لوٹ کر نہیں آیا —— میں اب بزنس کرنے جا رہا ہوں! ہو سکتا ہے کہ توڑے دار بندوق کا دیر میں چلنا محض اتفاق نہیں تھا۔ ہو سکتا ہے کہ مقصود گھوڑے کے ماموں کو کسی نے بہانہ کر کے باہر بھیج دیا ہو۔ اور پھر قصداً واپس بلا لیا ہو۔ ممکن ہے کہ مقصود گھوڑے کے رومالوں کی سرخی پان کی سرخی ہو۔ کیونکہ انجم کی لپ سٹک تقریباً سیاہ رنگ کی ہوتی ہے۔ شاید وہ عطر کی شیشیاں خود مقصود گھوڑے نے خریدی ہوں۔ ہو سکتا ہے کہ عین وقت پر جو موٹر سائیکل آئی اس پر کوئی دانش مند بیٹھا تھا۔ سب کچھ ہو بھی سکتا ہے اور نہیں بھی ہو سکتا —— بہر حال اب میں بزنس مین کہلاؤں گا۔ اب میرے سامنے ایک شاندار زندگی ہے۔ کچھ عرصے کے بعد سفر کرتے ہوئے اگر آپ کو سیکنڈ کے ڈبے میں شرعی کوٹ اور تہمد نما پتلون پہنے کوئی ایسا شخص نظر آئے جس کی شکل مجھ سے ملتی ہو، جو سگریٹ کو حقّے کے انداز میں پکڑ کر کش لگاتا

ہو اور چٹکی بجا کر راکھ جھاڑتا ہو' چاء کو طشتری میں ڈال کر شُوں شڑپ کر کے پیتا ہو' بعد میں ڈکار لیتا ہو — تو اس سے ضرور ملیے۔ شاید وہ میں ہی ہوں گا۔ اگر میں ہوا تو میری شادی بھی ہو چکی ہو گی۔ میں آپ کو زبردستی اپنے گھر لے جاؤں گا۔ مرغیوں کے شور اور بکریوں کی مَیں مَیں سے واضح ہو گا کہ میں سیٹَل ہو چکا ہوں۔ آپ ایک فربہ خاتون سے بھی ملیں گے جو کسی زمانے میں اپنے کالج کی حسین ترین چھریری لڑکی تھیں اور فلاسفی' انگلش یا کسی اور مضمون کی ایم اے تھیں' ہم آپ کو بڑی اچھی اچھی باتیں سنائیں گے۔ اپنے رشتہ داروں کی ذرا ذرا سی شکایتیں' مقامی سیاست' مارکیٹ کا اتار چڑھاؤ' الیکشنوں کے قصے' اپنے بچوں کے حالات۔ یہ بچہ بیمار تھا۔ یہ بچہ دانت نکال رہا ہے۔ اسے نیلہ تھوتھا عرق گاؤزبان میں ملا کر پلاتے ہیں۔ ہم غروب آفتاب کی طرف پیٹھ کیے بیٹھے رہیں گے۔ چاند نکلا تو سردی کے خیال سے اندر چلے جائیں گے۔ ریڈیو لگایا تو میاں کی ملہار پر بازار کے بھاؤ کو ترجیح دیں گے۔ اگر آپ نے ہماری زندگی پر رشک یا ترس کھایا تو آپ اپنا وقت ضائع کریں گے۔ اسی زندگی کے لیے میں جی رہا ہوں' اسی کے لیے آپ جی رہے ہیں' ہم سب جی رہے ہیں۔ فقط مجھے روفی کے اس مقالے اور ڈگری کا انتظار رہے گا۔ روفی تم اسے چشمی صاحب کی زبانی لکھنا۔"

شیطان نے اٹھ کر چکنے ہاتھوں سے کاغذوں کا ایک پلندہ نکالا۔ "چالیس صفحے کا یہ شاندار مقالہ — "ٹیکسلا سے پہلے" — میں نے بڑی محنت سے چشمی صاحب کی زبانی ہی لکھا تھا۔ اسے ڈگری کے لیے بھیجوں گا ضرور۔ اور بھیجوں گا بھی بغیر کسی کانٹ چھانٹ کے۔"

"لیکن وہ اس کا عنوان — ٹیکسلا سے پہلے"۔

"اب اس کا عنوان — "ٹیکسلا کے بعد" — ہو گا —"

زنانہ اردو خط و کتابت

شوہر کو

سرتاج من سلامت

کورنشات بجالا کر عرض کرتی ہوں کہ منی آرڈر ملا۔ یہ پڑھ کر کہ طبیعت اچھی نہیں ہے از حد تشویش ہے۔ لکھنے کی بات تو نہیں مگر مجھے بھی تقریباً دو ماہ سے ہر رات بدخوابی ہوتی ہے۔ آپ کے متعلق برے برے خواب نظر آتے ہیں۔ خدا خیر کرے۔ صبح کو صدقے کی قربانی دے دی جاتی ہے۔ اس پر کافی خرچ ہو رہا ہے۔

آپ نے پوچھا ہے کہ میں رات کو کیا کھاتی ہوں۔ بھلا اس کا تعلق خوابوں سے کیا ہو سکتا ہے۔ وہی معمولی کھانا۔ البتہ سوتے وقت ایک سیر کڑھا ہوا دودھ' کچھ خشک میوہ اور آپ کا ارسال کردہ سوہن حلوہ۔ حلوہ اگر زیادہ دیر رکھا رہا تو خراب ہو جائے گا۔

سب سے پہلے آپ کے بتائے ہوئے ضروری کام کے متعلق لکھ دوں کہ کہیں باتوں میں یاد نہ رہے۔ آپ نے تاکید فرمائی ہے کہ میں فوراً بیگم فرید سے مل کر مکان کی خرید کے سلسلے میں اُن کا آخری جواب آپ کو لکھ دوں۔ کل ان سے ملی تھی۔ شام کو تیار ہوئی تو ڈرائیور غائب تھا۔ یہ غفور دن بدن سست ہوتا جا رہا ہے۔ عمر کے ساتھ ساتھ اس کی بینائی بھی کمزور ہونے لگی ہے۔ اس مرتبہ آتے وقت اس کے

لیے ایک اچھی سی عینک لیتے آئیں۔ گھنٹوں کے بعد آیا تو بہانے تراشنے لگا کہ تین دن سے کار مرمت کے لیے گئی ہوئی ہے۔ چاروں ٹائر بیکار ہو چکے ہیں۔ ٹیوب پہلے سے چھلنی ہیں۔ یہ کار بھی جواب دیتی جارہی ہے۔ آپ کے آنے پر نئی کار لیں گے۔ اگر آپ کو ضرورت ہو تو اس کار کو منگالیں۔ خیر تانگہ منگایا۔ راستے میں ایک جلوس ملا۔ بڑا غل غپاڑہ مچا ہوا تھا' ایک گھنٹے ٹریفک بند رہا۔ معلوم ہوا کہ خان بہادر رحیم خاں کے صاحبزادے کی برات جارہی ہے۔ برات نہایت شاندار تھی۔ تین آدمی اور دو گھوڑے زخمی ہوئے۔

راستے میں زینت بُوا مل گئیں۔ یہ ہماری دور کی رشتہ دار ہوتی ہیں۔ احمد چچا کے سسرال میں جو ٹھیکیدار صاحب ہیں نا ان کی سوتیلی ماں کی سگی بھتیجی ہیں۔ آپ ہمیشہ زینت بُوا اور رحمت بُوا کو ملا دیتے ہیں۔ رحمت بُوا میری ننھیال سے ہیں اور ماموں عابد کے ہم زلف کے تائے کی نواسی ہیں۔ رحمت بُوا بھی ملی تھیں۔ میں نے ان سے کہا کہ کبھی باجی قدسیہ کو ساتھ لا کر ہمارے ہاں چند مہینے رہ جائیں۔ انہوں نے وعدہ کیا ہے۔ باجی قدسیہ بھی اپنے عزیزوں میں سے ہیں۔ یہ وہی ہیں جو تایا نعیم کے ساتھ ہماری شادی پر آئی تھیں۔ تایا نعیم کی ساس ان کی دادی کی منہ بولی بہن تھیں بلکہ ایک دوسرے سے دوپٹہ بدل چکی تھیں۔ یہ سب اس لیے لکھ رہی ہوں کہ آپ کو اپنے عزیز و اقارب یاد نہیں رہتے۔ کیا عرض کروں آج کل زمانہ ایسا آگیا ہے کہ رشتہ دار کو رشتہ دار کی خبر نہیں۔ میں نے زیب بُوا کو گھر آنے کے لیے کہا' وہ اسی شام آگئیں۔ میں نے بڑی خاطر کی۔ خواہش ظاہر کرنے پر آپ کے ارسال شدہ روپوں میں سے دو سو انہیں ادھار دے دیئے۔

ہاں تو میں بیگم فرید کے ہاں پہنچی۔ بڑے تپاک سے ملیں۔ بہت بدل چکی ہیں۔ جوانی میں مسز فرید کہلاتی تھی' اب تو بالکل رہ گئی ہیں۔ ایک تو بے چاری پہلے ہی اکہرے بدن کی ہیں' اس پر طرح طرح کی فکر۔ گھٹنوں پر ہاتھ رکھ کر اٹھتی ہیں۔ کہنے لگیں اگلے ہفتے برخوردار نعیم کا عقیقہ ہے اور اس سے اگلی جمعرات کو نور چشمی بتول سلمہا کی رخصت ہو گی' ضرور آنا۔

میں نے حامی بھر لی اور مکان کے متعلق ان سے آخری جواب مانگا۔ پہلے کی

طرح چٹاخ پٹاخ باتیں نہیں کرتیں۔ آواز میں بھی وہ کرارا پن نہیں رہا۔ انہیں تو یہ بتول لے کر بیٹھ گئی۔ عمر کا بھی تقاضا ہے۔ سوچ رہی ہوں کہ جاؤں یا نہ جاؤں۔ دو ڈھائی سو روپے خرچ ہو جائیں گے۔ نیا جوڑا سلوانا ہوگا۔ ویسے تو ان سردیوں کے لیے سارے کپڑے نئے بنوانے پڑیں گے۔ پچھلے سال کے کپڑے اتنے تنگ ہو چکے ہیں کہ بالکل نہیں آتے۔ آپ بار بار سیر اور ورزش کو کہتے ہیں' بھلا اس عمر میں مستانوں کی طرح سیر کرتی ہوئی اچھی لگوں گی۔ ورزش سے مجھے نفرت ہے۔ خواہ مخواہ جسم کو تھکانا اور پھر پسینہ الگ۔ نہ آج تک کی ہے نہ خدا کرائے۔ کبھی کبھی کار میں زنانہ کلب چلی جاتی ہوں' وہاں ہم سب بیٹھ کر نِٹنگ کرتی ہیں۔ واپس آتے آتے اس قدر تکان ہو جاتی ہے کہ بس۔

آپ ہنسا کرتے ہیں کہ نِٹنگ کرتے وقت عورتیں باتیں کیوں کرتی ہیں۔ اس لیے کہ کسی دھیان میں لگی رہیں۔

آپ نے جگہ جگہ خط میں شاعری کی ہے اور الٹی سیدھی باتیں لکھی ہیں۔ ذرا سوچ تو لیا ہوتا کہ بچوں والے گھر میں خط جا رہا ہے۔ اب ہمارے وہ دن نہیں رہے کہ عشق وِشق کی باتیں ایک دوسرے کو لکھیں۔ شادی کو پورے سات برس گزر چکے ہیں' خدارا ایسی باتیں آئندہ مت لکھئے۔ توبہ توبہ اگر کوئی پڑھ لے تو کیا کہے۔

ان دنوں میں فرسٹ ایڈ سیکھنے نہیں جاتی۔ ٹریننگ کے بعد کلاس کا امتحان ہوا تھا' آپ سن کر خوش ہوں گے کہ میں پاس ہو گئی۔

پچھلے ہفتے ایک عجیب واقعہ ہوا۔ بنّو کے لڑکے کو بخار چڑھا۔ یوں تپ رہا تھا کہ چنے رکھو اور بھون لو۔ میں نے تھرمامیٹر لگایا تو نارمل تھا۔ دوبارہ لگایا تو نارمل سے بھی نیچے چلا گیا۔ پتہ نہیں کیا وجہ تھی۔ پھر گھڑی لے کر نبض گننے لگی۔ دفعتہً یوں محسوس ہوا جیسے لڑکے کا دل ٹھہر گیا ہو کیونکہ نبض رک گئی تھی۔ بعد میں پتہ چلا کہ دراصل گھڑی بند ہو گئی تھی۔ یہ فرسٹ ایڈ بھی یونہی ہے۔ خواہ مخواہ وقت ضائع کیا۔

ڈاکٹر میری سٹوپس کی کتاب ارسال رہی ہے۔ اگر دکاندار واپس لے لے تو لوٹا دیجیے۔ یہ باتیں بھلا ہم مشرق کے رہنے والوں کے لیے تھوڑا ہی ہیں۔ اس کی جگہ

بہشتی زیور کی ساری جلدیں بھجوا دیجیے۔ ایک کتاب ''گھر کا حکیم'' کی بڑی تعریف سنی ہے۔ یہ بھی بھیج دیجیے۔

چند نئی فلمیں دیکھیں کافی پسند آئیں۔ ہیرو کا انتخاب بہت موزوں تھا۔ موٹا تازہ' لمبے لمبے بال' کھوئی کھوئی نگاہیں' کھلے گلے کا کرتہ گانے کا شوق' کسی کام کی بھی جلدی نہیں' فرصت ہی فرصت۔ آپ بہت یاد آئے۔ شادی سے پہلے میں آپ کو اسی روپ میں دیکھا کرتی تھی۔ کاش کہ آپ کے بھی لمبے لمبے بال ہوتے' ہر وقت کھوئی ہوئی نگاہوں سے خلا میں تکتے رہتے' کھلے گلے کا کرتہ پہن کر گلشن میں گانے گایا کرتے۔ نہ یہ کم بخت دفتر کا کام ہوتا اور نہ ہر وقت کی مصروفیت۔ لیکن خواب کب پورے ہوئے ہیں۔

ان فلموں میں ایک بات کھٹکتی ہے' ان میں عورتوں کی قوالی نہیں ہے۔ فلم بناتے وقت نہ جانے ایسی اہم چیز کو کیوں انداز کر دیتے ہیں۔ دوسرے یہ کہ گیت بیحد معمولی ہیں۔ مثلاً ایک گانا بھی ایسا نہیں ہے جس میں راجہ جی' مورے راجہ یا ہو راجہ' آتا ہو۔ یہ سادہ الفاظ گیت میں جان ڈال دیتے ہیں۔

ایک بہت ضروری بات آپ سے پوچھنا تھی۔ زینت بُوا نے شبہ سا ڈال دیا ہے کہ آپ کے لفافوں پر پتہ زنانہ تحریر میں لکھا ہوا ہوتا ہے۔ ممکن ہے کہ آپ کے دفتر میں کوئی سیکرٹری یا سٹینو وغیرہ آ گئی ہو اور آپ مصروفیت کی بنا پر پتہ اس سے لکھواتے ہوں۔ یہ لڑکی کس عمر کی ہے؟ شکل و صورت میں کیسی ہے؟ غالباً کنواری ہو گی؟ اس کے متعلق مفصل طور پر لکھئے۔ اگر ہو سکے تو اس کی تصویر بھی بھیجئے۔

باقی سب خیریت ہے اور کیا لکھوں۔ بس بچے ہر وقت آپ کو یاد کرتے ہیں۔ اصغر پوچھتا ہے کہ ابا میری سائیکل کب بھیجیں گے۔ آپ نے آنے کے متعلق کچھ نہیں لکھا۔ اب تو ننھی کی بسم اللہ بھی قریب آ چکی ہے۔ میری مانیئے تو واپس یہیں تبادلہ کرا لیجیے۔ بھاڑ میں جائے یہ ترقی اور ایسا مستقبل۔ تھوڑی سی اور ترقی دے کر محکمے والے کہیں آپ کو اور دور نہ بھیج دیں۔

آپ بہت یاد آتے ہیں۔ ننھے کی جرابیں پھٹ چکی ہیں۔ ننھی کے پاس ایک بھی نیا فراک نہیں رہا۔ برا ہو پردیس کا۔ صورت دیکھنے کو ترس گئے ہیں۔ امی جان کی اونی چادر اور کمبلوں کا انتظار ہے۔

ہر قت آپ کا انتظار رہتا ہے۔ آنکھیں دروازے پر لگی رہتی ہیں۔ صحن کا فرش جگہ جگہ سے اکھڑ رہا ہے۔ مالی کام نہیں کرتا۔ اس کی لڑکی اپنے خاوند کے ساتھ بھاگ گئی ہے۔

آتے وقت چند چیزیں ساتھ لائیں۔ بچوں کے جوتے اور گرم کوٹ، ننھے کی جرابیں اور کنٹوپ، ننھی کی فراک، دو چمڑے کے صندوق، زینب بُوا کے لیے اچھا سا تحفہ، بلی کے گلے میں باندھنے کے لیے ربن اور کتے کا خوبصورت سا کالر، کچھ سوہن حلوہ اور ننھی کا سویٹر۔ ننھی کے کان میں پھنسی تھی۔ چچا جان سول سرجن بلانے کو کہتے تھے، میں نے منع کر دیا کیونکہ کل تعویذ آ جائے گا۔

یہاں کی تازہ خبریں یہ ہیں کہ پھوپھی جان کی بھینس اللہ کو پیاری ہوئی۔ سب کو بڑا افسوس ہوا۔ اچھی بھلی تھی۔ دیکھتے دیکھتے ہی دم توڑ دیا۔ میں پُرسہ دینے گئی تھی۔ تایا عظیم کا لڑکا کہیں بھاگ گیا ہے۔ احمد چچا کا جس بینک میں حساب تھا وہ بینک فیل ہو گیا ہے۔ اور ہاں پھوپھا جان کی ساس جو اکثر بہکی بہکی باتیں کیا کرتی تھیں اب بالکل باؤلی ہو گئی ہیں۔ بقیہ خبریں اگلے خط میں لکھوں گی۔

سرتاج کو کنیز کا آداب۔ فقط

(ایک بات بھول گئی۔ منی آرڈر پر مکان کا نمبر ضرور لکھا کیجیے۔ اس طرح ڈاک جلدی مل جاتی ہے۔)

امّی جان کے نام

مری پیاری امّی، مری جان امّی!

بعد اَدائے آداب کے عرض یہ ہے کہ یہاں پر ہر طرح سے خیریت ہے اور خیر و عافیت آپ کی خداوند کریم سے نیک مطلوب ہوں۔ صورت احوال یہ ہے کہ یہاں سب خیریت سے ہیں۔ والا نامہ آپ کا صادر ہوا۔ دل کو از حد خوشی ہوئی۔ چچا جان کے خسر صاحب کے انتقال پُرملال کی خبر سن کو دل کو از حد قلق ہوا۔ جب سے یہ خبر سنی ہے چچی جان دھاروں رو رہی ہیں۔ خلیفہ جی یہ سناؤنی لے کر پہنچے تو کسی سے اتنا نہ ہوا کہ ان کی دعوت ہی کر دیتا۔ میں نے سوچا کہ اگر ذرا سی الکسی ہو گئی تو خاندان بھر میں تُھڑی تُھڑی

ہو جائے گی۔ فوراً خادمہ کو لے کر باورچی خانے میں پہنچی۔ اس نے جھپاک جھپاک آٹا گوندھا، لیکن سالن قدرے تیز آنچ پر پک گئے، چنانچہ پھل پھلواری سے خلیفہ جی کی تواضع کی۔ بہت خوش ہوئے۔ تائی صاحبہ نے خوان بھجوا کر حاتم کو شرمندہ کرنے کی کوشش کی۔ دوسرے روز ناشتے پر بھی بلوایا۔ اوچھے کے ہوئے تیتر باہر باندھوں کے بھیتر۔ یہ تائی صاحبہ بھی ہمیشہ اسی طرح کرتی رہتی ہیں، رنگ میں بھنگ ڈال دیتی ہیں۔

الفت بیا آئی تھیں۔ تائی صاحبہ کا فرمانا ہے کہ یہ بچپن سے بہری ہیں۔ بہری وہری کچھ نہیں فقط وہ سنتی نہیں ہیں۔ کیا مجال جو آگے سے کوئی ایک لفظ بول جائے۔

گو دل نہیں چاہ رہا تھا لیکن آپ کے ارشاد کے مطابق ہم سب ممانی جان سے ملنے گئے۔ وہاں پہنچے تو سارا کنبہ کہیں گیا ہوا تھا، چنانچہ ہم چڑیا گھر دیکھنے چلے گئے۔ ایک نیا جانور آیا ہے۔ زیبرا کہلاتا ہے۔ بالکل گدھے کا سپورٹس ماڈل معلوم ہوتا ہے۔ اچھا ہی ہوا کہ دیکھ لیا ورنہ ممانی جان کی طعن آمیز گفتگو سننی پڑتی۔

پڑھائی خوب زوروں سے ہو رہی ہے۔ پچھلے ہفتے ہمارے کالج میں مِس سیّد آئی تھیں جنہیں حال میں ولایت سے کئی ڈگریاں ملی ہیں۔ بڑی قابل عورت ہیں۔ انہوں نے "مشرقی عورت اور پردہ" پر لیکچر دیا۔ ہال میں تِل دھرنے کو جگہ نہ تھی۔ مس سیّد نے شنائل کا ہلکا گلابی جوڑا پہن رکھا تھا۔ قمیص پر کلیوں کے سادہ نقش اچھے لگ رہے تھے۔ گلے میں گہرا سرخ پھول نہایت خوبصورتی سے ٹانکا گیا تھا۔ شیفون کے آبی دوپٹے کا کام مجھے بڑا پسند آیا۔ بیضوی بُوٹے جوڑوں میں کاڑھے ہوئے تھے۔ ہر دوسری قطار کلیوں کی تھی۔ ہر چوتھی قطار میں دو پھول کے بعد ایک کلی کم ہو جاتی تھی۔ دوپٹے کا پلّو سادہ تھا لیکن بھلا معلوم ہو رہا تھا۔ مس سیّد نے بھاری سینڈل کی جگہ لفٹی پہن رکھی تھی۔ کانوں میں ایک ایک نگ کے ہلکے پھلکے آویزے تھے۔ تراشیدہ بال بڑی استادی سے پرم کیے ہوئے تھے۔ جب آئیں تو کوٹی کی خوشبو سے سب کچھ معطّر ہو گیا، لیکن مجھے ان کی شکل پسند نہیں آئی۔ ایک آنکھ دوسری سے کچھ چھوٹی ہے۔ مسکراتی ہیں تو دانت بُرے معلوم ہوتے ہیں۔ ویسے بھی عمر رسیدہ ہیں۔ ہوں گی ہم لڑکیوں سے کم از کم پانچ سال بڑی۔ ان کا لیکچر نہایت مقبول ہوا۔

آپ یہ سن کر پھولی نہ سمائیں گی کہ آپ کی پیاری بیٹی امور خانہ داری پر کتاب لکھ رہی ہے۔ مجھے بڑا غصہ آتا تھا جب لوگوں کو یہ کہتے سنتی تھی کہ پڑھی لکھی لڑکیاں گھر کا کام کاج نہیں کر سکتیں۔ چنانچہ میں نے یہ آزمودہ ترکیبیں لکھی ہیں جو ملک کے مشہور زنانہ رسالوں میں چھپیں گی۔ نمونے کے طور پر چند ترکیبیں نقل کرتی ہوں—

لذیذ آرنج سکواش تیار کرنا

آرنج سکواش کی بوتل لو۔ یہ دیکھ لو کہ بوتل آرنج سکواش ہی کی ہے کسی اور چیز کی تو نہیں، ورنہ نتائج خاطر خواہ بر آمد نہ ہوں گے۔ دوسری ضروری بات یہ ہے کہ مہمانوں اور گلاسوں کی تعداد ایک ہونی چاہیے۔ گلاسوں کو پہلے صابن سے دھلوا لینا اشد ضروری ہے۔ بعد ازیں سکواش کو بڑی حفاظت سے گلاس میں انڈیلو اور پانی کی موزوں مقدار کا اضافہ کرو۔ مرکب کو چمچے سے تقریباً نصف منٹ ہلائیں۔ نہایت روح افزاء آرنج سکواش تیار ہو گا۔

موسم کے مطابق برف بھی استعمال کیا جا سکتا ہے (لیکن برف کو صابن سے دھلوا لینا نہایت ضروری ہے)۔

انڈا ابالنا

یہ عمل اتنا آسان نہیں جتنا کہ لوگ سمجھتے ہیں لیکن اگر مشق ہو جائے تو ذرا مشکل نہیں لگتا۔ ایک انڈہ لو (بہتر ہو گا کہ انڈہ مرغی کا ہو) پیشتر اس کے کہ عمل شروع کیا جائے یہ معلوم کر لینا ضروری ہے کہ انڈہ خراب تو نہیں۔ اس کا سہل اور مجرب طریقہ یہ ہے کہ انڈے کو ایک کونے سے ذرا سا توڑ کر تسلی کر لی جائے۔ اب انڈے کو پانی میں ڈبو کر پانی اور انڈا دیگچی میں ڈالو۔ دیگچی کو چولہے پر رکھ کر گرم کرو اور ذرا ذرا سی دیر کے بعد پانی میں انگلی ڈال کر دیکھتی رہو کہ ابال آنا شروع ہوا ہے یا نہیں۔ شُوں شُوں کی آواز پر آگ بجھا دو اور ہاتھ یا کسی اور چیز کی مدد سے انڈا دیگچی سے باہر نکال کر ٹھنڈا کر لو۔ اب انڈا بالکل تیار ہے اور کھایا جا سکتا ہے۔

مزے دار فروٹ سلاد تیار کرنا

مہمانوں کے یک لخت آجانے پر ایک ملازم کو جلدی سے بازار بھیج کر کچھ بالائی اور ایک ٹین پھلوں کا منگاؤ۔ اس کے آنے سے قبل ایک بڑی قاب کو صابن سے دھلوا لینا چاہیے' ورنہ بعض اوقات فروٹ سلاد میں اور طرح کی خوشبو آنے لگتی ہے۔ اب ٹین کھولنے کا اوزار لے کر ٹین کا ڈھکنا کھولنا شروع کرو اور خیال رکھو کہ کہیں انگلی نہ کٹنے پائے۔ بہتر ہوگا کہ ٹین اور اوزار نوکر کو دے دو۔ اب پھلوں کو ڈبے سے نکال کر حفاظت سے قاب میں ڈالو اور بالائی کی ہلکی ہلکی تہہ جمالو۔ نہایت مزیدار اور مفرح فروٹ سلاد تیار ہے۔ نوش جان کیجیے۔

میز پوش سینا

جس میز کے لیے پوش درکار ہوں' اس کا ناپ لو۔ بہتر ہوگا کہ کپڑے کو میز پر پھیلا کر لمبائی چوڑائی کے مطابق وہیں قینچی سے قطع کر لیا جائے۔ اب ہاتھ یا پاؤں سے چلنے والی سلائی کی مشین منگاؤ۔ سوئی میں دھاگا پرو کر میز پوش کے ایک کونے سے سلائی شروع کرو اور سیتی چلی جاؤ حتی کہ وہی کونا آجائے جہاں سے بخیہ شروع کیا تھا۔ اب میز پوش کو استعمال کے لیے تیار سمجھو۔ اگر سیتے وقت سارے کپڑے کے دو چکر لگ جائیں تو دگنا پائیدار میز پوش تیار ہوگا۔ ضرورت کے مطابق بعد میں کسی سے بیل بُوٹے کڑھوائے جاسکتے ہیں۔

استری پھیرنا

(نوٹ: استری بڑا پرانا لفظ ہے' سنسکرت میں بار بار استری کا ذکر آتا ہے)

اپنے قد سے تقریباً دو فٹ نیچی میز منگاؤ۔ استری میں دہکتے ہوئے کوئلے ڈالو اور ہاتھ پھیر کر دیکھتی رہو کہ گرم ہو گئی ہے یا نہیں۔ جب ہاتھ پھیرنا مشکل ہو جائے تو سمجھ لو کہ استری تیار ہے اور پھیری جاسکتی ہے۔ اب استری کو کپڑے پر پھیرو۔ کپڑے کی تہہ درست کرنا نہ بھولنا چاہیے۔ ساتھ ساتھ پانی کے چھینٹے دیتی جاؤ (کپڑے

پر)۔ جب کپڑا بھورا ہونا شروع ہو جائے تو سمجھ لو کہ مکمل استری ہو گئی۔ دوسرا کپڑا پہلے استری شدہ کپڑے پر پھیلا کر یہ عمل دہرایا جاسکتا ہے۔ جب ایک جانی پہچانی بھینی بھینی خوشبو کمرے میں پھیلنے لگے تو استری کرنا یک لخت بند کر دو۔

کپڑے ڈرائی کلین کرنا

مناسب کپڑے چن کر ایک سمجھ دار ملازم کے ہاتھ ڈرائی کلین کی دکان پر بھجوا دو۔ بھیجنے سے پہلے بہتر ہو گا کہ صرف وہی کپڑے بھیجو جنہیں بعد میں پہچان سکو۔ یہ معلوم کرنے کے لیے کہ کپڑے واقعی ڈرائی کلین کیے گئے ہیں ایک بڑی آزمودہ ترکیب ہے۔ کپڑوں کو سونگھ کر دیکھو' اگر پٹرول کی بو آ رہی ہو تو سمجھ لو ٹھیک ہے۔ اب کپڑے ڈرائی کلین ہو چکے ہیں اور انہیں فوراً استعمال میں لایا جاسکتا ہے۔

سچ بتانا اچھی امی جان! آپ کو یہ ترکیبیں پسند آئیں؟ ایسے اور بہت سے نسخے بھی میرے پاس محفوظ ہیں جنہیں اگلے خط میں بھیجوں گی۔

میں علی الصبح اٹھتی ہوں۔ آپ کا ارسال شدہ ٹائم پیس اتنے زور سے بجتا ہے کہ رات کو اسے رضائی میں لپیٹ کر ایک کونے میں رکھنا پڑتا ہے۔ عید پر جو خالہ جان نے موٹاپے کا طعنہ دیا تھا' اس کے لیے بڑی کوشش کر رہی ہوں۔ فالتو چیزوں کا استعمال آہستہ آہستہ بند کر رہی ہوں۔ نشاستے سے پرہیز کرتی ہوں۔ کپڑوں تک میں سٹارچ نہیں لگنے دیتی۔

ایک خوشخبری دینا تو بھول ہی گئی۔ آپ کی پیاری بیٹی اس سال فارسی میں کالج میں دوئم آئی ہے۔ یہ سب آپ کی دعاؤں کا نتیجہ ہے ورنہ لونڈی کس لائق ہے۔ یہ آپ سے کس نے کہا کہ میں کلاس میں دیر سے پہنچتی تھی۔ پہلا گھنٹہ فارسی کا ہوتا تھا اور فارسی میں صرف دو لڑکیاں تھیں نجمہ اور میں۔ شاید یہ اطلاع میری سہیلیوں میں سے نہیں بلکہ رشتہ داروں میں سے کسی نے پہنچائی ہے۔

اب خط ختم کرتی ہوں۔ میری طرف سے بزرگوں کی خدمت میں آداب۔ بچوں کو بہت بہت پیار۔ ہم عمروں کو سلام علیک۔

دیکھیئے وہ کون سا مبارک دن ہوتا ہے کہ میں اپنی امی کو جھک کر آداب کروں اور امی جان مجھے کلیجے سے لگالیں اور سدا لگائے رکھیں۔ آمین ثم آمین۔ فقط

ناچیز

آپ کی بیٹی

منگیتر کو

جناب بھائی صاحب!

آپ کا خط ملا۔ میں آپ کو ہرگز خط نہ لکھتی لیکن پھر خیال آیا کہ آپ کی بہن میری سہیلی ہیں اور کہیں وہ برا نہ مان جائیں۔ وہم و گمان میں بھی نہ آسکتا تھا کہ کبھی ایک غیر مرد کو خط بھیجوں گی۔

امید کرتی ہوں کہ آئندہ خط لکھتے وقت اس بات کا خیال رکھیں گے کہ آپ ایک شریف گھرانے کی ایشیائی لڑکی سے مخاطب ہیں۔ احتیاطاً تحریر ہے۔ میرا آپ کو خط لکھنا اس امر کا شاہد ہے کہ ہم لوگ کس قدر وسیع خیالات کے ہیں۔

مجھے بتایا گیا تھا کہ آپ رشیدہ اور حمیدہ کو جانتے ہیں۔ کلثوم اور رفعت سے بھی واقفیت رہ چکی ہے۔ ثریا اور اختر کو خط لکھا کرتے تھے۔ آپ کو کلب میں ناچتے ہوئے بھی دیکھا گیا ہے اور ایک شام کو آپ چمکیلی سی پیلے رنگ کی چیز چھوٹے سے گلاس میں پی رہے تھے اور خوب قہقہے لگا رہے تھے۔ خدا کا شکر ہے کہ ہم ماڈرن نہیں ہیں۔ ہمیں یہ ہوا نہیں لگی۔ نہ اس روش پر چلنے کا ارادہ ہے۔ ہمارے ہاں جہاں مذہب' شرافت اور خاندانی روایات کا خیال ملحوظ ہے وہاں اعلیٰ تربیت اور بلند خیالی بھی ہے۔

میں بی اے (آنرز) میں پڑھتی ہوں۔ شام کو مولوی صاحب بھی پڑھانے آتے ہیں۔

آپ نے لکھا ہے کہ آپ نے مجھے تانگے میں کالج سے نکلتے دیکھا تھا اور میں نے برقعے کا نقاب الٹ رکھا تھا۔ آپ نے کسی اور کو دیکھ لیا ہوگا۔ اول تو میں ہمیشہ کالج کار میں جاتی ہوں' دوسرے یہ کہ میں نقاب نہیں الٹا کرتی۔ ہمیشہ برقعہ میرے ہاتھوں

میں کتابوں کے ساتھ ہوا کرتا ہے۔

جی ہاں مجھے ٹھوس مطالعے کا شوق ہے۔ اباجان کی لائبریری میں فرائیڈ' مارکس 'گراؤچو مارکس' ڈکنز' آگاتھا کرسٹی' کارلائل' پیٹر چینی' تھورن سمتھ اور دیگر مشہور مفکروں کی کتابیں موجود ہیں۔ میں نے سائیکالوجی پڑھنی شروع کی تو یوں معلوم ہوتا تھا جیسے یہ سب کچھ تو مجھے پہلے سے معلوم ہے۔ فلاسفی پڑھی تو محسوس ہوا جیسے یہ سب درست ہے۔ سوشل سائنس پڑھی تو لگا کہ واقعی یونہی ہونا چاہیے تھا۔ آخر ہمیں ایک نہ ایک روز تو جدید تہذیب کے دائرے میں آنا تھا۔ زمانے کو بیسویں صدی تک بھی تو پہنچنا ہی تھا۔ میرے خیال میں میں کافی مطالعہ کر چکی ہوں۔ چنانچہ آج کل زیادہ نہیں پڑھتی۔

آپ نے پوچھا ہے کہ موجودہ ادیبوں میں مجھے کون پسند ہیں۔ سوڈپٹی نذیر احمد' مولانا راشد الخیری اور پنڈت رتن ناتھ سرشار میرے محبوب مصنّفین ہیں۔ شاعروں میں نظیر اکبر آبادی مرغوب ہیں۔ خواتین میں ایک صاحبہ بہت پسند ہیں۔ انہوں نے صرف دو ناول لکھے ہیں جن میں جدید اور قدیم زیورات و پارچہ جات' بیاہ شادی کی ساری رسوم اور طرح طرح کے کھانوں کے ذکر کو اس خوبصورتی سے سمو دیا ہے کہ یہ پتہ چلانا مشکل ہے کہ ناول کہاں ہے اور یہ چیزیں کہاں؟

ایک اور خاتون ہیں جو باوجود ماڈرن ہونے کے ترقی پسند نہیں ہیں۔ ان کے افسانے 'ان کی امنگیں' ان کی دنیا' سب کچھ صرف اپنے گھر کی فضا اور اپنے خاوند تک محدود ہے۔ مبارک ہیں ایسی ہستیاں۔ ان کی تصویریں دیکھ دیکھ کر ان سے ملنے کا بڑا اشتیاق تھا۔ پھر پتہ چلا کہ ان کا رنگ مُشکی ہے اور عینک لگاتی ہیں۔

آپ کی جن کزن کا کہنا ہے کہ انہوں نے مجھے کلب میں دیکھا تھا ذرا ان سے پوچھیے کہ وہ خود وہاں کیا کر رہی تھیں۔

یہ جن حمید صاحب کا آپ نے ذکر کیا ہے' وہی تو نہیں جو گورے سے ہیں۔ جن کے بال گھنگھریالے ہیں اور داہنے ابرو پر چھوٹا سا تِل ہے۔ گاتے اچھا ہیں۔ روٹھتے بہت جلد ہیں۔ جی نہیں' میں انہیں نہیں جانتی۔ نہ کبھی ان سے ملی ہوں۔

میری حقیر رائے میں تو آپ نے آرٹس پڑھ کر بڑا وقت ضائع کیا ہے۔

آپ کی بہن نے لکھا ہے کہ اب آپ کا ارادہ بزنس کرنے کا ہے۔ اگر یہی ارادہ تھا تو پھر پڑھنے کی کیا ضرورت تھی۔ عمر میں گنجائش ہو تو ضرور کسی مقابلے کے امتحان میں بیٹھ جائیے اور ملازمت کی کوشش کیجیے، کیونکہ ملازمت ہر صورت میں بہتر ہے۔ اس کے بغیر نہ پوزیشن ہے نہ مستقبل۔ یہاں ڈپٹی کمشنر صاحب کی بیوی ساری زنانہ انجمنوں کی سیکرٹری ہیں اور تقریباً ہر زنانہ جلسے کی صدارت وہی کرتی ہیں۔ دوسرا فائدہ ملازمت کا یہ ہے کہ انگلستان یا امریکہ جانے کے بڑے موقعے ملتے ہیں۔ مجھے یہ دونوں ملک دیکھنے کا ازحد شوق ہے۔

آپ نے موسیقی کا ذکر کیا ہے اور مختلف راگ راگنیوں کے متعلق میری رائے پوچھی ہے۔ جی ہاں مجھے تھوڑا بہت شوق ہے۔ جے جے ونتی سے آپ کو زیادہ دلچسپی نہیں۔ آپ کو تعجب ہوگا کہ جب دلّی سے بٹھنڈہ آتے وقت میں نے جے جے ونتی ریلوے سٹیشن کو دیکھا تو مجھے بھی پسند نہیں آیا۔ میاں کی ملہار سے آپ کی مراد غالباً خاوند کی ملہار ہے۔ جی نہیں میں نے یہ نہیں سنی۔ ویسے ایک خاندان کے افراد بھی میاں کہلاتے ہیں۔ شاید یہ ملہار ان کی ہو۔ آپ کا فرمان ہے کہ ٹوڈی صبح کی چیز ہے لیکن میں نے لوگوں کو صبح و شام ہر وقت ''ٹوڈی بچہ ہائے ہائے'' کے نعرے لگاتے سنا ہے۔

بھوپالی کے متعلق میں زیادہ عرض نہیں کر سکتی، کیونکہ مجھے بھوپال جانے کا اتفاق نہیں ہوا، البتہ جوگ اور بہاگ کے بارے میں اتنا جانتی ہوں کہ جب یہ ملتے ہیں تو سوزِ عشق جاگ اٹھتا ہے (ملاحظہ ہو وہ گراموفون ریکارڈ ''جاگ سوزِ عشق جاگ'')

جی ہاں مجھے فنون لطیفہ سے بھی دلچسپی ہے۔ مصوری، بت تراشی، موسیقی، فوٹوگرافی اور کروشیے کی بہت سی کتابیں اباجان کی لائبریری میں رکھی ہیں۔ میں اچھی فلمیں کبھی نہیں چھوڑتی۔ ریڈیو پر اچھا موسیقی کا پروگرام ہو تو ضرور سنتی ہوں، خصوصاً دوپہر کے کھانے پر۔ سیاسیات پر جو کچھ آپ نے لکھا ہے اس کے متعلق اپنی رائے اگلے خط میں لکھوں گی۔

آپ کو میری سہیلی کے بھائی نے میرے متعلق باتیں بتائی ہیں۔ ہاں یہ

درست ہے کہ اسحاق بھائی ہمارے ہاں آتے ہیں لیکن بس پندرہ بیس منٹ کے لیے۔ اشفاق بھائی اور انور بھائی ہمارے ساتھ پہاڑ پر ضرور گئے تھے لیکن ان کی کوٹھی ہم سے ایک میل دور تھی، پہاڑ کے دوسری طرف۔ لطیف بھائی اور کلیم بھائی فقط اپنی بہنوں کو چھوڑنے آتے ہیں۔ یہ غلط ہے کہ میں نے عفت کے بھائی کے ساتھ سفر کیا تھا۔ رحیم بھائی یونہی سٹیشن پر مل گئے تھے۔ میں چھٹیوں پر گھر آ رہی تھی، انہیں کوئی کام تھا، وہ اپنے ڈبے میں بیٹھے رہے، میں اپنے ڈبے میں۔ آپ جمیل بھائی اور مسعود بھائی سے پوچھ سکتے ہیں۔

آپ کی بہن مجھ سے خفا ہیں اور خط نہیں لکھتیں۔ شکایت تو الٹی مجھے ان سے ہونی چاہیے۔ انہوں نے رفّی کو وہ بات بتا دی جو میں نے انہیں بتائی تھی کہ اسے نہ بتانا۔ خیر بتانے میں تو اتنا حرج نہ تھا لیکن میں نے ان سے تاکیداً کہا تھا کہ اس سے یہ نہ کہنا کہ میں نے ان سے کہا تھا کہ اس سے نہ کہنا۔

پتہ نہیں یہ کزن والی کون سی بات ہے جس پر انہوں نے مجھ سے قسم لی تھی کہ رفّی تک نہ پہنچے۔ مجھے تو یاد نہیں۔ ویسے میری عادت نہیں کہ دانستہ طور پر کوئی بات کسی کو بتاؤں۔ اگر بھولے میں منہ سے نکل جائے تو اور بات ہے۔

خط گھر کی بجائے کالج کے پتے پر بھیجا کیجیے اور اپنے نام کی جگہ کوئی فرضی زنانہ نام لکھا کیجیے تاکہ یوں معلوم ہو جیسے کوئی سہیلی مجھے خط لکھ رہی ہے۔

باقی سب خیریت ہے۔

فقط

آپ کی بہن کی سہیلی

(اور اس خط کا کسی سے بھی ذکر مت کیجیے۔ تاکید اًعرض ہے)۔

سہیلی کو

پیاری سہیلی بہنیلی!

اوئی دل پتھر کر لیا ہے، ایسا بھی کیا۔ کبھی خیر سلّا کے دو لفظ ہی بھیج دیا کرو۔ وہی

معاملہ ہوا کہ آنکھیں ہوئیں اوٹ تو دل میں آیا کھوٹ۔

شاید تمہیں پتہ نہیں کہ میں پہاڑ پر گئی ہوئی تھی۔ بُوا میرا تو وہاں بالکل دل نہیں لگا۔ لوگ قدرتی نظارے قدرتی نظارے کی رٹ لگاتے ہیں' میرا تو جی ہفتے میں اچاٹ ہو گیا۔ نہ کوئی ڈھنگ کا سینما ہال' نہ اللہ ماری کوئی کام کی کپڑوں یا زیوروں کی دکان۔ دو مہینے میں صرف آٹھ جوڑے سلوا سکی۔ اور صرف ایک جوڑی سونے کے آویزے پسند آئے۔ اس آنے جانے میں نگوڑا نیا گرم کوٹ بھی نہ سل سکا۔ اب سردیوں میں وہی پچھلے سال بنوایا ہوا کوٹ پہننا پڑے گا۔ سچ تو یہ ہے کہ ساری گرمیوں میں ایک بھی نئے ڈیزائن کا جوڑا نہیں سلوا سکی۔ کسی نئی فلم میں ہیروئن کے کپڑے دیکھوں تو کچھ بنواؤں بھی۔

ایک بات بتاتی ہوں' مگر وعدہ کرو کہ کسی سے نہیں کہو گی' کیونکہ نکلی ہونٹوں چڑھی کوٹھوں۔ وہ جو رشید ہے نا' اب تم مجھے چھیڑو گی' اے ہٹو۔ پہلے سن بھی لو۔ اس کے چچا کالج میں پروفیسر بن کر آئے ہیں۔ ہوں گے کوئی پینتالیس چھیالیس برس کے۔ میں اگلی سیٹ پر بیٹھتی ہوں' چنانچہ حضرت کو غلط فہمی ہو گئی' حالانکہ میں نے اتّی سی بھی لفٹ نہیں دی۔ سوائے اس کے کہ میں غور سے ان کی آنکھوں کو دیکھا کرتی تھی (آنکھیں اچھی ہیں)۔ پروفیسر کو کون غور سے نہیں دیکھتا۔ کبھی کبھار ان سے علیحدگی میں سوال پوچھ لیے تو کیا ہوا۔ کل تین یا چار مرتبہ ان کے ساتھ چاء پی' وہ بھی ان کے بلانے پر۔ عید پر انہوں نے چھوٹے موٹے تحفے دیئے جو ان کا دل رکھنے کے لیے قبول کرنے پڑے۔ صرف ایک دفعہ ان کے ساتھ پکچر دیکھی۔ بس کیا تھا شاعری پر اتر آئے۔ کہنے لگے کہ تم اب تک کہاں تھیں۔ میری زندگی میں پہلے کیوں نہیں آئیں' حالانکہ ان کی زندگی کے شروع حصے میں تو میں پیدا بھی نہیں ہوئی تھی۔ شکل صورت معمولی ہے۔ گنجے بھی ہیں۔ سنا ہے کئیوں سے وعدہ خلافی کر چکے ہیں۔ پانچ چھ سال کے بعد بڑے بوڑھوں میں شمار ہوں گے۔ تعجب ہے کہ اس عمر میں بھلا کوئی کیا وعدہ کر سکتا ہے۔

ناہید نے تو سب کے سامنے ان کی خبر لی۔ انہیں جھوٹا' ہٹ دھرم' مکار اور نہ جانے کیا کیا کہا۔ ان پر کوئی اثر نہ ہوا۔ بعد میں معلوم ہوا کہ خیر سے ہاکی فٹ بال کے

ریفری بھی رہے ہیں اور اس قسم کے کلمات کے عادی ہو چکے ہیں۔ دراصل ناہید بندی نے بھی آؤ دیکھا نہ تاؤ' کھٹ سے شادی کرنے کا فیصلہ کر لیا۔ بالکل بلا سوچے سمجھے' جیسے کہ بعض لڑکیاں اکثر کرتی ہیں۔

ایک شام کو ان کے مجبور کرنے پر ان کے ساتھ سینما گئی۔ وہاں رشید اگلے درجے میں بیٹھا ہوا تھا۔ نہ جانے چچا کو کیا سوجھی کہ بھتیجے کو بلا کر پاس بٹھا لیا اور مجھ سے اسی طرح باتیں کرتے رہے۔ رشید کو خواہ مخواہ آگ لگ گئی۔ رشید کے چچا کی اس حرکت پر مجھے سخت غصہ آیا۔ انہوں نے نہ صرف میرے مستقبل کا پروگرام تباہ کر دیا بلکہ ایسی اچھی شام برباد کر کے رکھ دی۔ آج کل رشید کی مجھ سے لڑائی ہے۔ کل میں نے فون کیا تو طعنے دینے لگا۔ بولا تم بے حد خطرناک ہو' عجب الٹی منطق ہے۔ حقیقت یہ ہے کہ کوئی عورت بھی خطرناک نہیں ہوتی۔ یہ مرد ہی ہے جو کمزور ہوتا ہے۔ خیر' دونوں جائیں بھاڑ میں۔ سنا ہے رشید' زیبو کے پیچھے لگا ہوا ہے اور اس کا چچا سِلّی کے پیچھے۔

زیبو تو تمہاری ہم جماعت تھی۔ بے چاری بڑی بنتی ہے۔ میں تو اسے تب سے جانتی ہوں جب اس کے متعلق کوئی چھوٹی سی افواہ تک نہیں اڑتی تھی۔ پتہ نہیں کس بات پر اتراتی ہے۔ اجڑا اجڑا حلیہ' دبلی پتلی اتنی کہ اچھی طرح دیکھنے کے لیے دوبار دیکھنا پڑتا ہے۔ پچھلے سال کسی سیکنڈ لیفٹیننٹ کے ساتھ سکینڈل رہا۔ بار بار اسے سیکنڈ لیفٹیننٹ ہی ملتا ہے۔ پہلا لیفٹیننٹ بھاگ جاتا ہو گا۔ کیا بتاؤں ان دنوں اِتّی بدل چکی ہے کہ پہچانی نہیں جاتی۔ پچھلے ہفتے ایک پارٹی پر ملاقات ہوئی۔ میں نے نئے بُندے اور نیا ہار پہن رکھا تھا۔ پھوٹے منہ سے ان کے بارے میں ایک لفظ نہ نکلا' حالانکہ دیدے پھاڑ پھاڑ کر دیکھ رہی تھی۔ ادھر میں کئی مرتبہ جھوٹ موٹ اس کی چیزوں کی تعریف کر چکی ہوں۔ ملمّع کی ہوئی چوڑیوں کو بار بار بجاتی تھی۔ ایسی اِکل کھری ندیدی لڑکی میں نے آج تک نہیں دیکھی۔ سنا ہے کہ رشید اسے خوابوں کی ملکہ کہتا ہے۔ ضرور خوابوں میں ڈرتا ہو گا NIGHT MARES سے—

سِلّی غریب بائیس برس کی ہو چکی ہے اور اب تک کوئی نہیں ملا۔ میں نے تو کئی مرتبہ کہا کہ گزٹ پڑھا کرو۔ آج کل ترقی ملنے پر ادھیڑ عمر کے لوگ اکثر نئی شادی

کر بیٹھتے ہیں۔ ایسے کئی مل جائیں گے۔

سنا ہے کہ اس کے لیے سچ مچ ایک رشتہ آیا تھا۔ کسی بڑے زمیندار کا۔ جس کے پاس دو درجن گائے بھینسیں تھیں اور جو وہسکی میں دودھ ملا کر پیا کرتا تھا۔ پھر جہیز کے معاملے میں کچھ گڑبڑ ہو گئی۔

ان صاحبزادی کو بھی پر لگ رہے ہیں۔ کیا تو جیسے زبان تھی ہی نہیں، کیا اب کتر کتر چلتی ہے۔ فرماتی ہیں کہ میں تو سرخی اس لیے لگاتی ہوں کہ اور لڑکیوں میں نمایاں معلوم نہ ہوں۔ ایک اور فقرہ ملاحظہ ہو — کہتی ہیں کہ مُوا دل کیا ہے۔ برف کا تودا ہے۔ اتنی جلدی پگھل جاتا ہے۔ یہ سب رشید کے چچا کا اثر ہے۔ مجھے ان پروفیسر صاحب پر غصہ ہے تو اس بات کا کہ ساری خرافات مجھ ہی کو سناتے رہے۔ ابا جان سے کچھ بھی نہیں کہا، جیسے کہ خاندانی لوگوں میں دستور ہے۔ گنجے ہیں تو کیا ہوا۔ مرد اکثر گنجے ہو جاتے ہیں اور اسی وجہ سے ان کی عمر زیادہ معلوم ہوتی ہے۔ اگر آنکھوں کی طرف دیکھتے رہو تو صرف چالیس برس کے لگتے ہیں۔ خیر دفع کرو۔ ان سب کو۔

بلّو کی منگنی ہونے والی ہے۔ میں نے چھیڑا کہ بلّو کا منگیتر پبلشر ہے، اس لیے انگوٹھی پر ''جملہ حقوق محفوظ ہیں'' ضرور لکھوائیں۔

عفو کی بات پکی ہو گئی ہے۔ نہیں، اس نے منگیتر کو نہیں دیکھا، لیکن سنو گی تو خوش ہو گی کہ کئی ہزار روپے ماہوار پاتا ہے۔ اکلوتا ہے۔ بہن بھائی کے قضیے سے پاک ہے۔ عفّو کے والدین نے اچھی طرح یقین کر لیا ہے کہ سگریٹ اور شراب نہیں پیتا اور کیا چاہیے! اور وہاں لڑکے کی والدہ حج کرنے جا رہی ہیں۔ عفّو نے تو یہاں تک سنا ہے کہ ان کا ارادہ حج کے بعد وہیں رہ جانے کا ہے۔ خدا کرے یہ خبر سچ ہو۔

اچھا بہن تم اپنی سناؤ، کیا کیا مصروفیتیں ہیں۔ تمہاری خاموشی سے دال میں کچھ کالا نظر آتا ہے — دُور ہو تو کیا، تل رَتی رَتی سب جانتی ہوں۔ اللہ وہ دن لائے کہ اپنی پیاری سہیلی کے ہاتھ رنگے ہوئے دیکھوں۔ خدا سہیلی دے تو تم جیسی جس کی دسوں انگلیاں دسوں چراغ۔

حمّو تو تمہیں یاد ہو گی۔ اس کی شادی پر ہم سب گئے تھے۔ سنا ہے کہ لڑکے

نے اعتراض کیا کہ نہ تو رسوم ادا کی جائیں اور نہ باجا گاجا ہو۔ خاموشی سے سب کچھ ہو جائے۔ توبہ کیسا ہونق لڑکا ہوگا۔ شادی ہو رہی یا کوئی چوری کر رہے ہیں۔ ولایت سے ابھی ابھی آیا ہے' اس لیے دماغ درست نہیں ہے۔ لیکن کون سنتا ہے۔ رسمیں ساری ہوئیں—— مانجھے بٹھانا' کنگنا باندھنا' مہندی لگانا' مسالا پسوانا' پانی بھروانا۔ تمہیں خوشی ہوگی کہ مہر تین لاکھ مقرر ہوا ہے اور ڈیڑھ ہزار روپے جیب خرچ لکھا گیا ہے۔ حمّو کتنی خوش نصیب ہے۔ باقی کی رسمیں بھی ادا کی گئیں۔ چوتھی کھیلنا' دلہن کی جوتی دولہا کے کندھے پر لگانا' آرسی مصحف کرنا' دولہا کے سر پر بہنوں کا آنچل ڈالنا' دولہا کو زعفران کے بہانے مرچیں کھلا دینا' دولہا کے جوتے چرا لینا' پھر دولہا کو الٹی چارپائی سے گرا دینا' اس کی شیروانی پلنگ سے سی دینا' میراثنوں کا بیہودہ گانے گانا' بڑا لطف رہا۔ دولہا بھی ایک چغد نکلا۔ جنم نہ دیکھا بوریا سپنے آئی کھاٹ۔ سنا ہے کہ نکاح کے فوراً بعد کہیں فرار ہو گیا۔ بڑی مشکلوں سے ڈھونڈ کر لائے۔ پتہ نہیں آج کل کے لڑکے کیسے ہو گئے ہیں۔ یہی رسومات تو قوموں کے زندہ رہنے کی نشانیاں ہیں۔ دولہا نے مہر میں بھی مین میخ نکالی کہ بیس ہزار کا جو جہیز لڑکی کو دے رہے ہیں یہ اپنے پاس رکھیے اور تین لاکھ کی رقم کم کر کے مہر کو اور کچھ نہیں تو دو لاکھ اسی ہزار ہی کر دیجیے۔ لاحول ولا قوۃ!

شادی میں کچھ لڑکے بھی آئے ہوئے تھے۔ ہمیں چھیڑنے لگے۔ جب ڈانٹا تو بولے کہ اتنا سنگار کیوں کرتی ہو۔ یہ لوگ اتنا نہیں جانتے کہ ہم کپڑے اور زیور ایک دوسری کو دکھانے کے لیے پہنتی ہیں۔ موئے لڑکوں کو اس سے کیا۔

حمّو کی رخصت ہو گئی۔ خدا کرے کے بنّے بنّی میں ہمیشہ بنی رہے' لیکن آثار اچھے نظر نہیں آتے۔ افواہ ہے کہ اس کی ساس نندیں بڑی ظالم ہیں' پر کا کوّا اور رائی کا پہاڑ بنانے کو ہر دم تیار ہیں۔ پر بہن یہ مرحلہ تو ہر لڑکی کو طے کرنا ہے۔

رشید کے چچا بھی آئے ہوئے تھے۔ ان کے متعلق ایک لطیفہ سنا کہ رنڈوے ہیں مگر کوئی کہہ رہا تھا کہ بیوی زندہ ہے۔ خیر مجھے اس سے کیا۔

اوئی کتنا لمبا خط لکھا ہے۔ لو اب تو خوش ہو یا اب بھی روٹھی رہو گی۔ خط لکھو' مفصل سا ہو۔ کِس کِس کی نسبت ٹوٹی ہے؟ کِس کِس کے گھر شکر رنجی ہوئی ہے؟ یا

ہونے کا امکان ہے؟ ہمارے جاننے والیوں میں سے کوئی سسرال سے لڑ کر آئی ہے؟ میرے متعلق کسی سے کوئی بات تو نہیں سنی؟ ان دنوں کس کس کے سکینڈل چل رہے ہیں؟ کوئی نیا فلمی گانا پسند آیا؟ غرارے یا جمپر کا کوئی نیا ڈیزائن؟ ساری باتیں مفصل لکھنا۔

امید ہے کہ منشی فاضل کا امتحان پاس کر چکی ہو گی۔ کبھی آ کر مل ہی جاؤ۔ صرف چالیس پچاس میل کا تو فاصلہ ہے۔ فقط

تمہاری دُور اُفتادہ سہیلی

برساتی

میں علی الصبح اٹھا اور سامان باندھنا شروع کر دیا۔ آج میں اڈنبرا کو چھوڑ کر لندن جا رہا تھا۔ پانچ سو میل موٹر چلانا تھی۔ کار میں سامان رکھ کر پڑوسیوں سے علیک سلیک کی اور پروفیسر کے ہاں پہنچا' وہ ناشتے پر میرا منتظر تھا۔

"ایسے موقعے مجھے اداس کر دیتے ہیں۔" وہ بولا "جوانی میں اپنے بچوں کو رخصت کیا کرتا تھا' اب بڑھاپے میں شاگردوں کو — ہم سکاٹ ویسے بھی جذباتی ہیں۔"

اس میز پر ہم نے کتنی مرتبہ لمبی لمبی بحثیں کی تھیں۔ دنیا کے ہر موضوع پر۔ پروفیسر کہہ رہا تھا۔ "پینسٹھ برس کی زندگی میں کوئی تجربہ ایسا نہیں جو مجھے نہ ہوا ہو' لیکن جس چیز نے مجھے سب سے زیادہ مسرت پہنچائی وہ ہے صبح صبح چاء کی پیالی اور ایک سگریٹ — اس کے بعد دن بھر جو کچھ ہوتا ہے سب خرافات میں شامل ہے۔ لیکن زندگی کچھ ایسی بری بھی نہیں۔ ہو سکتا تھا کہ میرے والدین شادی نہ کرتے اور میرا وجود ہی دنیا میں نہ ہوتا۔ اچھا ہوا کہ یہ تماشا دیکھ لیا۔ میں زیادہ باتیں تو نہیں کر رہا ہوں؟ — یہی وقت ہے جب میں بول سکتا ہوں' میری بیوی باہر گئی ہوئی ہے۔" چلتے وقت پروفیسر نے نصیحت کی — "حد نگاہ کبھی محدود نہ رہے' ہمیشہ پہاڑیوں کے اس پار دیکھنا۔"

میں نے شہر کا ایک چکر لگایا' پھر یونہی خیال آ گیا کہ این سے ملتا چلوں۔ ویسے کل اسے خدا حافظ کہہ چکا تھا۔ یونیورسٹی میں اس سے ملا' وہ بہت خوش ہوئی۔

"تمہیں ڈنبار میں اتار دوں گا' وہاں سے بس لے لینا۔"

ہم دونوں روانہ ہوئے۔ آبادی سے باہر نکل کر میں نے موٹر روکی اور پیچھے مڑ کر اڈنبرا کے خطِ فلکی کو دیکھا — نوکدار مینار' مخروطی گنبد' پہاڑیاں — جیسے قرونِ وسطیٰ کا کوئی شہر —

"تم تو یوں دیکھ رہے ہو جیسے پھر کبھی یہاں نہ آؤ گے۔"

"آؤں گا' لیکن زندگی کے یہ لمحے دوبارہ نہیں آئیں گے۔"

ہم دونوں خاموش تھے۔ این مجھے سگریٹ سلگا کر دیتی' دونوں مسکراتے پھر اداسی چھا جاتی۔

سورج نکل آیا تھا۔ سکاٹ لینڈ کی پہاڑیوں پر سبزہ مخمل کی طرح بچھا ہوا تھا۔ کہیں کہیں HEATHER کے سرخ قالین بچھے ہوئے تھے۔ ہم سمندر کے ساتھ ساتھ جنوب کی طرف جا رہے تھے۔

ڈنبار آ گیا۔

"میں بیرک سے ٹرین میں چلی جاؤں گی۔"

بل کھاتی ہوئی سڑک' نشیب و فراز' سبز پہاڑیاں اور سمندر —

بیرک آ گیا۔

"اچھا بس نیو کاسل تک' وہاں میں خود تمہیں ٹرین میں بٹھا دوں گا۔"

سکاٹ لینڈ کی حدود ختم ہو چکی تھیں۔ نیلی جھیلوں اور رنگین پہاڑوں کو میں پیچھے چھوڑ آیا تھا۔ ROBERT BURNS اور اس کے نغمے' اونچے پہاڑوں کی دھند اور شہنائیوں کی دلسوز دھنیں — سب پیچھے رہ گئے تھے۔

نیو کاسل آیا تو این بھی واپس سکاٹ لینڈ چلی گئی۔

رخصت ہوتے وقت ہم بالکل خاموش تھے۔

"یہ برساتی تم نے نئی لی ہے؟"

میں نے پہنی ہوئی برساتی کو دیکھا۔ واقعی نئی معلوم ہو رہی تھی۔ شاید جون نے بغیر پوچھے اسے ڈرائی کلین کرا دیا۔

ٹرین چلنے لگی۔ این کہہ رہی تھی "اپنی جرابیں مت پھینکنا' مرمت کے لیے

مجھے بھیج دینا۔ کام پر ناشتہ کیے بغیر کبھی مت جانا۔ لوگوں سے لڑنا مت۔"

اب میں تیزی سے لندن کی طرف جا رہا تھا۔ برساتی کی آستینوں کو دیکھا' پھر کالر اور پیٹی کو — کیا یہ وہی برساتی ہے؟ ایسی برساتیاں تو جگہ جگہ دکانوں میں ملتی ہیں۔

کچھ دور جا کر موٹر روک لی' سامنے چشمہ بہہ رہا تھا۔ ایک پتھر پر بیٹھ کر غور سے برساتی کو دیکھنے لگا — اس کے کالر پر کسی نے نام لکھا تھا — یہاں سرخ نشان تھے — یہاں سبز دھبہ — اس جگہ موم لگا ہوا تھا — اور اب یہاں کچھ بھی نہیں ہے۔ وہ برساتی کہاں گئی جو میری رفیق تھی؟ جس سے طرح طرح کی یادیں وابستہ تھیں۔

وہ دھندلی صبح میری آنکھوں کے سامنے آ گئی۔ جب میں پہلے پہلے اڈنبرا آیا۔ گاڑی پہنچی تو ابھی اندھیرا تھا۔ میں سٹیشن کے ہوٹل میں ناشتہ کر رہا تھا۔ بیرے نے پردہ ہٹایا تو کھڑکی میں سے عجیب نظارہ دکھائی دیا۔ زمین پر دھند چھائی ہوئی تھی۔ اس دھند سے فصیلیں اور برجیاں ابھر رہی تھیں۔ اڈنبرا کا قلعہ پریوں کا محل معلوم ہو رہا تھا۔

سردیاں شروع ہو چکی تھیں۔ میں اوورکوٹ خریدنے لگا۔ یہاں نوعمر طبقہ برساتی پہنتا ہے اور ادھیڑ عمر کے لوگ اوورکوٹ۔ بوڑھے برساتی' اوورکوٹ اور' چھتریاں تینوں استعمال کرتے ہیں۔

ایک سبز رنگ کی برساتی پر میری نگاہیں جم کر رہ گئیں۔ اسے پہنا' پیٹی کو کس کر آئینے میں دیکھا تو خوب چست نظر آنے لگا۔ فوراً اوورکوٹ کا ارادہ ترک کر دیا اور برساتی خرید لی۔

اور وہ دن جب این سے ملاقات ہوئی۔ اس مغرور لڑکی کو میں نے کئی مرتبہ یونیورسٹی میں دیکھا تھا۔ ہمیشہ اکیلی ہوتی' سب سے الگ تھلگ۔ پاس سے گزرتے وقت ہم دونوں منہ پھیر لیتے۔

یونیورسٹی کے RECTOR کا انتخاب ہو رہا تھا۔ امیدوار کئی تھے' لیکن اصلی مقابلہ پنسلین کے موجد سر الیگزینڈر فلیمنگ اور آغا خان کے درمیان تھا۔ سب کو

یقین تھا کہ آغا خان جیت جائیں گے لیکن بالکل ذرا سے فرق سے فلیمنگ منتخب ہو گئے۔

دوپہر کو ان کا ایڈریس تھا۔ اڈنبرا کی پرانی رسم ہے کہ ریکٹر کی تقریر کو صرف ایک شخص سنتا ہے — خود ریکٹر۔

بڑے ہال میں خوب ہنگامہ مچا۔ ہم قسم قسم کی چیزیں لے کر پہنچے۔ سیٹیاں' ڈھول' باجے' بطخیں' کبوتر' رسے' چھتریاں۔

لیکچر شروع ہوا تو کئی طلباء نے چھتریاں لگالیں جیسے بارش ہو رہی ہو۔ اس گیلری سے رسّہ پھینکا گیا جسے دوسری طرف باندھا گیا۔ ایک لڑکا اس سے لٹک کر ہال عبور کرنے لگا۔

ڈھول بجے' کبوتر چھوڑ دیئے گئے جنہیں باہر نکلنے کا راستہ نہ ملا' اس لیے وہ اندر ہی اڑتے رہے۔ میں نے ایک بطخ چھوڑی جو سیدھی ایک لڑکی کے سر پر جا بیٹھی۔ اس نے پیچھے مڑ کر دیکھا — یہ این تھی۔

فلیمنگ کہہ رہے تھے "پنسلین کے پہلے تجربے کتوں اور بھیڑوں پر کیے گئے۔"

بَھوں' بَھوں' بَھوں — دیر تک ہال میں بھونکنے اور بھَیں بھَیں کی آوازیں آتی رہیں۔

میرے سر پر ایک پٹاخا پھٹا' اسے این نے پھینکا تھا۔ میں نے اپنے ساتھی سے بطخ مانگ کر این کے سر پر رکھ دی۔

فلیمنگ کی آواز آئی "LOUIS PASTEUR نے اپنی ساری عمر جراثیم کے پیچھے گزار دی۔"

نعرے لگنے لگے۔ "سبحان اللہ کیا زندگی تھی کہ جراثیم کے پیچھے گزری۔"

این نے پھر ایک پٹاخا پھینکا' میں نے فوراً ایک بطخ اس کے سر پر رکھ دی۔

فلیمنگ نے الکحل کی تخمیر کا ذکر کیا تو جیسے حاضرین کو نشہ چڑھ گیا۔ وہیں لوٹنے لگے۔ ایک صاحب بے ہوش ہو گئے' انہیں سٹریچر پر لٹایا گیا مگر دروازے کے پیچھے پہنچے تو چھلانگ مار کر اٹھے اور واپس آ بیٹھے۔

یہ ہنگامہ ختم ہوا تو میں نے دیکھا کہ پورچ میں این ایک بڑا سا اشتہار پڑھ رہی ہے۔ شام کو نئے ریکٹر کے اعزاز میں رقص ہو رہا تھا۔

"کیا ارادہ ہے؟" میں نے اس کی طرف دیکھے بغیر پوچھا۔

"ضرور چلوں گی۔" اس نے میری طرف دیکھے بغیر جواب دیا۔

رات کو ہم رقص پر گئے۔ میرے پروفیسر نے مجھے فلیمنگ سے ملایا۔ پُر شفقت چہرہ، سفید بال، باتوں میں بھولا پن—یہ وہی عظیم شخص ہے، بنی نوعِ انسان کا سب سے بڑا محسن، جتنی جانیں اس نے بچائی ہیں آج تک کسی نے نہیں بچائیں۔

سکاٹش دُھنوں پر رقص ہوتا رہا۔ آخر میں سب نے ہاتھ میں ہاتھ ڈال کر AULD LANG SYNE گایا۔ باہر نکلے تو بہت دیر ہو چکی تھی۔ این نے رقص کا ہلکا پھلکا سا گاؤن پہن رکھا تھا۔ بڑی سخت سردی تھی۔ میں نے برساتی اتار کر اسے پہنا دی۔

آسمان پر نامعلوم سی روشنی تھی اور چاروں طرف سناٹا۔ مخروطی برجیاں اور نکیلے مینار تاروں کو چھو رہے تھے۔ مجھے یہ گلیاں بہت مانوس سی معلوم ہوئیں۔ رات کے اندھیرے میں سب بستیاں ایک سی لگتی ہیں۔

پھر یونیورسٹی کے طلباء نے قندیلوں کا جلوس نکالا۔ این اور میں ہزاروں لڑکے لڑکیوں کے ساتھ بڑی بڑی قندیلیں لیے قلعے سے روانہ ہوئے۔ اندھیری رات تھی، سڑکیں خالی تھیں، نیچے اترتی ہوئی سڑک کے دونوں طرف خلقت کا ہجوم تھا۔

قندیلوں سے موم پگھل کر برساتی پر گرتا رہا اور نشان پڑتے رہے۔

مگر اب نہ یہ نشان ہیں نہ دوسرے، سب دُھل چکا ہے۔ اس سے اب وہ خوشبو بھی نہیں آ رہی جو این کو پسند تھی۔ اور میں لندن جا رہا ہوں۔ اس شہر کی مشینی زندگی سے مجھے وحشت ہوتی ہے۔ پندرہ میل اس طرف نکل جاؤ، دس میل مخالف سمت میں چلے جاؤ، لندن ختم ہی نہیں ہوتا۔ جہاں شراب خانوں میں محبوبہ کو سامنے بٹھا کر لوگ فٹ بال، غیر ملکی پالیسی، بزنس، کتوں اور گھوڑوں کی باتیں کرتے ہیں۔ کل سے پڑھائی شروع ہو جائے گی۔ لندن میں دھواں ہوگا، دھند ہوگی اور ہر وقت کی

بارش —— لیکچروں اور امتحانوں کے چکر سے مدتوں نجات نہیں ملے گی —— کل سے زندگی جامد ہو جائے گی۔ ایک سیاح چار دیواری میں بند ہو جائے گا۔

اس جمود سے میں پہلے بھی کئی بار آشنا ہوا تھا۔ ایسے گھٹے گھٹے سکون سے سب سیاح آشنا ہوتے ہیں۔ جب قدم بوجھل ہو کر زمین میں دھنس جاتے ہیں' شاہراہوں کے دروازے بند ہو جاتے ہیں اور یقین ہو جاتا ہے کہ یہ نظر بندی اب کبھی ختم نہیں ہو گی۔ یہ گھٹا کبھی نہ چھٹے گی۔

میں نے برساتی کو دیکھا —— یہ وہ تو نہیں جو ان اجنبی آسمانوں اور ان جانے خطوں میں میری رفیق تھی۔ جس کے قرب میں طرح طرح کے پیغام تھے۔ نئے نئے ملک' چمکتی ہوئی سڑک اور آزادی ——!

اس کالر کے نیچے ہسپانوی سینوریتا کے سرخ ہونٹوں کے نشان تھے ——

ایک دھند سی چھا گئی۔ چشمے کا شور دھیما ہوتا گیا۔ دھوپ پھیکی پڑتی گئی۔ وہ سب نقوش ذہن میں ابھرنے لگے۔ میں اور میرا دوست رودبارِ انگلستان عبور کر رہے ہیں۔ ہم ہسپانیہ جائیں گے۔ میں اب وہ شرارتی اور بے چین لڑکا تھا جس نے سکول سے بھاگ کر ایک باغ میں واشنگٹن ارونگ کی کتاب "الحمرا کی کہانیاں" پڑھی تھیں۔ جسے اندلس نے مسحور کر دیا' جس کے خوابوں میں وہ سہانی فضائیں بس گئیں۔

رودبارِ انگلستان کو عبور کر کے ہم پیرس پہنچتے ہیں۔ فرانسیسی زبان بالکل سمجھ نہیں آتی۔ لیکن یہ الفاظ بار بار سننے میں آتے ہیں —— شُوں داشیں' فُوں فاں' ساں سِیں ——

رات کے کھانے کا بل آتا ہے تو ہاتھوں کے طوطے اڑ جاتے ہیں —— دو ہزار کچھ سو فرانک ——!

دو تین ایسے کھانے اور رہے تو ساری سیر یہیں ختم ہے۔ لیکن حساب لگاتے ہیں تو کل ڈھائی پونڈ بنتے ہیں۔ بڑی فرحت ہوتی ہے۔

صبح اٹھ کر میں ڈائری دیکھتا ہوں' آج کے ضروری کام یہ ہیں:

1۔ حجامت

2۔ کالر کا بٹن

3۔ صابن

4۔ نپولین کا مقبرہ

5۔ رومال

6۔ ورسیلز کے محلات

چنانچہ سیدھے حجام کے ہاں پہنچتے ہیں، دکان پر لکھا ہے:

"یہاں حجامت اعلیٰ درجے کی ہوتی ہے

اور انگریزی بولی جاتی ہے۔"

یوں تو سب حجام باتونی ہوتے ہیں۔ لیکن فرانسیسی حجام کی باتیں سن کر اخبار خریدنے کی ضرورت نہیں رہتی۔ آدھ گھنٹے میں صرف وہ ایک کام کی بات کرتا ہے۔ "جرمن بہت برے پڑوسی ہیں۔ جب کبھی یورپ میں جنگ ہوتی ہے تو اکھاڑے کے لیے ہمارا ملک چنا جاتا ہے۔ لڑتے دوسرے ہیں لیکن دیکھا دیکھی ہمیں بھی شریک ہونا پڑتا ہے۔ جب جنگ ختم ہوتی ہے تو جیتتا کوئی اور ہے — آپ کے سر میں مالش کروں؟"

نپولین کا مقبرہ جہانگیر کے مقبرے سے ملتا جلتا ہے۔ زبردست ہجوم ہے، شور مچا ہوا ہے، لوگ باتیں کر رہے ہیں، اونگھ رہے ہیں، تاش کھیل رہے ہیں، پڑھ رہے ہیں، سودا بیچ رہے ہیں۔ لیکن مقبرے سے کسی کو دلچسپی نہیں اور نہ غالباً نپولین سے۔

دوپہر کو دو ہزار ایک سو کچھ فرانک کا لنچ کھا کر ورسیلز کے محلات دیکھے ہیں۔ یہ جگہ ایک بہت بڑا ہوسٹل معلوم ہوتی ہے۔ ہمیں فرانسیسی بادشاہ لوئی XIV یاد آ جاتا ہے جو اس عمارت میں ستر برس رہا۔ آخری دنوں میں کافی سٹھیا گیا تھا۔ ہسپانیہ سے جنگ کا اعلان کرتے وقت اس نے یہیں وہ شیخ چلّیانہ فقرہ کہا تھا — "اب ہسپانیہ اور ہمارے بیچ میں پیرانیز کا سلسلہ کوہ حائل نہیں رہا — "تیرہ برس تک لڑائی رہی۔ نتیجہ یہ نکلا کہ دونوں طرف کے سپاہیوں کی عمروں میں تیرہ برس کا اضافہ ہو گیا اور پرانیز پہاڑ وہیں رہے جہاں ہمیشہ سے تھے — بلکہ آج کل بھی وہیں ہیں۔

پیرس کو غور سے دیکھا تو فرانسیسیوں کی رومان پسندی کے قصے بے بنیاد معلوم ہوئے۔ یہ لوگ اکثر جوڑوں میں باہر نکلتے ہیں لیکن آپس میں کسی سرگرمی کا اظہار نہیں کرتے بلکہ ایک دوسرے سے کچھ بیزار سے معلوم ہوتے ہیں۔ بچوں کی تعداد اتنی کم ہے کہ نہ ہونے کے برابر۔ یا تو یہ لوگ شادیاں نہیں کرتے یا سخت قسم کے فلاسفر ہیں۔ عورتیں چھوٹے قد کی ہیں۔ چہرے پر میک اپ اس قدر ہوتا ہے کہ بجائے خدوخال کے صرف میک اپ کے فرق سے پہچانا جاسکتا ہے کہ یہ وہی ہے یا کوئی اور۔ وہ سب رنگ رلیاں جنہیں فرانس سے منسوب کیا جاتا ہے' شاید انقلابِ فرانس سے پہلے ہوتی ہوں گی۔ ان دنوں یہ لوگ کسی پیچیدہ مسئلے پر ہر وقت غور کرتے رہتے ہیں۔

جب ہم پیرس کا مشہور عریاں رقص دیکھنے جارہے تھے تو مجھے جُولیا کا فقرہ بار بار یاد آرہا تھا— کہ بھلا ڈاکٹروں کو عریاں رقص سے کیا دلچسپی ہو سکتی ہے— جُولیا سچ کہتی تھی' لیکن ہمیں محض روایتاً جانا پڑا۔ جیسے سے مشرق سے ہر آنے والے کے متعلق اہل یورپ کو یقین ہوتا ہے کہ اگر یہ شخص تاج محل میں باقاعدہ رہا نہیں تو اس نے دیکھا ضرور ہوگا۔ اسی طرح یورپ سے آنے والوں سے یہ توقع کی جاتی ہے کہ انہوں نے پیرس کے وہ ناچ ضرور دیکھے ہوں گے۔

سٹیج پر لڑکیوں کو دیکھتے ہی بوڑھے دوربینیں نکالتے ہیں۔ یہ دوربینیں کرائے پر ملتی ہیں' لیکن صرف مردوں کو۔

پیرس سے روانہ ہوئے۔ جون آف آرک کے گاؤں سے ہوتے ہوئے TOURS پہنچے۔ دریا کو عبور کرکے اس میدان کو دیکھا جہاں آٹھویں صدی میں ایک فیصلہ کن جنگ ہوئی تھی— عرب' فرانس فتح کرتے ہوئے پیرس سے صرف سوا سو میل دور رہ گئے تھے۔ ٹورز کی لڑائی دنیا کی اہم ترین لڑائیوں میں سے تھی۔ عربوں کی شکست نے یورپ کی قسمت کا فیصلہ کردیا۔

سان سبستیاں پر ہسپانوی سرحد عبور کرکے سمندر کے کنارے رات بسر کی۔ اگلے دن برگوس کے ایک ہوٹل میں کھانے کا انتظار کررہے تھے کہ یک لخت پچاس ساٹھ خواتین و حضرات ساتھ آبیٹھے۔ کسی کی شادی خانہ آبادی ہورہی تھی۔ ہمیں بھی براتیوں میں شریک کرلیا گیا۔

ہر ہسپانوی آدھا بُل فائٹر ہوتا ہے اور آدھا ڈون کواکزاٹ۔ فرانسیسی انعام لیے بغیر نہ ٹلے گا لیکن ہسپانوی رقم لے کر منہ بنائے گا۔ اسے مٹھائی یا سگریٹ دو تو خوشی سے قبول کرے گا کہ اسے ہم رتبہ سمجھ کر تحفہ دیا گیا ہے۔

راستے میں ہماری موٹر کھڑی دیکھ کر ایک بیل گاڑی والا رک گیا کہ کسی مدد کی ضرورت ہو تو حاضر ہوں۔ سیاہ بال' سیاہ آنکھوں اور گندمی رنگت والے ہسپانوی ہمیں اجنبی نہ سمجھتے بلکہ کئی بار ایسا ہوا کہ خود ان لوگوں نے ہم سے راستہ پوچھا۔

گاؤں میں کھانے کے لیے رکتے۔ یہ معلوم ہوتے ہی کہ ہمیں زبان نہیں آتی' دکاندار ہمیں باورچی خانے میں لے جاتا۔ گوشت' مچھلی' سبزیاں' انڈے — ہم اشارہ کرتے اور وہ جلدی سے پکا دیتا۔

سیدھے سادے شریف لوگ' غریب مہمان نواز۔ سفیدی کیے ہوئے گھر جو دھوپ میں چمکتے ہیں۔ مکانوں کے دریچے اتنے کشادہ اور سجے ہوئے کہ خواہ مخواہ اندر جھانکنے کو جی چاہتا ہے۔

میڈرڈ کی شاندار سنگ مرمر کی بنی ہوئی عمارتوں' بڑی بڑی جھیلوں اور وسیع باغات کو دیکھ کر یہ خیال تک نہیں ہوتا کہ یہاں خانہ جنگی ہوئی تھی۔ مشہور آرٹ گیلری PRADO میں ہم نے پورا دن صرف کیا۔ ٹشاں — وان ڈیک — اَل گریکو — روبنز — رافیل — گویا ماریلو اور دوسرے فن کاروں کی تصویروں پر ہسپانوی فخر کرتے ہیں اور یہ فخر بجا ہے۔

صبح صبح فرانکو کا مراکشی باڈی گارڈ گلیوں سے گزر رہا تھا۔ خوبصورت وجیہ شہسوار' قدیم عربی یونیفارم — انہوں نے کئی مرتبہ فرانکو کی جان بچائی۔ ملکی خانہ جنگی میں فرانکو کی فتح مراکش کے قبیلوں کی مرہونِ منت تھی۔

ہسپانوی موسیقی کی اداس دھنیں سن کر مجھے بدوؤں کے قافلے یاد آگئے جنہیں صحراؤں میں دیکھا تھا۔ بدوؤں کا مقولہ ہے کہ آبادیوں میں صرف بزدل رہتے ہیں۔ بدو بستیوں میں محض اس لیے آتے ہیں کہ اگلے سفر کی تیاری کر سکیں۔ خیمے کے گرد گھاس اگنے سے پہلے وہ کوچ کر جاتے ہیں۔

خانہ بدوشی عربوں کی تاریخ کا اہم جزو رہی ہے۔ نہایت الم ناک جزو۔
ہوٹل کی چھوٹی سی دکان میں صندلی رنگت اور سیاہ بالوں والی حسینہ نظر آتی۔ خواہ مخواہ اس سے پوچھنے کو جی چاہتا کہ آج تاریخ کیا ہے؟ اس وقت کیا بجا ہے؟ باہر موسم کیسا ہے؟

میرے دوست نے اس سے آویزے خریدے اور انہیں پہننے کے سلسلے میں ترکیب استعمال دریافت کی۔ اس نے مسکرا کر اپنا ایک آویزہ اتارا اور یہ نیا آویزہ پہن کر چہرہ ہمارے سامنے کر دیا۔

میرے دوست نے نعرہ لگایا—"بونو"—(یہ لفظ نیا نیا سیکھا تھا)

اس کی رنگت گلابی ہو گئی۔ شرما کر دونوں ہاتھوں سے چہرہ چھپا لیا۔ ہمیں پتہ چلا کہ بونو کے یہاں وہی معنے ہیں جو ہمارے ہاں "اف مار ڈالا" کے ہیں۔ لیکن حیرت ہوئی کہ مغربی لڑکیاں شرماتی بھی ہیں۔

•

اندلس تخیل سے بھی زیادہ دلکش معلوم ہوا۔ اندلس کے سحر کو کوئی چیز اتنی اچھی طرح واضح نہیں کرتی جتنا کہ وہاں کا حسن۔

اندلسی عورتیں پھولوں سے زیادہ حسین ہیں۔ ان کی ہر ادا میں عجب شانِ دلربائی ہے۔ پُر تمکین، قابل ستائش، گہری جھیلوں سے زیادہ گمبھیر، خاموش۔ جیسے کوئی راز سدا ان کی پُراسرار اور سرکش روح میں پوشیدہ رہتا ہے۔ ایسا بیش بہا بھید جسے عاشق یا خاوند تک نہیں پا سکتے۔ سادگی ایسی کہ ان کی موجودگی میں ان کا قرب تک محسوس نہیں ہوتا۔ لیکن بعد میں رُواں رُواں کسی آتشیں جذبے سے مغلوب ہو جاتا ہے۔ جب یہ محبت کرتی ہیں تو محبوب کو اپنی شدید چاہت اور لااُبالی پن سے متحیر کر دیتی ہیں۔ لیکن انہیں کبھی دکھاوے کی محبت نہیں ہوتی۔

غرناطہ ایک وسیع وادی میں پھیلا ہوا ہے۔ پہاڑیوں پر الحمرا کا قصر اور جنت العریف کے باغات ہیں۔ ایک طرف نیچی پہاڑیوں پر پرانا شہر البیرزن آباد ہے جہاں خانہ بدوش رہتے ہیں۔ عقب میں سیرا نویدا کی برفانی چوٹیاں ہیں جہاں سے الحمرا کے فواروں کو پانی ملتا ہے۔

اوپر پہاڑ کی چوٹی سے دور افق پر ایک دھندلی سی چیز نظر آتی ہے۔ افریقہ کا ساحل۔

ان باغوں میں یوں محسوس ہوتا ہے جیسے ابھی کسی کے قدموں کی آہٹ سنی ہے' ابھی ابھی کوئی گیا ہے۔ یہ نامعلوم سی خوشبو اس کے پیراہن کی ہے۔ کسی نے پھولوں کو چھو لیا ہوگا' یہ ٹہنیاں اب تک ہل رہی ہیں۔

الحمرا اب بھی پریوں کا مسکن معلوم ہوتا ہے۔ ہر ستون' ہر محراب' ہر درو دیوار کے خوشنما نقوش' چپہ چپہ سحر زدہ۔ لیکن اس ویرانی میں زندگی کے آثار صرف فواروں کی صدائیں ملتے ہیں۔ یہ چشمے کبھی خاموش نہیں ہوئے۔ عربوں کے زمانے سے اب تک رواں ہیں۔ گزرتے ہوئے وقت کے مدّوجزر' انسانی زندگی کی کم مائیگی' فلسفۂ تعمیرو تخریب — سب ان فواروں میں جذب ہو کر رہ گئے ہیں۔

شام کو نیا چاند نکلا۔ میں نے پہاڑی سے نیچے دیکھا۔ ساری وادی میں روشنیاں ٹمٹما رہی تھیں' برفانی چوٹیوں سے تارے جھانک رہے تھے۔

وہ کیسا منحوس طلسم تھا جو سدا اس قصر پر مسلط رہا۔ یہ قصر جو اب بھی دنیا کی حسین ترین چیزوں میں سے ہے۔ ان سرخ فصیلوں کے اندر جو ارضی جنت ہے' وہ اس قدر غم انگیز کیوں ہے۔

ہوا کا جھونکا آیا اور خوشبوئیں بکھیرتا چلا گیا۔ خوش الحان پرندوں کے چہچہے سنائی دیئے اور فواروں کی صدا — دل میں اداسی کی تہیں بیٹھتی چلی گئیں۔ وہ اداسی جو حسن سے مربوط ہے۔

سی نور انتونیو ہمارا گائیڈ تھا۔ ایسی نورانی شکل کہ ولی اللہ معلوم ہوتا۔ یورپ میں چالیس پینتالیس برس کی عمر کے بعد اکثر آدمی ولی اللہ معلوم ہوتے ہیں۔ اس کا والد' اس کا دادا — سب گائیڈ تھے۔ اسے فخر تھا کہ اس کا ایک بزرگ واشنگٹن ارونگ کے غرناطہ کے قیام میں اس کا گائیڈ رہ چکا تھا۔ چنانچہ اس کی تصنیف میں بیشتر روایات اور قصے انتونیو کے بزرگ کے بتائے ہوئے تھے۔

"لیکن اب یہ نسل ختم ہو جائے گی کیونکہ میں لاولد ہوں۔" وہ ٹھنڈا سانس بھر کر کہتا۔

اسے موسیقی، ادب اور تاریخ سے خاص لگاؤ تھا——"سامنے دیواروں پر عجیب سے خطوط بنے ہوئے ہیں۔ عرب یہاں ٹرگنومیٹری پڑھاتے تھے۔ قصر کے بڑے دروازے باب العدل پر جو کنجی کی شبیہ ہے یہ صوفیوں کا نشان ہے، وہ کنجی جس سے خدا دلوں کے قفل کھولتا ہے——دنیائے موسیقی کی جانی پہچانی "ہسپانوی باغوں میں ایک رات" کی مشہور دُھن دراصل الحمرا کے چشموں کی صدا کا تاثر ہے۔ اندلس سے پسپا ہوتے وقت فرانسیسی الحمرا کو بارود سے اڑانے لگے تھے لیکن وقت پر پتہ چل گیا۔ تب سے ہمیں ان سے نفرت ہے۔ اور آپ بالکل ہسپانوی معلوم ہوتے ہیں۔ اگر خدانخواستہ اپنے ملک میں کبھی کچھ کر بیٹھیں اور وہاں سے بھاگنا پڑے تو چھپنے کے لیے سیدھے یہاں چلے آیئے۔ کسی کو پتہ تک نہ چلے گا۔"

وطن کی بہت سی باتیں یہاں ہیں۔ کسی سے کچھ پوچھو تو چار پانچ آدمی ویسے ہی ساتھ آن کھڑے ہوتے ہیں۔ رات کو لوگ خوشبو لگا کر گلیوں میں بغیر کسی مقصد کے دیر تک گھومتے رہتے ہیں۔ آدھی آدھی رات تک ہوٹل کھلے ہوئے ہیں اور ریکارڈ بج رہے ہیں۔ لیکن یہاں ایک چیز ایسی ہے جو ہمارے ہاں نہیں۔ محبوبہ کے دریچے کے نیچے کھڑے ہو کر گانا گایا جا سکتا ہے (اگرچہ اس کی اجازت ہماری فلموں میں ہے)۔ لیکن ہسپانوی محبوبہ جواباً ہرگز نہیں گائے گی۔ محبوبہ کے والدین تب تک خاموش رہیں گے جب تک عاشق سنجیدگی سے گاتا رہے، لیکن اگر وہ بات کرنے کی کوشش کرے تو شور مچ جائے گا اور محبوبہ کو اندر بلا لیا جائے گا۔

انتونیو نے خانہ بدوشوں کے ناچ کی بڑی تعریف کی۔ "اگر آپ نے غاروں میں خانہ بدوشوں کا یہ رقص نہیں دیکھا تو اندلس نہیں دیکھا۔"

یہ رقص خاص فرمائشی چیز ہے اور پبلک کے لیے نہیں ہوتا۔ اس کے لیے کم از کم پانچ سو PESETA (تقریباً چھ پاؤنڈ) دینے پڑتے ہیں۔ متعلقہ لوگوں کو WINE بھی پلانی پڑتی ہے، یعنی تین پاؤنڈ اور——گویا باقاعدہ مجرا کرانا ہے۔

شام کو ہم البیرزن گئے۔ سیڑھیاں طے کر کے غاروں میں اترے۔ مدھم سی روشنی میں سگریٹ کا دھواں پھیلا ہوا تھا۔ ایک عجیب سی خوشبو آ رہی تھی۔

وائن کا دور شروع ہوا۔ گٹار بجنے لگی۔ میرے ساتھ بیٹھی ہوئی چنچل لڑکی بار

بار مجھ سے اجنبی زبان میں سوال پوچھ رہی تھی۔ ایک جام مجھے بھی زبردستی دیا گیا جسے میں نے اس لڑکی کو دے دیا۔ اس نے فوراً اسے اپنے جام میں انڈیل لیا۔ گھڑی دیکھنے کے بہانے اس نے میری کلائی تھام لی۔

وہ ناچنے اٹھی تو دوسری آ بیٹھی۔ وہ بھی پریشان کرنے لگی۔ دفعتۃً پہلی نے اسے پکڑ کر ایک طرف دھکیل دیا۔ موقع پاتے ہی وہ پھر آ بیٹھی۔ اب باقاعدہ چھینا جھپٹی شروع ہو گئی۔ بڑی مشکل سے انہیں چھڑایا گیا۔ پہلی لڑکی کے رُخسار پر لمبا نشان تھا جیسے خنجر کے زخم کا نشان ہو۔

"یہ خانہ بدوش لڑکیاں بڑی تند خُو ہوتی ہیں——" انتونیو نے میرے کان میں کہا—— "جدھر مائل ہو جائیں تو جان تک لڑا دیتی ہیں۔ ذرا محتاط رہیے۔ یہ پوچھ رہی تھی کہ آپ کہاں مقیم ہیں——"

"اسے کوئی غلط پتہ بتا دیجیے۔"

اب اصلی رقص شروع ہوا۔ یہ خانہ بدوشوں کا قدیم رقص ہے۔ اس میں ایک واضح کشمکش موجود ہے، جیسے روح کی ساری جدوجہد جسم میں منتقل ہو گئی ہو۔ زندگی، محبت، جذبۂ تخلیق کے بنیادی حقائق کا اظہار اس رقص میں پورے خلوص سے نمایاں ہے۔ وہ اظہار جو غیر ارادی ہوتا ہے۔ جس میں حزن ہے، بے تابی ہے، مگر بلا کی جاذبیت بھی ہے۔

رقاصہ تنہا کھڑی ہوئی اس پھول کی طرح معلوم ہوتی ہے جو شعاعوں کی تمازت، تھکن اور نیند کے احساس سے مغلوب ہو چکا ہو۔ اور جیسے اس کے گورے بازو پانی میں تیرتے ہوئے کنول کے لمبے ڈنٹھل ہیں۔

یکایک وہ کانپتی ہے۔ اس کے دل کو کسی شدید جذبے نے چھُوا ہے۔ ایک لہر کے بعد دوسری آتی ہے۔ شدتِ احساس سے اس کا جسم لرزنے لگتا ہے۔ اب وہ صبح کے دھندلکے میں کھلے ہوئے پھول کی طرح لگ رہی ہے۔ پھول جو سورج کی پرستش کے لیے خاموش کھڑا ہے، جس کی پنکھڑیوں سے شبنم کے قطرے ڈھلک رہے ہیں۔

وہ بیدار ہو رہی ہے۔ زندگی نے دفعتۃً اسے بازو سے آن پکڑا۔ اس کا سر پیچھے جھک جاتا ہے۔ اس کے بازو کسی غیر مرئی شے کو آغوش میں لے لیتے ہیں۔ اس کے

ہونٹ ایک ان جانے بوسے کی لذت سے بوجھل ہو جاتے ہیں۔ آہستہ آہستہ وہ آنکھیں کھولتی ہے۔ پلٹ کر وہ اس کا تعاقب کرتی ہے۔ اس کی روح بے چین ہے' وہ تیزی سے سانس لے رہی ہے۔ اس کرب سے نجات پانے کے لیے وہ تگ و دو کرتی ہے۔ رقص کی ایک ایک جنبش سے یہ جدوجہد عیاں ہے۔

آخر ایک جھٹکے کے ساتھ وہ اپنے آپ کو چھڑا لیتی ہے—اب وہ آزاد ہے۔

فرطِ انبساط سے اس کا رُواں رُواں پھڑک رہا ہے۔ مجیرے بجتے ہیں' تار تھرتھراتے ہیں' گویّے کی لَے کے ساتھ وہ ترنگ میں ناچ رہی ہے۔

یہ وجدانی حالت زیادہ دیر تک نہیں رہتی۔ رقاصہ پر ایک نئی کیفیت طاری ہو جاتی ہے۔ زندگی کی مضبوط گرفت نے اسے دبوچ لیا ہے۔ اس کا چہرہ پژمردہ ہے' اعضاء تھکے تھکے سے ہیں۔ وہ لڑکھڑا رہی ہے۔ اس کے ہونٹوں پر آہیں ہیں۔ اس کی آنکھیں غمگین ہیں۔

اب وہ ایک کونے میں بے حس و حرکت کھڑی ہے' خاموش' تنہا۔

گٹار سسکی بھر کر خاموش ہو جاتی ہے۔ رقص تمام ہوتا ہے۔

غرناطہ سے اشبیلیہ تک جگہ جگہ دھوپ میں چمکتے ہوئے سفید صاف ستھرے گاؤں آتے ہیں اور زیتون' نارنگیوں اور کھجوروں کے درخت۔ ہر گاؤں میں مینار اور گنبد دار عمارتیں جو کبھی مسجدیں تھیں—اب تک طرزِ تعمیر وہی پرانا ہے۔

عربوں کو درختوں سے ہمیشہ محبت رہی۔ عبدالرحمٰن اوّل نے کھجور کا پہلا پودا شام سے منگوا کر قرطبہ میں بویا تو وطن یاد آیا اور اس نے وہ نظم جس کے پہلے شعر کا ترجمہ ہے:

میری آنکھوں کا نور ہے تُو   میرے دل کا سرور ہے تُو

کہی جواب تک شوق سے پڑھی جاتی ہے۔

اشبیلیہ میں پلاؤ کھایا۔ نارنخاس (نارنگیاں) آئیں تو چاقو ڈھونڈنے کے لیے ادھر ادھر ہاتھ مارے۔ برساتی غائب تھی۔ فوراً کمرے میں پہنچے' وہاں نہیں ملی۔

صندوق کھولے، کار میں دیکھا، ہوٹل والوں سے پوچھا لیکن نہیں ملی۔

غرناطہ فون کیا، برساتی کا حلیہ بتایا۔ جواب ملا، آپ تحفے خریدتے وقت برساتی ایک دکان پر چھوڑ آئے تھے، ایک بڑھیا اسے پہنچا گئی ہے — لیکن آپ کی برساتی سبز نہیں، سبزی مائل ہے اور اس کی جیب میں دستانے ہیں اور بیس پیسٹے بھی۔ آج شام تک اشبیلیہ پہنچ جائے گی۔

شام سے پہلے برساتی مل گئی۔ لاری ڈرائیور نے کرایہ نہیں لیا، غرناطہ والے ادا کر چکے تھے۔

اشبیلیہ کی سب سے مشہور عمارت القصر ہے جو ہو بہو الحمرا کی نقل ہے۔ اس کے بعد غرالدہ TOWER جو کبھی مسجد کا مینار تھی اور اب گرجے کا مینار ہے۔ اس میں سیڑھیاں نہیں ہیں۔ پہاڑی سڑک والی چڑھائی ہے۔ وہاں ہمیں بے حد فرقت زدہ گائیڈ ملا۔ شاید اس کی محبوبہ اس سے بیزار تھی یا VICE VERCA۔ اس نے ہمیں DON JUAN کی قبر دکھائی جو گرجے کی سیڑھیوں کے عین نیچے ہے۔ گرجے میں جانے والا کتبے کے اوپر سے گزرتا ہے۔ مرحوم کی آخری خواہش کے مطابق کتبے پر لکھا ہے "یہاں دنیا کا سب سے بڑا گنہ گار سو رہا ہے۔ اسے پاؤں تلے روندیے۔"

ڈون جوان چلتے چلتے بھی سکور کر گیا۔ ایسا کتبہ کسے نصیب ہوتا ہے!

ایک گرجے میں کولمبس کی ہڈیاں دفن ہیں لیکن جنوبی امریکہ والے کچھ اور کہتے ہیں۔

دراصل کولمبس اس قدر مشہور ہو چکا تھا کہ متعلقہ ممالک میں سے ہر ایک نے اسے اپنے ہاں دفن کیا۔

"یہ وہ سگریٹ فیکٹری ہے جہاں مشہور رقاصہ کارمن ملازم تھی۔" گائیڈ ٹھنڈا سانس بھر کر بولا۔

"اور وہ دکان کہاں ہے جہاں مشہور OPERA والا کردار باربر آف سویلیہ کام کرتا تھا؟" میں نے پوچھا۔

ہم بُل فائٹنگ کے اکھاڑے کے سامنے کھڑے تھے۔

"سردیوں میں بُل فائٹنگ نہیں ہوتی کیونکہ سارے بُل فائٹر آرام کرتے

ہیں۔" اس نے آہ بھر کر کہا۔

"اور غالباً بیل بھی آرام کرتے ہیں۔" میں نے لقمہ دیا۔

اس کا نام کارلوز بار ُبلاّ تھا۔ اندلس میں ایسے نام اب تک ہیں جو باشندوں کی نسل کو ظاہر کرتے ہیں۔ رکارڈو ڈی مڈینہ (مدینہ کارچرڈ) کارلوز الحروز (چارلس الحُر)

گائیڈ کی افسردگی مجھ سے دیکھی نہ گئی اور ہم پلاؤ کھانے لوٹ آئے۔

ہم نظاروں کے کارڈ خریدتے۔ پورا سیٹ خریدنا پڑتا۔ اس لیے کچھ اوٹ پٹانگ کارڈ بھی آجاتے ہیں۔ چنانچہ گرجوں وغیرہ کے نظارے جُولیا کو ارسال کیے جاتے۔ جُولیا سخت مذہبی قسم کی لڑکی تھی۔ کٹّر رومن کیتھولک۔ شرعی سکرٹ پہنتی یعنی ٹخنوں تک نیچی۔ جمعے کو گوشت سے پرہیز تھا' جمعرات کو انڈوں سے' بدھ کو مچھلی سے' تواتوار کو سینما سے۔ تقریباً ہر روز اس کا کسی چیز سے روزہ ہوتا لیکن ماشاءاللہ تھی خوش خوراک' ایک ہی دن میں ہفتے بھر کی کسر نکال لیتی تھی۔

اشبیلیہ میں سال کی آخری رات تھی۔ میں تیار ہوا تو دیکھا کہ میرا دوست سویا پڑا ہے۔ اسے جگایا تو جمائی لے کر بولا۔

"کوٹ کی جیب میں بٹوہ ہے' تم اکیلے ہو آؤ۔ میں تھکا ہوا ہوں۔"

پڑوس کی رقص گاہ میں بڑی رونق تھی۔ جدھر نظر جاتی ادھیڑ عمر کے مرد عورت دکھائی دیتے۔ یورپ میں یہ بڑی مصیبت ہے' کسی اچھی جگہ جاؤ۔ فقط بنے سنورے بوڑھے بوڑھیاں نظر آتے ہیں۔ شاید یہ زندگی کا قانون ہے۔ جب خون میں حرارت اور طبیعت میں جولانی ہوتی ہے تو کوئی نہیں پوچھتا۔ سارے کام الٹے ہوتے ہیں اور جیب خالی ہوتی ہے۔ جب حالات بہتر ہونے لگتے ہیں تو دل بجھ جاتا ہے اور مسرتوں سے محظوظ ہونے کی صلاحیت باقی نہیں رہتی —— ہر چیز ذرا دیر میں ملتی ہے۔

واپس لوٹا تو ہوٹل والے نے روک لیا۔ "آج تو جگہ جگہ جشن ہوں گے' اگر آپ آج سو گئے تو مجھے بہت افسوس ہوگا۔"

"تو اوپر سے برساتی منگادیجیے۔"

برساتی پہن کر میں باہر نکلا۔ وادی الکبیر کے کنارے کنارے چلنے لگا۔ بڑی سہانی رات تھی۔ چاندنی چھٹکی ہوئی تھی۔ غرالدہ کو آج روشن کیا گیا تھا۔ اس خوشنما مینار کو دیکھتا رہا۔ اتنی بلندی سے مؤذن کی آواز نیچے نہیں پہنچتی ہوگی۔ پھر چمکتے ہوئے تاروں نے یاد دلایا کہ عرب مسجد کے بلند میناروں سے رصد گاہ کا کام بھی لیتے تھے۔

اونچی عمارات کا سلسلہ ختم ہوا تو کنج آئے جہاں الاؤ روشن تھے' شور مچا ہوا تھا۔ ہجوم میں ایک گویے نے تان اٹھائی اور اس طرح مُرکی لگائی کہ استاد فیاض خاں یاد آگئے۔

یہاں BOLERO ہو رہا تھا۔ اس رقص میں ہنگامہ زیادہ ہے۔ لوگ دائرے میں کھڑے ہو کر تالیاں بجا بجا کر تال دیتے ہیں۔ ایک طرف سے لڑکا نکلتا ہے' مخالف سمت سے لڑکی۔ وہ لڑکے کی موجودگی سے بظاہر بے خبر ہے۔ لڑکا طرح طرح کے حیلوں سے اسے اپنی جانب متوجہ کرنے کی کوشش کرتا ہے۔

سینوریتا کے ہاتھوں میں CASTANETS ہیں جنہیں وہ کبھی تال دینے کے لیے بجاتی ہے۔ کبھی والہانہ انداز میں تو کبھی محض شرارتاً۔

متواتر چھیڑ چھاڑ سے تنگ آکر وہ لڑکے کی طرف بڑھتی ہے' لیکن کچھ اس انداز سے جیسے حملہ کر رہی ہو۔ لڑکے کے قدم زمین پر جمے رہتے ہیں لیکن وہ بدن کی جنبش سے وار بچا جاتا ہے۔ لڑکی بالکل چھوتی ہوئی برابر سے گزر جاتی ہے۔

"اولے OLE" ہجوم چلاتا ہے۔ اسی طرح کبھی ان کے آباؤاجداد "واللہ" کہہ کر داد دیا کرتے تھے۔

وہ سر کو بار بار جھٹکتی ہے۔ سیاہ زلفیں بکھر جاتی ہیں' بالوں میں ٹنکے ہوئے پھول گر جاتے ہیں' بل کھاتا ہوا جسم مچلنے لگتا ہے۔ گٹار کے نغمے کا زیر و بم نمایاں ہوتا چلا جاتا ہے۔ لڑکا پھر چھیڑتا ہے۔ وہ آتی ہے۔ یہ دامن بچا جاتا ہے۔

"اولے" ہجوم داد دیتا ہے۔

رقص کا اختتام اسی طرح ہوتا ہے جیسے ہونا چاہیے۔ لڑکے کی مدافعت گھٹتے گھٹتے ختم ہو جاتی ہے۔ نسوانی جادو اپنا کام کر جاتا ہے۔ اب لڑکی اپنے لباس اور چوڑیوں

سے کھیل رہی ہے اور وہ دیوانہ وار اس کے گرد طواف کر رہا ہے۔

گانے' تالیوں اور سازوں کے شور میں شراب کا دور چلتا ہے۔ ایک نیا جوڑا ناچنے لگتا ہے۔ جہاں اس رقص میں خمار و مستی ہے وہاں محبت کے تمام حربوں کی ترجمانی بڑے خلوص سے ہوتی ہے۔ اس رقص کے کچھ حصے بل فائٹنگ سے بہت ملتے ہیں۔ بالکل اسی کی نقل معلوم ہوتے ہیں' جیسے چھیڑنے پر بیل حملہ کرتا ہو اور بل فائٹر وار بچا جاتا ہو۔ کچھ دیر کے بعد میری باری آئی۔ تب تک میرے چند واقف بن چکے تھے۔ سینوریتا فلاویا کی فرمائش پر میں نے سیاہ کوٹ اور بَو اتار کر اس کی بہن کے حوالے کیے۔ کالر کھول کر اور بال پریشان کر کے میدان میں کود پڑا۔

ٹِک ٹِکا ٹک ٹِکا ٹک ٹِک ٹِک۔ فلاویا کے CASTANETS بجے۔

ٹِپ ٹپاٹپ ٹپاٹپ ٹِپ ٹِپ ——میں نے جوتوں کی ایڑیوں کو فرش پر مارا۔ میں سفید قمیص' سیاہ چست پتلون پہنے' ٹھوڑی نیوڑھائے' پنجوں کے بل تنا ہوا کھڑا تھا' بالکل بل فائٹر کے انداز میں۔

دہنا کندھا اور دہنا پاؤں آگے کر کے میں فلاویا کی طرف پنجوں پر گھوما—— چھن نگاہ—— چھنا نانن—— چھنانن—— چھن چھن——اس کی چوڑیوں کی جھنکار سنائی دی۔ ایک اچٹتی نگاہ ڈالتی ہوئی وہ اتنے قریب سے گزری کہ میرے بال اور بھی پریشان کر گئی۔ گویّے نے پھر استاد فیاض خاں کی طرح انترہ اٹھایا۔ فلاویا نے دونوں بازو پھیلائے' میرے چہرے کا ہالہ بنا کر انگلیاں یوں نچائیں جیسے بلائیں لیتے ہیں۔ بالکل یہی میں نے کیا۔ میں آگے بڑھا' لیکن وہ تڑپ کر بازوؤں کے حلقے سے نکل گئی۔

"اَولے—— اَولے"

لَے اب چلنتر میں تھی۔ رقص تیز ہوتا گیا۔

پھر الاؤ بجھنے لگے' چاندنی پھیکی پڑ گئی۔ جب ہم واپس آ رہے تھے تو چاند کھجوروں کے جھنڈ میں غروب ہو رہا تھا۔

ایک امریکن نے پیشکش کی کہ وہ ہمیں شہر تک اپنی کار میں لے جا سکتا ہے۔ فلاویا کی بہن کے کہنے پر ہم سب کار میں بیٹھ گئے۔ ایک لڑکی امریکن کے ساتھ بیٹھی تھی۔ امریکن کے مذاق کرنے پر اس نے ہسپانوی زبان میں کچھ کہا جس کے معنی تھے

"میں سینوریتا ہوں' مجھے کچھ نہ کہنا۔" ہم سب ہنسنے لگے۔ اتفاق سے امریکن کی کہنی اسے چھو گئی۔۔۔۔ اس نے پھر وہی فقرہ دہرایا۔۔۔۔ اتنے میں فلاویا نے اپنی بہن سے کچھ کہا جس میں سینوریتا کا لفظ دو مرتبہ آیا۔

امریکن جو غالباً مدہوش تھا طیش میں چلّایا۔۔۔۔ "سن لیا بابا سن لیا۔ تم بھی سینوریتا ہو۔ یہاں سینورا سے تو مذاکرات ہو سکتے ہیں' لیکن سینوریتا کو کوئی کچھ نہیں کہہ سکتا۔"

فلاویا غصے سے لال بھبھوکا ہو گئی۔

"کار روکیے میں اترنا چاہتی ہوں۔"

کار رکی 'فلاویا اتری' میں بھی اتر گیا۔ ہم کافی دور مضافات میں تھے۔

"تم ناحق اتر گئے۔۔۔۔ اجنبی ہو۔ ضرور راستہ بھول جاؤ گے۔"

"لو یہ برساتی پہن لو۔ خنکی بڑھتی جا رہی ہے۔" بڑے اصرار سے میں نے اسے برساتی پہنائی۔

ہم وادی الکبیر کے ساتھ ساتھ چل رہے تھے۔ دریا میں مدھم تاروں کا عکس تقریباً گُم ہوتا جا رہا تھا۔ رات ختم ہو چکی تھی۔ صبح کا اجالا پھیل رہا تھا۔

"پتہ نہیں میری بہن گھر پہنچ کر کیا شکایتیں کرے گی۔"

"تو پھر میں شام کو تمہاری گلی میں SERENADE کرنے نہ آؤں؟"

وہ ہنسنے لگی۔۔۔۔ "ضرور آنا۔ میں سیاہ مینتیلا پہن کر' بالوں میں پھول لگا کر دریچے میں انتظار کروں گی۔"

"لیکن تم اپنے نازک سے پنکھے سے چہرہ چھپا لو گی۔"

"تمہیں ساری باتوں کا پتہ ہے۔ اچھا نہیں چھپاؤں گی۔"

جب اس کا گھر آیا تو مشرق میں روشنی پھیل چکی تھی۔

"تو پھر تم آؤ گے؟"

"نہیں فلاویا' اب ملاقات نہیں ہو گی۔ میں آج قرطبہ جا رہا ہوں۔"

"وہ کچھ دیر خاموش کھڑی مجھے دیکھتی رہی۔ پھر اس نے برساتی کو سرخ ہونٹوں سے بار بار چوما۔۔۔۔

"میں تمہیں ہر نئے سال کی رات کو یاد کیا کروں گی۔"

قرطبہ ویرانی کی تصویر ہے۔ محزوں، الم ناک۔ قرطبہ ایک مردہ شہر ہے جس میں روحیں بستی ہیں۔ پرانے محلوں میں، کھنڈوروں کے آس پاس، کھجور کے درختوں کے نیچے، وادی الکبیر کے کنارے——دہشت ناک خاموشی ہے۔ جیسے اجل کو رخصت ہوئے زیادہ دیر نہیں ہوئی۔

یقین نہیں آتا کہ یہ وہی شہر ہے جسے یورپ کے ایام جہالت میں ایک فرانسیسی راہبہ نے "دُنیا کا ہیرا" کہا تھا۔

میں وادی الکبیر کے پل پر کھڑا ہوں——سامنے مسجد قرطبہ کا مینار ہے اور اس کے ساتھ خلیفہ کا محل۔ عربوں کا بنایا ہوا یہ پل اب بھی استعمال ہوتا ہے۔ مسجد قرطبہ اب بھی اتنی ہی حسین و جمیل ہے۔ مدینۃ الزہرا کے کھنڈر اس کی گزشتہ عظمت کے گواہ ہیں۔

یہ شہر ایک زبردست تہذیب کا مقبرہ ہے۔

دسویں صدی میں یہاں ڈھائی لاکھ مکان تھے۔ دس لاکھ باشندے یہاں رہتے تھے۔ لندن کو یہ آبادی کہیں انیسویں صدی میں نصیب ہوئی۔ یہاں میلوں لمبی پختہ سڑکیں تھیں، جن پر رات کو روشنی ہوتی تھی۔ اس زمانے کے سات سو سال بعد تک لندن کی کسی سڑک پر ایک لیمپ تک نہ تھا۔ قرطبہ میں ستّر لائبریریاں تھیں۔ خلیفہ الحکم کی لائبریری میں پانچ لاکھ کتابیں تھیں۔ المنصور نے باون لڑائیاں لڑیں اور ہر مرتبہ فتحیاب ہوا۔ عیسائی یورپ کے تمام ممالک اپنے سفیر یہاں بھیجنے میں فخر محسوس کرتے تھے۔ مؤرخ ڈوزی لکھتا ہے کہ "ان دنوں اندلس میں تقریباً ہر شخص پڑھ لکھ سکتا تھا۔ عیسائی یورپ میں صرف گنے گنائے پادری تعلیم یافتہ ہونے کا دعویٰ کر سکتے تھے۔ اندلس کی عورتیں آزاد تھیں اور بغیر نقاب کے بلا روک ٹوک باہر نکلتیں۔ ان میں سے بیشتر نے حکومت کے ذمہ دار عہدے سنبھال رکھے تھے۔"

آٹھویں صدی سے تیرھویں صدی تک دنیا بھر میں عربی بولنے والے ہی وہ واحد لوگ تھے جنہوں نے تہذیب و تمدن کی شمع تھامے رکھی۔ یہ روشنی سسلی ہو کر

مغربی یورپ پہنچی اور تحریک احیائے علوم کا باعث بنی۔

ہسپانیہ کے عرب بڑے مہذب تھے۔ بارھویں صدی میں مراقش سے کاغذ سازی کی صنعت ہسپانیہ میں آئی۔ تیرھویں صدی میں اسے ہسپانیہ سے اٹلی لایا گیا۔ یورپ پر عربوں کا یہ سب سے بڑا احسان ہے۔

سولہویں صدی تک پیرس کی یونیورسٹی میں طب کے طلباء کو بارہ کتابیں پڑھائی جاتی تھیں۔ یہ سب عربی کتابوں کے ترجمے تھے۔

یونانی ادب ہم تک عربوں کی وساطت سے پہنچا ہے۔

اب بھی ابن رُشد (یعنی انگریزی ترجمے کے AVERROS) کا ذکر فلسفے کی ہر کتاب میں ہوتا ہے۔ اشبیلیہ کا ابن ظہر —AVENZOAR— اور عظیم شاعر، فلسفی، نثر نگار، سیاستدان، ابن حزم — اور مشہور سرجن ابوالقاسم جس کی تقلید یورپ میں صدیوں تک ہوئی۔

یہاں سوشلزم صحیح معنوں میں رائج تھا۔ المنصور پہلے کلرک تھا۔ ترقی کرتے کرتے ملک کا حکمران بن گیا۔ یہاں مفتوحہ عیسائی مطمئن تھے، ہر شہر میں ان کے گرجے تھے۔ ان کے لیے قانون بھی ان کا اپنا تھا۔ ان کے جج اپنے تھے۔ ہسپانیہ کے سفیر اکثر عیسائی ہوا کرتے۔ عبدالرحمٰن سوئم کا حفاظتی دستہ بارہ ہزار عیسائیوں پر مشتمل تھا۔

نفاست اور نستعلیق پن میں مسجد قرطبہ کا مقابلہ قدیم یونانی عمارات سے کیا جاسکتا ہے۔ کوئی اور طرز تعمیر ایسا نہیں جو ایسے لطیف تاثرات پیدا کرتا ہو۔

فرانسیسی ادیب گاتیئر جب یہاں آیا تو ستونوں اور خوشنما محرابوں کے جھنڈ کو دیکھ کر اسے عرب کے نخلستان یاد آئے اور وہ محبت بھی جو عربوں کو درختوں سے رہی ہے۔ اسے یوں محسوس ہوا جیسے راتوں رات سنگ مرمر کا جنگل اگ آیا ہے۔ نو سو نازک ستون (جو کبھی بارہ سو تھے) جنہیں کارتھیج، روم اور بازنطینی سلطنت سے لایا گیا۔ ہر ستون سے دو محرابیں — ان محرابوں پر سرخ نقوش ہیں۔ جدھر نظر جاتی ہے ستونوں کی قطاریں اور محرابوں کی شاخیں نظر آتی ہیں۔ ستون اتنے نازک ہیں کہ یوں معلوم ہوتا ہے کہ تیز ہوا چلی تو سب کچھ گر پڑے گا۔ یقین نہیں آتا کہ بارہ

سو سال سے یہ عبادت گاہ جوں کی توں کھڑی ہے۔ عیسائی فاتح اس سے اتنے متاثر ہوئے کہ انہوں نے اسے تباہ نہیں کیا لیکن اس میں گرجا تعمیر کر دیا۔ مؤرخ ہٹن کو اس حسین عمارت کے شکستہ قلب میں یہ گرجا ایسا لگا جیسے استغراق و دعا میں ایک گستاخ قہقہہ۔

ان دنوں مسجد کے ہر دروازے پر ایک چھوٹا سا گرجا ہے۔ ہمارے گائیڈ نے بتایا کہ فرانکو مسجد کو پرانی حالت پر لانا چاہتا ہے۔ مدینۃ الزہرا بھی از سر نو تعمیر ہو گا۔

"یہاں وہی ہوا جو سینٹ صوفیہ میں ترکوں نے کیا۔ میں رومن کیتھولک ہوں لیکن میری خواہش ہے کہ یہاں سے گرجے ہٹا دیئے جائیں۔ ستون دوبارہ نصب کیے جائیں۔ ہسپانوی رگوں میں عربوں کا خون ہے—یہ مسجد ہماری قومی یادگار ہے۔" گائیڈ کہہ رہا تھا۔

قرطبہ سے دس میل دور مدینۃ الزہرا کے کھنڈرات ہیں جسے ہسپانیہ کا POMPEII کہا گیا ہے۔ اسے خود بربروں نے تباہ کیا۔ فرانکو کے انجینئر اسے دوبارہ تعمیر کر رہے ہیں۔

ہسپانیہ سے ہم اداس ہو کر لوٹے۔

سان سبستیاں پر فرانس میں داخل ہوئے تو میرا دوست لین پُول کی کتاب کے یہ فقرے سنا رہا تھا— "ہسپانیہ سے عرب کیا گئے سونے کی چڑیا اڑ گئی۔ مستعار شدہ روشنی سے یہ ملک کچھ دیر جگمگایا، پھر اسے ہمیشہ کے لیے گہن لگ گیا۔"

واپس ایڈنبرا پہنچا، برفباری ہو رہی تھی۔ یخ کر دینے والی سردی اور تند ہوا جو غالباً سیدھی قطب شمالی سے آ رہی تھی۔ ایک ہم وطن نے فون کیا "سنا ہے آپ ہسپانیہ گئے تھے۔"

"جی ہاں۔"

"میں آپ سے ملنا چاہتا ہوں۔"

"کب؟"

"کل جمعہ ہے' آپ میرے ساتھ نماز پڑھیے۔"

میں گیا' نماز کے بعد دونوں نے فرمایا "میں ہسپانیہ دیکھنا چاہتا ہوں' بڑا اچھا اسلامی ملک ہے۔"

میں نے انہیں بتایا کہ ہسپانیہ اسلامی ملک نہیں ہے تو انہوں نے فوراً ارادہ تبدیل کر دیا۔

ہر روز بارش ہوتی' ہر روز لیکچر ہوتے۔ دن رات بجلی کی روشنی میں پڑھائی ہوتی۔ لیکن یہ خوشی تھی کہ تین مہینے کے بعد ایسٹر کی چھٹیاں ہوں گی۔ شام کو تھک کر آتا تو نقشے دیکھتا اور نئے سفر کا پروگرام بناتا۔ ایک ایک دن گننے کے بعد انتظار ختم ہوا اور تعطیل شروع ہوئی۔

میں پھر رودبارِ انگلستان عبور کر رہا تھا۔ برساتی کی دونوں جیبیں نقشوں اور گائیڈ کتابوں سے بھری ہوئی تھیں۔ اس مرتبہ سیدھا FRENCH RIVIERA پہنچا۔ NICE میں خوش گوار دھوپ نکلی ہوئی تھی۔ میں دن بھر بحیرہ روم کے ساحل پر بیٹھا لہریں گنتا رہا۔

برطانیہ یورپ کے اس حصے سے بہت مختلف ہے۔ وہاں مٹیالے رنگوں کے ڈھیلے ڈھالے لباس نظر آتے ہیں۔ غذا کے جزو وہی ہیں لیکن باورچی خوب ستیاناس کرتے ہیں۔ لوگ پھیکے' بدمزہ کھانے کو چٹخارے لے لے کر کھاتے ہیں۔ FISH AND CHIPS کے ساتھ ساتھ انگریز تلخ کسیلی بیئر کے گھڑے کے گھڑے پی جاتے ہیں۔ ناگوار اور تیز قسم کی دھنوں پر لڑکیاں آدھی رات تک پریڈ کرتی ہیں اور سمجھتی ہیں کہ رقص کر رہی ہیں۔ لیکن یہاں دیدہ زیب چست لباس ہیں' کلاسیکی موسیقی' لذیذ غذا اور خوش رنگ وائن۔

وہاں اگر کوئی کہے کہ سٹیشن تک صرف پندرہ منٹ کا راستہ ہے تو اس کا مطلب ہے کہ اگر سرپٹ بھاگتے ہوئے گئے تب پندرہ منٹ میں پہنچو گے۔ یہاں سو گز چلنے میں آدھ گھنٹہ لگتا ہے۔ وہاں ہر چیز کی جلدی ہے۔ انگریز کا ایک ایک منٹ قیمتی ہے۔ وہ زمین دوز ریل میں چالیس میل فی گھنٹہ کی رفتار سے جا رہا ہے۔ بار بار گھڑی

دیکھتا ہے۔ بھاگ کر بس پکڑتا ہے۔ پھر ایک ٹرین میں سوار ہوتا ہے اور اس ساری بھاگ دوڑ کے بعد چپ چاپ آدھے میل لمبے کیو میں کھڑا ہو جاتا ہے—— فلم یا میچ دیکھنے یا کھانا کھانے کے لیے—— ممکن ہے کہ سڑک پر دوڑتے ہوئے انگریز کو دفتر پہنچنے کی جلدی ہے۔ یا شاید اس نے کسی کو ملاقات کا وقت دے رکھا ہے۔ وہ دونوں کہیں شراب پئیں گے یا کتوں کی دوڑ پر شرط لگائیں گے۔ یا وہ محض اس لیے بھاگ رہا ہے کہ باقی سب انگریز بھی بھاگ رہے ہیں۔

لیکن یہاں کسی چیز کی جلدی نہیں—— یہاں اگر کسی نے پانچ منٹ بچا بھی لیے تو بیکار ہیں۔ بھلا وہ ان پانچ منٹوں کا کرے گا کیا۔

وہاں افراتفری سی رہتی ہے۔ بسوں اور ٹرینوں میں مرد بیٹھے ہوئے ہیں۔ عورتیں کھڑی ہیں۔ اکثر مرد جیب سے اخبار نکال کر چہرے کے سامنے کر لیتے ہیں۔ وہ عورتوں کو کھڑا ہوا نہیں دیکھ سکتے۔ میں اکثر کسی عورت کو جگہ دینے کے لیے اٹھ کھڑا ہوتا، مرد بڑے تعجب سے میری طرف دیکھتے۔ ایک صاحب کہنے لگے—— ''تمہیں کام پر جانا ہے۔ بار بار اٹھ کر اپنی جگہ لڑکیوں کو بٹھاتے رہے تو تھک جاؤ گے۔''

ایک دن ایک بوڑھا جو فلسفی معلوم ہوتا تھا بولا—— ''سر والٹر ریلے! شولری کے دن بیت چکے، اب عورت مرد برابر ہیں۔ بلکہ یہاں سولہ سترہ لاکھ عورتیں فالتو ہیں—— ہمارا ان کا مقابلہ ہے—— اگر تم چوکنے نہ رہے تو کسی دن ایک عورت کرسی سے تمہیں اٹھا کر تمہارا کام خود سنبھال لے گی۔''

یہاں ملتے وقت مرد جھک کر عورت کا ہاتھ چومتے ہیں۔ آدابِ محفل پر بڑی سنجیدگی سے عمل کیا جاتا ہے—— لیکن یہاں غربت ہے، سستی ہے اور بے زاری ہے۔

کرائے کی کرسی پر میں دن بھر سمندر کے کنارے بیٹھا لوگوں کو دیکھتا رہا۔ اور لوگ مجھے دیکھتے رہے۔

مانٹی کارلو کا مشہور قمار خانہ دور سے مسجد معلوم ہوتی ہے۔ سبز مینار اور گنبد۔ لیکن رات کو کچھ اور ہی سماں ہوتا ہے۔ ہر روز انسانی رجائیت کے اس مندر میں لوگ امیدیں لے کر آتے ہیں۔ لیکن اس کا وجود ہی اس امر کا ثبوت ہے کہ زیادہ لوگ ہارتے ہیں۔

CANNES میں دکانوں پر بڑی بڑی ہستیوں کی نہایت عجیب و غریب تصویریں لگی ہوئی ہیں—ایکٹرس ریٹا ہیورتھ سمندر میں نہاتے ہوئے۔ بھویں غائب ہیں اور میک اپ اترا ہوا' چہرے پر طرح طرح کے نشان—کوئی قسم کھائے تب بھی اعتبار نہیں آتا کہ سامانِ آرائش سے اتنی کایا کلپ ہو سکتی ہے۔ شاہ فاروق نے سمندر میں غسل صحت کرتے ہوئے بکینی سوٹ پہنا ہوا ہے۔ اس برائے نام لنگوٹ میں فربہی پوری شان و شوکت سے نمایاں ہے۔

کھانے کے کمرے میں سامنے کی میز پر ایک ادھیڑ عمر کی خاتون پہلی شام کو دیکھتی رہتی ہے۔ دوسری شام کو مسکراتی ہے۔ میں پاس جا بیٹھتا ہوں۔ ان کے ساتھ ان کی لڑکی بھی ہے۔

"آپ کونسی زبان سمجھتے ہیں؟" اس نے ٹوٹی پھوٹی انگریزی میں پوچھا۔

"وہی جو آپ بول رہی ہیں۔"

"معافی چاہتی ہوں۔ بغیر تعارف کے مرد سے عورت کا بات کرنا آداب کے خلاف ہے۔ لیکن آپ تنہا بیٹھے تھے سوچا کہ اجنبی ہوں گے' چنانچہ میں نے بلا لیا۔"

ان کا جی باہر جانے کو چاہ رہا تھا۔ کچھ دیر تو ضبط کیا۔ آخر کہہ ہی دیا۔ "ہم دونوں اکیلی ہیں' اس طرح ہمارا باہر نکلنا اچھا نہیں لگتا۔ آپ ہمیں نائٹ کلب لے چلیں تو ہم مشکور ہوں گے۔ یہ میری بیٹی ہے۔ ہیلن ان سے گفتگو کرو۔"

ہیلن حسین تھی لیکن بے حد اداس۔ مادام کا خاوند جنوبی فرانس کا مشہور ڈاکٹر تھا۔ دونوں سیر کرنے نیس آئی تھیں۔

رقص کرتے ہوئے یوں معلوم ہو رہا تھا کہ ہیلن اب رو دے گی۔

"ٹرائے کی ہیلن اداس کیوں ہے؟"

پھر ایک غم آمیز مسکراہٹ لبوں پر آئی—"جی نہیں' اداس تو نہیں ہوں۔"

واپسی پر مادام نے ایک طرف لے جا کر بتایا کہ ہیلن عارضہ عشق میں بری

طرح مبتلا ہے اور غلطی سے ایک ایسے لڑکے پر عاشق ہوگئی ہے جو بیک وقت چھ لڑکیوں کا عاشق ہے۔ تین لڑکیوں سے منگنی کرا چکا ہے۔ دو سے شادی کرنے کا ارادہ رکھتا ہے اور افواہ ہے کہ اس کا ایک بچہ بھی ہے۔ سخت نامعقول قسم کا آدمی ہے۔ کام وام کچھ نہیں کرتا' دن بھر ڈنڈے بجاتا ہے۔

"میں تم سے درخواست کرتی ہوں' میری مدد کرو گے؟"

"فرمائیے؟"

"اس کی توجہ ادھر سے ہٹا دو۔ مہینوں کے بعد یہ آج مسکرائی۔ محض اسی لیے اسے یہاں کھینچ کر لائی ہوں کہ کسی طرح اسے بھول جائے۔"

"مادام — مجھے اپنے غم ہی نہیں چھوڑتے — اور پھر میں یہاں صرف چند دنوں کے لیے ہوں۔"

"مجھے مایوس مت کرو۔ میرا خاوند اور میں نہایت غمگین ہیں — ہماری مدد کرو۔"

مادام رونے کی تیاریاں کرنے لگی۔

"اچھا! — اچھا!" میں نے جلدی سے کہا۔

اگلے دن ہم تینوں سیر کو گئے۔ موٹر بوٹ لے کر ان جزیروں کی سیر کی جہاں DUMAS کے کردار قید رہے تھے۔ پھر سب سے اونچی چوٹی پر چڑھ گئے۔ موسم صاف تھا — دور سمندر میں ایک دھبہ نظر آرہا تھا۔

"ہیلن وہ دیکھو جزیرہ کارسیکا — نپولین کا وطن — یہاں عربوں کی اولاد اب تک آباد ہے۔ لوگوں کا خیال ہے کہ نپولین کی رگوں میں بدوؤں کا خون تھا۔"

فرانس کے سب سے بڑے ہیرو کے متعلق یہ سن کر ہیلن نے احتجاج کیا۔

"بھئی نپولین تمہارا ہی تھا' لیکن مؤرخ کہتے ہیں کہ اس کے خون میں آمیزش تھی۔"

شام کو نائٹ کلب میں مادام ہم دونوں کو چھوڑ کر خود بوڑھوں کی محفل میں جا بیٹھی۔

"کیا وہ اب بھی تم سے ملتا ہے؟" میں نے ہیلن سے پوچھا۔

"نہیں بات تک نہیں کرتا۔"

"اور تمہیں اب بھی پسند ہے؟"

"ہاں۔"

اس کے رخسار پر راکھ کا چھوٹا سا ذرہ تھا جسے میں نے انگلی سے ہٹا دیا۔ اس کی آہیں تھیں کہ ختم ہی نہ ہوتی تھیں۔

"ناچنا ہے تو سیدھی طرح ناچو' ورنہ جاؤ اپنی امی کے پاس۔"

"پہلے میں اسے بھلا لوں ـــــ پھر ـــــ"

"اچھا جلدی کرو۔ تمہیں آدھ گھنٹہ دیتا ہوں۔ پُھرتی سے بھلا دو۔"

وہ ہنسنے لگی۔ ہیلن کو بشاش دیکھ کر مادام کی باچھیں کھل گئیں۔ "یہ مدتوں کے بعد ہنسی ہے۔ اسے باہر لے جاؤ' سمندر کے ساحل پر۔"

ہم سمندر کے کنارے ٹہل رہے تھے۔ پھر اس عاشق جانباز کا ذکر چھڑ گیا۔

"تم نے جس انداز سے اس کی تعریفیں کی ہیں میں بھی اس پر عاشق ہو گیا ہوں۔ اب ہم دونوں رقیب ہیں۔ آؤ سمندر میں کنکر پھینکیں' جو دور پھینکے گا وہی جیتے گا۔"

ہم کنکر پھینکنے لگے۔

"تم جان بوجھ کر ہار رہے ہو۔" وہ مچل گئی۔

"نہیں! میں اس بُت طنّاز کو جیتنے کی پوری کوشش کر رہا ہوں۔"

"کہاں ہے پتھر؟ دکھاؤ اپنا ہاتھ۔"

میں نے دوسرا ہاتھ دکھا دیا۔

"تم وائلن بجاتے ہو؟"

"کیوں؟"

"یہ تو آرٹسٹ کی انگلیاں ہیں۔"

"تمہیں وائلن پسند ہے؟"

"بہت' اس کا وائلن بجانا ہی تو مجھے پسند آ گیا تھا۔"

"شاید تمہیں علم نہیں کہ وائلن کے تار بلّی کے پوست سے بنتے ہیں اور اس کے گز میں گھوڑے کی دم کے بال ہوتے ہیں ـــــ غالباً تمہیں جانور پسند ہیں؟"

"ہاں۔"

"تبھی اسے پسند کرتی ہو۔ چلو واپس چلیں۔"

"نہیں — یہاں بیٹھیں گے۔"

ہم برساتی بچھا کر بیٹھ گئے۔

"یہ لہریں کتنی اچھی لگ رہی ہیں، خصوصاً ان کا جھاگ۔"

"ان لہروں کے پیچھے تم سے بڑے بڑے مگرمچھ تیر رہے ہیں۔"

مگرمچھ سے ڈر کر اس نے میرا بازو تھام لیا۔

"مجھے سپاہی بہت پسند ہیں، لیکن کتابوں میں لکھا ہے کہ وہ مسافر ہوتے ہیں اور چھوڑ کر چلے جاتے ہیں۔"

"مگر جو سپاہی نہیں ہوتے وہ کہیں بھی نہیں جاتے۔ ہمیشہ وہیں کے وہیں رہتے ہیں۔"

"لیکن سب مرد ایک جیسے ہوتے ہیں۔"

"انہیں ہونا بھی چاہیے۔"

"اپنے وطن میں تمہاری کوئی محبوبہ ضرور ہوگی — ہے نا؟"

"میرا وطن ہر جگہ ہے — میرا وطن کرۂ ارض ہے اس لیے کہ میں کسی دوسرے سیارے تک نہیں پہنچ سکتا۔"

"اور محبوبہ؟"

"سپاہی کی محبوبہ نہیں ہوتی — اور اتنی چھوٹی لڑکیوں کو ایسے وقت باہر نہیں ہونا چاہیے؟"

"تم مجھے چھوٹی سی لڑکی سمجھتے ہو۔ میں انیس برس کی ہوں۔"

"میں بھی انیس برس کا ہوں۔"

"انیس برس؟"

"انیس برس اور تقریباً ڈیڑھ سو مہینے۔"

ہم ریت پر چلنے لگے۔ وہ جس طرف ہوتی میں برساتی اسی بازو میں تھام لیتا۔

"یہ برساتی ہم دونوں کے درمیان ہمیشہ رہتی ہے۔"

اگلی شام کو ہم پھر وہیں بیٹھے تھے۔ ہیلن بولی ”کل ہم دونوں MENTON چلیں گے۔“

”نہیں — اب مجھے اٹلی جانا ہے۔“

وہ خاموش ہو گئی۔

”اگر تم اداس ہوئیں تو میں سمجھوں گا کہ تم بدستور اس پر عاشق ہو۔“

”نہیں۔ بخدا اب مجھے اس کی پروا نہیں — سچ مچ —

”ہیلن — صرف چند دنوں میں تمہاری پہلی محبت تمام ہوئی۔ شاید یہ جذبہ اتنا شدید نہ تھا۔ یہ عمر ہی ایسی ہوتی ہے۔ اب تم خوب ہنسو کھیلو اور اگلی مرتبہ کسی کام کے آدمی سے محبت کرنا بلکہ بہتر یہی ہو گا کہ خود کسی پر عاشق نہ ہونا' دوسروں کو بے شک عاشق ہونے دینا' ورنہ میں جہاں بھی ہوا خفا ہو جاؤں گا۔“

”مگر تم کہاں ہو گے؟“

میں نے ملکِ خدا تنگ نیست' پائے گدا لنگ نیست کا ترجمہ کر کے سنایا جو اچھی طرح نہ ہو سکا۔ ہیلن کی سمجھ میں کچھ نہ آیا۔

”تم فرانس پھر آؤ گے نا؟“

”شاید۔“ کہہ کر میں نے وارث شاہ تیرے ساڈے حشر میلے' کا ترجمہ کرنے کی کوشش کی' لیکن نتائج خاطر خواہ نہیں نکلے۔

”تمہارا بازو کہاں ہے؟ یہ برساتی پھر کہیں سے آ گئی۔“

”میں' ہیلن اور برساتی — یہ ازلی تکون ہے۔“

فرنچ رویرا سے اٹلی کو سڑک بحیرۂ روم کے ساتھ ساتھ جاتی ہے۔ ایک طرف چمکدار نیلا سمندر ہے۔ دوسری طرف باغوں سے لدی ہوئی پہاڑیاں جن کی چوٹیوں پر قدیم رومن وضع کے مکان بنے ہوئے تھے۔ یہ ساحل پھولوں سے پٹا پڑا ہے۔ جگہ جگہ ستونوں سے لپٹی ہوئی بیلیں' سیب اور شفتالو کی نوخیز کلیاں' نارنگیوں کے کنج اور سرو کے درخت۔

دھوپ میں نیلے پیلے آبی' سرخ' سفید' گلابی پھول چمکتے ہیں۔ سمندر سے ہوا

کے خنک جھونکے آتے ہیں تو پودے جھومتے ہیں۔

ایک لمبی سی سرنگ آئی تو میں نے دیکھا کہ میرے ساتھ ایک ہم سفر بھی ہے۔ ہم باتیں کرنے لگے کہ بحیرۂ روم نے دنیا کی تاریخ میں کتنا اہم حصہ لیا ہے۔ اس کے کنارے پر تہذیبیں ابھری اور مٹی ہیں۔ یہ دنیا کا حسین ترین خطہ ہے۔ میرا پروفیسر کہا کرتا کہ فنونِ لطیفہ کی تخلیق پر ماحول کا بڑا اثر پڑتا ہے۔ اس کے لیے یا تو پہاڑ ہونے چاہئیں یا سمندر کا ساحل یا پھر صحرا۔ میدان بالکل بیکار ہیں۔

وہ اداس ہو گیا—— ''یہ علاقہ کبھی علم و فن کا گہوارہ تھا۔ دنیا بھر کو ہم نے جینا سکھایا۔ آرٹ' ادب' رزم' سیاست۔ ہم ہر بات میں میر کارواں تھے لیکن اب اس تیز مشینی دور میں ہم بہت پیچھے رہ گئے ہیں۔ ان ملکوں میں اب سوائے افلاس' غلامی اور سیاسی بے چینی کے اور کچھ نہیں رہا۔''

میں نے موضوع بدل دیا اور اسے اپنی سیاحت کے قصے سنائے—— دجلہ و فرات کی وادی پر ہوائی جہاز سے اڑتے وقت عجب نظارے دیکھنے میں آتے ہیں۔ صبح اور سہ پہر کو جب سائے لمبے ہوں تو اوپر سے پرانے شہروں اور نہروں اور سڑکوں کے نشان نظر آتے ہیں—— اس اجاڑ ویرانے میں کبھی گنجان آبادی تھی۔ بحیرۂ قلزم سے بحیرۂ روم جاتے ہوئے میں نے وہ خلیج بھی دیکھی تھی جہاں مدوجزر سے بڑی نمایاں تبدیلی آتی ہے۔ پانی کی سطح نیچی ہوتی ہے تو اِس کنارے سے اُس کنارے تک کچھ دیر کے لیے ایک پایاب راستہ بن جاتا ہے جس کی تصویریں رائل ایئر فورس کے ہوابازوں نے اتاری تھیں۔ جو ایک مضمون کے ساتھ چھپی تھیں۔ قیاس آرائی کی گئی تھی کہ غالباً اسی جگہ سے حضرت موسیٰ بنی اسرائیل کو لے کر گزرے ہوں گے۔ پھر فرعون کے گزرتے وقت پانی پرانی سطح پر آ گیا ہو گا۔

میں اس علاقے میں بھی رہ چکا تھا جہاں آتش پرستوں کے پیغمبر زرتشت نے تبلیغ شروع کی۔ وہاں اتنی سردی ہوتی ہے کہ آگ کے بغیر جینا مشکل ہے۔ اس خطے کے لیے اس سے بہتر کوئی اور مذہب نہیں ہو سکتا' لیکن صحرا کے باشندوں سے یہ توقع رکھنا کہ وہ رات دن آگ جلا کر بیٹھے رہیں' زیادتی ہے۔

''لیکن عیسائیت یہاں سے پھیلی اور دنیا بھر نے اسے قبول کیا۔'' وہ کہنے لگا

"اگرچہ وہ عیسائی جو مذہب کی پرواہ نہیں کرتے عروج پر ہیں۔ اس لیے کہ روحانیت کی جگہ مادیت نے لے لی۔ سارے مذہب انسان کو سیدھا رکھنے کے لیے ظہور میں آئے۔ اسے دہشت ناک چیزوں سے ڈرایا گیا۔ خوشنما چیزوں کا لالچ دیا گیا—— لیکن اب انسان کو کوئی ڈر ہے نہ لالچ—— اسی دنیا میں اسے ہولناک چیزیں بھی مل جاتی ہیں اور طرب ناک بھی۔ دانتے نے دوزخ کی جو تفصیل دی ہے اسے زیادہ سوچنے کی ضرورت نہیں پڑی ہوگی—— جیل خانوں، ہسپتالوں اور جنگ کے میدان میں ایسے نظارے عام ہیں۔ شاید بہشت کو بیان کرنے کے لیے اسے تخیل پر زور ڈالنا پڑا ہو۔ لیکن بیسویں صدی میں تو ایسی جگہیں بھی ہیں جہاں بہشت کی جھلکیاں نظر آتی ہیں۔"

جنوا پر اسے اترنا تھا۔ کولمبس اسی شہر کا باشندہ تھا۔

"کولمبس کو تو آپ جانتے ہوں گے؟" اس نے پوچھا۔

"ان کے متعلق سنا بہت کچھ ہے، کبھی ملنے کا اتفاق نہیں ہوا۔ ویسے میرے جاننے والوں میں سے کئی کولمبس کی طرح ہیں۔ کہیں جا رہے ہوں تو منزل معلوم نہیں ہوتی، وہاں پہنچ کر یہ خبر نہیں کہ کہاں پہنچے ہیں—— واپس آکر یہ علم نہیں کہ کہاں گئے تھے۔"

وہ ہنس پڑا۔

جہاں فرانسیسی ہمیشہ آئن سٹائن کی تھیوری پر غور کرتے ہوئے نظر آتے ہیں، اطالوی مسکراتے ہیں، ہنستے ہیں، گاتے ہیں (یہ گانا صرف دور سے بھلا معلوم ہوتا ہے)۔ بے تکلف لوگ ہیں۔ اگر کسی حسینہ کی زلفیں پسند آگئیں تو اسے ہاتھ سے چھو کر بتائیں گے کہ یہ زلفیں اچھی ہیں۔ بڑے اطمینان سے کسی کے کندھے پر کہنی یا بازو رکھ کر ساتھ کھڑے ہو جائیں گے۔ شاید اس توقع پر کہ دوسرا شخص بھی ان کے کندھے پر کہنی ٹیک دے یا غالباً بغل گیر ہو جائے۔ لیکن اگر وہ ان کا ہاتھ ہٹا دے تو بجائے معافی مانگنے کے حیران ہوتے ہیں۔

اطالوی رویرا میں بحیرۂ روم کے خطے کی آب و ہوا کے جلوے نظر آتے ہیں۔ میرا پروفیسر کہا کرتا کہ یہ ایسی آب و ہوا ہے جو پندرہ سے ساٹھ سال کے مرد کو سانٹ لکھنے پر اکساتی ہے۔ پروفیسر ایام جوانی میں یہاں اکثر آیا کرتا تھا۔ "آج کل کے

نوجوان کیسے ہوگئے ہیں۔ جب میں جوان تھا تو آس پاس کی سب لڑکیاں شام ہی سے گھروں میں قفل لگالیا کرتیں——" یہ کہتے ہوئے اس کی بوڑھی آنکھوں میں ایسی چمک آجاتی کہ میں اپنے دل میں یہ مصرعہ پڑھتا—— ع

ننگِ پیری ہے جوانی میری

فلارنس کے گائیڈ نے جلدی جلدی یہ سبق پڑھ کر سنایا——"فلارنس ہی ایسا منفرد شہر ہے جس کی خاک سے بے شمار عظیم آدمی اٹھے۔ دنیا بھر میں یہ فخر سوائے ایتھنز کے کسی اور شہر کو میسر نہیں ہوا——مائیکل اینجلو' باٹی چیلی' بوکیکیو' دانتے' گلیلیو' بن ونی تو' مشیاولی اور میڈیچی فیملی کے افراد۔ یہاں نشاۃ ثانیہ نے جنم لیا' میڈیچی فیملی نے فن کاروں کی سرپرستی کی۔ یہاں چمڑے اور شیشے کا کام نہایت عمدہ ہوتا ہے۔ اس میں بھی میڈیچی فیملی کا ہاتھ ہے۔ اس پُل پر دانتے نے بیترس کو پہلی مرتبہ دیکھا——وہ سامنے میڈیچیوں کا مقبرہ ہے۔"

ہمارا امریکن ساتھی ضبط نہ کرسکا——"آج یا تو میڈیچی فیملی رہے گی یا میں۔"

اگلے روز گائیڈ ہمیں مائیکل اینجلو کا مجسمہ ڈیوڈ دکھانے لے گیا—— وہاں سے آرٹ گیلریاں——

"یہ سب میڈیچی فیملی کی فیاضی کا نتیجہ ہے——" وہ بولا

امریکن چلّایا——"میڈیچی فیملی میرے اعصاب پر سوار ہوگئی ہے۔ خدایا اس فیملی نے میری زندگی تباہ کردی۔ اپنے وطن پہنچ کر میں راتوں کو ہڑبڑا کر اٹھوں گا۔ میرے پڑوسی یہ چیخیں سنیں گے——میڈیچی فیملی! میڈیچی فیملی!"

فلارنس کے لیے یہ فارمولا استعمال ہوسکتا ہے:

فلارنس میڈیچی فیملی: صفر

فلارنس بغیر میڈیچی فیملی: ایک خوشنما شہر

کاش کہ وہاں کے گائیڈ اسے استعمال کیا کریں۔

وینس میں ایک موٹر بھی نظر نہیں آتی۔ سڑکوں کی جگہ نہریں ہیں جن میں

شکارے چلتے ہیں۔ یہاں کی مال روڈ ایک اچھا خاصا دریا ہے۔ وینس سمندر میں ٹاپوؤں کا ایک جھنڈ ہے جس پر بڑی صناعی سے لکڑی اور پتھر بچھا کر مکانوں کی بنیاد رکھی گئی ہے۔

سنگِ مرمر کا یہ شہر کبھی عجوبۂ روزگار تھا۔ ڈیڑھ ہزار سال پہلے یہاں پہلی ریپبلک وجود میں آئی۔ سب سے پہلا اخبار یہاں جاری ہوا۔ سب سے پہلا پبلشر بھی یہیں آباد تھا۔ ڈاک کا انتظام پہلے پہل یہیں سے شروع ہوا۔

یہ رسوائے عالم CASANOVA کا شہر ہے۔ یہاں شیکسپیئر کی ڈیسڈیمونا رہتی تھی۔ اس کا مُور عاشق اوتھیلو (جس کا اصلی نام غالباً عطاء اللہ ہوگا) اس سے ملنے ضرور آتا ہوگا۔

سان مارکو کے چوک میں کوئی ڈیڑھ دو ہزار کبوتر ہر وقت موجود رہتے ہیں۔ یہ کبوتر بڑے بے تکلف ہیں۔ سر یا کندھے پر اس طرح آبیٹھتے ہیں کہ لٹھوں سے پیٹو تو نہیں اترتے۔

سان مارکو کوئی بہت دور پہنچے ہوئے بزرگ تھے جو شاید شہید ہوئے ہوں گے' کیونکہ اس زمانے میں پہنچے ہوئے بزرگوں کے انتقال کا یہی فیشن تھا۔

ڈوگے محل میں وہ پل ہے جسے بائرن نے آہوں کا پل کہا ہے۔ لیکن یہ آہیں عاشقوں کی نہ تھیں (جیسا کہ لڑکے لڑکیاں سمجھتے ہیں) بلکہ مجرموں کی تھیں۔

میں ایک جگہ کھڑا سوال نکال رہا تھا کہ اتنے لیروں کے کتنے روپے ہوئے۔ دو لڑکیاں آئیں ــــــ

"آپ نیس میں ہمارے ساتھ تھے۔"

"جی ہاں مجھے یاد ہے۔"

"دو اطالوی ہمارا تعاقب کر رہے ہیں۔ انہوں نے کل سے پریشان کر رکھا ہے۔ قریب نہیں آتے' بس دور سے گھورتے رہتے ہیں۔"

"تو ابھی انہیں بلالاتا ہوں' تعارف کرادوں گا۔"

وہ ہنسنے لگیں ــــــ "ہم ان سے ملنا تو نہیں چاہتے' بس کسی طرح یہ دفع ہو جائیں۔"

"دکھائیے کہاں ہیں۔"

"وہ رہے۔"

دو پستہ قد لمبے لمبے بالوں والے موٹے تازے نوجوان چوروں کی طرح کھڑے تھے۔

"اب ہم ان کا تعاقب کریں گے۔"

ہم تینوں ان کے پیچھے پیچھے ہو لیے۔ لڑکیوں نے اپنا تعارف کرایا۔ ایک کا نام سوسن تھا' یہ ڈچ تھی۔ دوسری غزالہ GISELE بلجیم کی تھی۔ دونوں جنیوا میں اقوام متحدہ کے کسی دفتر میں کام کرتی تھیں۔

"بطور غزالہ کے تمہاری آنکھیں ہرن کی سی ہونی چاہئیں اور تمہیں تیز بھاگنا چاہیے۔"

ہم نے رفتار تیز کر دی۔ اطالوی فوراً فرار ہو گئے۔

"ہمیں اطالویوں سے بہت ڈر لگتا ہے' یوں گھورتے ہیں جیسے ابھی کھا جائیں گے۔ تبھی ہم نے رات کو شکارے کی سیر نہیں کی۔ بڑا جی چاہتا ہے لیکن رات کو ڈرتے باہر نہیں نکلتے۔"

"آج شام کو میرے ساتھ چلیے۔"

آٹھ بجے سان مارکو کے چوک میں پہنچا تو وہاں صرف سوسن تھی۔

"غزالہ کہاں ہے؟"

"اس کے سر میں درد ہے۔"

میں سمجھ گیا۔ تین کا ہندسہ اچھا نہیں ہوتا' اس لیے غزالہ ریٹائر ہو گئی۔

ہم شکارے میں نکلے۔ رات کا وینس دن کے وینس سے اس قدر مختلف ہے کہ پہچانا نہیں جاتا۔ چاندنی میں ڈھلی ہوئی عمارتیں' سبزی مائل سمندر' پانی میں روشنیوں کا مچلتا ہوا عکس' جیسے لاکھوں ستارے ٹوٹ رہے ہوں۔

سوسن کو بائرن پسند تھا۔ وہ نظمیں سنانے لگی۔

"اگر تم مجھے ساتھ نہ لاتے تو میں کبھی یہ چاندنی اور سنگ مرمر کا طلسم نہ محسوس کر سکتی۔ شاعر' ادیب' صناع' معمار—— ہر فن کار اپنے دل میں چھپی ہوئی کسک کا اظہار چاہتا ہے۔ جب معمار نے سمندر کی لہروں پر سنگ مرمر سے مختلف شبیہیں

ترتیب دیں تو اس کا پیغام وینس کی صورت میں ظاہر ہوا۔"

اگلے دن ہم اکٹھے سیر پر نکلے۔ بڑے گرجے میں طرح طرح کی چیزیں رکھی ہیں۔ یونانی مندروں کے ستون، مسجد کا چھوٹا سا گنبد۔ گائیڈ ہمیں بتا رہا تھا کہ وینس کے باشندے آرٹ کے اتنے دلدادہ تھے کہ جہاں کسی ملک میں کوئی چیز دیکھتے تو اسے اٹھا کر فوراً وینس بھیج دیتے۔ آرٹ کی خاطر لڑائی یا چوری سے بھی گریز نہ کرتے اور ہر سال یہاں ایک طویل جشن منایا جاتا۔ آٹھ مہینوں تک خوب رنگ رلیاں ہوتیں۔

"بقیہ چار مہینے باشندے کیا کرتے ہوں گے؟" ایک طرف سے آواز آئی۔

"آرٹ کے نمونے چرانے نکل جاتے تھے۔" دوسری طرف سے آواز آئی۔

دوسری شام کو سوسن کے سر میں سخت درد ہوا۔ چنانچہ غزالہ ساتھ گئی۔ اس نے پہلے تو بائرن کی شان میں گستاخانہ جملے کہے کہ اطالویوں کی طرح تعاقب کیا کرتا اور شادی شدہ خواتین کے پیچھے تو تیر کی طرح جاتا تھا۔ پھر یہ خوشخبری سنائی کہ وینس کی بنیادیں کمزور ہو رہی ہیں۔ لکڑی گل چکی ہے۔ پل ہلتے ہیں۔ مکان آہستہ آہستہ بیٹھ رہے ہیں۔ یہ شہر سخت خطرے میں ہے۔"

"دو تین دنوں تک تو شہر تباہ نہیں ہو رہا؟ میں پرسوں جا رہا ہوں۔"

"نہیں ابھی کئی سال لگیں گے۔ پتہ نہیں اطالوی اپنے شہروں کا ذکر کرتے وقت مرنے کا حوالہ کیوں دیتے ہیں۔ فلارنس دیکھئے اور مر جائیے۔ نیپلز دیکھ کر مریئے — میرے خیال میں اس شہر کے لیے یہ فقرہ ہونا چاہیے۔ وینس سونگھیے اور مر جائیے۔"

کشتی چلانے والے کو جو ترنگ آئی تو اس نے گانا شروع کر دیا۔ اس کا منہ میرے دہنے کان سے تقریباً بارہ انچ کے فاصلے پر تھا، لٰہذا فوراً سگریٹ دے کر چپ کرایا۔

دو سگریٹوں کے بعد بھی جب وہ باز نہ آیا تو میں نے غزالہ سے جگہ بدل لی۔

روم میں جگہ جگہ رومیو ملتے ہیں۔

کلیسائے پطرس روم میں ہے بھی اور نہیں بھی۔ سٹیشن روم کا لگتا ہے لیکن ڈاکخانہ واٹیکن کا ہے۔ واٹیکن تیرہ ایکڑ جگہ کا نام ہے جو خود مختار ہے اور بیش قیمت تحائف سے پٹا پڑا ہے۔ یورپ بھر کے شاہی مرید اپنے پیر اعلیٰ یعنی پوپ کو بڑی قیمتی چیزیں بھیجتے رہے ہیں۔ سیاح اکثر سوچتے کہ اگر اطالوی اپنے گرجوں سے سونے چاندی کے یہ تحفے نکال لیں تو اٹلی کا افلاس آج دور ہو سکتا ہے۔

کولوزیم ایک قبرستان معلوم ہوتا ہے۔ نہ جانے یہاں کتنے انسانوں کا خون بہا ہو گا۔ لیکن رات کو یہ جگہ اور طرح کی معلوم ہوتی ہے۔ گمان تک نہیں ہوتا کہ کبھی یہاں لاکھوں خون کے پیاسے تماشائی جمع ہوتے ہوں گے اور جان لیوا مقابلوں میں شریک ہونے والوں کی یہ پکار اس عمارت میں گونجتی ہو گی — "اے شہنشاہ! ہم جو کہ بہت جلد مرنے والے ہیں، تجھے سلام کرتے ہیں۔"

سات پہاڑیوں کا پورا روم تباہ ہو چکا ہے۔ کہیں کہیں کھنڈر رہ گئے ہیں۔ موجودہ شہر زیادہ پرانا نہیں، لیکن معلوم ہوتا ہے۔ ہر تاریخی عمارت کے ساتھ دو مذہبی میوزیم اور چھ سات گرجے بھی زبردستی دیکھنے پڑتے ہیں۔

وہ میز اب بھی رکھی ہے جس پر حضرت عیسیٰؑ نے آخری کھانا کھایا۔ وہ سیڑھیاں بھی ہیں جن کو طے کر کے وہ صلیب تک پہنچے۔ لوگ ان سیڑھیوں پر گھٹنوں کے بل چڑھتے ہیں اور دیکھنے والا ڈرتا رہتا ہے کہ یہ اب گرے اب گرے۔

اٹلی کو اپنے آرٹ پر سدا فخر رہا ہے — دنیا کی تخلیق، نقاشی کی زبردست مثال ہے۔ مائیکل اینجلو نے حضرت آدم و حوا کے ساتھ خدا تعالیٰ کی تصویر بھی بنائی ہے۔

واٹیکن میں متبرک چیزوں کے علاوہ برہنہ مجسّمے بھی ملتے ہیں۔ برہنہ تصویریں اور مجسّمے بنانا بڑا مشکل کام سمجھا جاتا تھا۔ انہیں وہی آرٹسٹ بنا سکتے تھے جو علم الابدان کے ماہر ہوں، جو اس علم سے ناواقف تھے وہ اپنی کمزوری کو چھپانے کے لیے انہیں کپڑے پہناتے تھے۔

تین دن تک میں گائیڈوں سے بچتا رہا۔ پیازہ وینسیا میں کھڑا تھا کہ ایک گائیڈ نے مجھے آلیا۔

"وہ دیکھیے۔ اس بالکنی سے مسولینی ہجوم کو مخاطب کیا کرتا تھا۔"

"جی ہاں۔"

"جب ہٹلر روم میں آیا تو بجلی کا ایک لیمپ بھی نہ جلا۔ لوگ مشعلیں ہاتھ میں لیے پھر رہے تھے۔ سارا شہر تاریک تھا' صرف مشعلوں کی روشنی تھی۔ ایسی رات پھر کبھی نہ آئے گی۔"

"روم میں کیا کسی شہر میں نہ آئے گی۔ سوائے ایڈنبرا کے۔"

"جولائی کا مہینہ جولیس سیزر کے نام پر ہے۔"

"بالکل درست ہے۔"

"اور اگست شہنشاہ آگسٹس کے نام پر۔"

اگلی صبح اٹھا تو میری توبہ ٹوٹ چکی تھی۔ میں دوسرے سیاحوں کے ساتھ بس میں بیٹھا ہوا تھا اور گائیڈ ہمیں ہدایات دے رہا تھا۔ ایک جگہ بس رکی۔

"اتریئے!" گائیڈ نے ہمیں حکم دیا۔

ساتھ بیٹھے ہوئے بوڑھے امریکن نے اپنی بیوی سے پوچھا "اب کیا دکھائے گا؟"

"حضرت موسیٰ کا مشہور مجسمہ۔" وہ بولی۔

بوڑھے نے کھڑکی سے ڈیڑھ دو سو سیڑھیاں دیکھیں جنہیں ہم سب کو طے کرنا تھا اور سگار کا کش لگا کر بولا "تم دیکھ کر آؤ۔ میرے خیال میں حضرت موسیٰ کے بغیر میرا گزارہ ہو سکتا ہے۔"

نیپلز کے سٹیشن پر کمولا منتظر ملا۔ بازو پھیلائے ہوئے آیا اور مشرقی انداز میں لپٹ گیا۔ "امی کو ——امی کو" —— (میرے عزیز دوست)۔ اس کی آنکھوں میں آنسو تھے۔

دورانِ جنگ میں وہ اطالوی فوج میں تھا۔ افریقہ کے صحرا میں گرفتار ہوا۔ دو تین مرتبہ میں نے اس کا علاج کیا۔ پھر اتفاق سے میرا تبادلہ قیدیوں کے کیمپ کے ہسپتال میں ہو گیا جہاں وہ بھی تھا۔ اس سے دوستی ہو گئی۔ جنگ کے بعد اس نے اٹلی

سے خط و کتابت جاری رکھی۔ نیپلز پہنچ کر مجھے معلوم ہوا کہ وہ کاؤنٹ ہے۔ نصف سے زیادہ شہر کا مالک ہے۔

اس نے ایسی خاطر مدارت کی الف لیلہ کی راتیں یاد آ گئیں۔ جنوں اور پریوں پر دوبارہ اعتقاد ہو گیا۔ نیپلز کی خوش نما خلیج کے کنارے چاندنی رات میں ایک مشہور فنکار نے پیانو پر MOON LIGHT SONATA بجایا۔ آدھی رات تک بادبان والی کشتیوں میں سمندر کی سیر ہوتی، پھر محفل رقص و سرود جمتی — رات کو تین بجے سو کر صبح اٹھتا تو بالکل وہی بیزار موڈ ہوتا جو علی الصبح شوپنہار کا ہوتا ہو گا۔ ضیافتوں پر مجھے اطالوی لڑکیوں سے ملایا جاتا۔

ایک لڑکی کا نام MARISA تھا۔ میں نے کمولا کے کان میں کہا — "تم اتنے دن مشرق میں رہے اور مریضہ کے معنی نہ آئے۔ یہ لفظ بیماروں کے لیے استعمال ہوتا ہے۔"

دوسری سے متعارف ہوا۔ روز البا — اس کا چہرہ گلاب کے پھول کی طرح تھا۔

"اس کے معنے تو ٹھیک ہیں نا!" کمولا نے کان میں پوچھا۔

ایک نہایت مرنجان مرنج اور بیزار قسم کا آدمی ہمیں حسرت بھری نگاہوں سے دیکھ رہا تھا۔ ہم رقص کر رہے تھے۔ اس کی نگاہیں ہم پر تھیں — کچھ دیر کے بعد الجھن ہونے لگی۔

"کون ہے یہ؟"

"روز البا کا منگیتر — تم اس کی ذرا پرواہ نہ کرو۔ یہ ہمیشہ یونہی رنگ میں بھنگ ڈالتا ہے۔ روز البا اسے جوتی کی نوک پر نہیں لیتی۔"

وہ کاؤنٹس سے پوچھ رہی تھی کہ میرا قیام کتنا ہے۔ پانچ چھ روز سن کر اس نے افسوس میں سر ہلایا جیسے کہہ رہی ہو کہ بھلا پانچ چھ دنوں میں کیا ہو سکتا ہے۔

کمولا، کاؤنٹس، روز البا اور میں، چاروں اگلے روز باہر گئے VESUVIUS پہاڑ کے دامن میں میرے دوست نے موٹر ٹھہرائی اور ہمیں دو بندوقیں دیں۔

"یہ کس لیے ہیں؟ ان سے ہم ایک دوسرے کو کیا کریں؟" میں نے پوچھا۔

"روزالبا کو کبوتر کے شکار کا شوق ہے۔ جنگل میں جا کر شکار کھیلو۔ شام کو میں تمہیں لینے آؤں گا۔"

میں نے بہتیرا کہا کہ بھلا اطالوی کبوتروں نے میرا کیا بگاڑا ہے کہ میں انہیں کچھ کہوں۔ لیکن وہ ہمیں چھوڑ گیا۔ وہ میرے وطن کے متعلق سوال پوچھنے لگی۔ میں نے پاسپورٹ نکال کر دے دیا کہ اس میں سب کچھ لکھا ہے پڑھ لو۔ تصویر دیکھتے ہی اس کا چہرہ سرخ ہو گیا۔

"تم جنگ میں لڑے تھے؟"

"ہاں۔"

"تم نے کتنے اطالوی مارے؟"

"چھ سات سو تو گنے تھے۔ زخمیوں کی تعداد کا اندازہ نہیں۔"

غصے سے اس کے ہونٹ لرزنے لگے۔

"تم لڑنا چاہتی ہو۔ یہ رہی بندوق۔ ورنہ تمہارا غصہ اس غریب منگیتر پر اترے گا۔" منہ پھیر کر وہ دور جا بیٹھی۔

"اے وطن پرست حسینہ! پاسپورٹ کا دوسرا صفحہ بھی پڑھ۔ ڈاکٹر ہلاک نہیں کیا کرتے' بچانے کی کوشش کرتے ہیں۔ لیکن اگر یہ علم ہوتا کہ یہاں کی لڑکیاں ایسی خونخوار ہیں تو کبھی اطالویوں کو نہ چھوڑتا۔"

"مجھے معاف کرو۔ میرا منگیتر جنگ میں مارا گیا تھا۔"

"تمہارے کتنے منگیتر ہیں؟"

"اصلی منگیتر وہی تھا۔"

"تو گویا یہ اسسٹنٹ منگیتر ہے۔"

وہ مسکرانے لگی۔

"لیکن جنگ کو تم نے سنجیدگی سے نہیں لیا۔"

"غالباً تم صحیح کہتے ہو۔ ہم آرٹسٹ ہیں' سپاہی نہیں۔ اس جنگ میں ہمارے ہاں دو فریق تھے — رجائی اور قنوطی — رجائی کہتے تھے ہم یہ جنگ ضرور ہاریں گے' قنوطی کہتے' درست ہے مگر کب؟"

ہم سرو کے درختوں کے جھنڈ میں بیٹھے تھے۔ خوشگوار دھوپ میں ساری وادی نتھری ہوئی معلوم ہو رہی تھی۔ سامنے نیلا سمندر تھا۔

"بارش تو نہیں ہو رہی جو برساتی پہن رکھی ہے۔"

"شاید ہونے لگے۔ میں قنوطی فریق سے ہوں۔"

"تم اسے ہر وقت ساتھ رکھتے ہو؟"

"اسی کو سیر کرانے کے لیے تو میں مارا مارا پھرتا ہوں۔ تم نے گونج سنی؟"

میں بظاہر چوکنّا ہو گیا۔

"نہیں تو۔" وہ ڈر گئی۔

"وہ آتش فشاں وسوویئس کی گڑگڑاہٹ تھی۔ ابھی پہاڑ پھٹے گا اور لاوا بہنے لگے گا۔ وہ دیکھو ایک آدمی بھاگا جا رہا ہے۔"

وہ اٹھ کر کھڑی ہو گئی۔

"تم تو کبوتروں کا شکار کرتی ہو۔ ایک معمولی سے پہاڑ کی کیا وقعت ہے۔ ہم یہاں سے نہیں ہلیں گے۔"

کافی دیر کے بعد اسے یقین آیا کہ گونج ووُنج کچھ نہ تھی۔

سورج ڈوبنے لگا تو آسمان سرخ ہو گیا۔

اس نے برساتی پر اپنے نام کے پہلے حروف لکھے۔ "جب انہیں دیکھو گے تو روزالبا یاد آجائے گی۔"

کمولا بہت دیر میں آیا۔ مجھے چھیڑنے لگا۔ "اسے کیونکر رام کیا۔ یہ تو بے حد غصیلی اور گستاخ لڑکی ہے۔"

"بزرگوں کی دعا ہے۔" میں نے جواب دیا۔

رات کو میں نے خواب دیکھا کہ سامنے روزالبا کھڑی ہے۔ متناسب جسم' شگفتہ حسین چہرہ اور دلآویز مسکراہٹ۔ پھر جیسے اس کا جسم بڑھنے لگا۔ بازو پھولتے گئے' گردن غائب ہو گئی۔ ایک ٹھوڑی کی جگہ دو ہو گئیں۔ وہ پھیلتی گئی حتیٰ کہ میٹرن معلوم ہونے لگی۔

صبح کمولا سے پوچھا۔ وہ بولا "یہ خواب نہیں حقیقت ہے۔ اطالوی سینوریتا

کے پاس سب کچھ ہے۔ حسن، تمازت اور کشش۔ لیکن ان پر فربہی بہت جلد آتی ہے۔ شاید یہ زیتون کے تیل کا اثر ہے یا آرام پسند زندگی کا۔"

میں نے اسے بتایا کہ یہاں کھانا بہت لذیذ ہے۔ سات کورس کا ڈنر۔ اس کے بعد بیرہ چپکے سے پوچھتا ہے۔ کچھ اور لاؤں؟

"لیکن شہروں کے باہر بڑی غربت ہے۔ ہم لوگ مفلس ہیں۔ ہمارے ہاں اتنی بھوک ہے پھر بھی عورتوں کی فربہی جوں کی توں ہے۔"

"افلاس کے لیے حکومت کچھ نہیں کرتی؟" میں نے پوچھا۔

"کون سی حکومت؟ ہر تیسرے چوتھے مہینے تو یہاں حکومتی بدلتی ہے — فرانس کی طرح ہم بھی بار بار حکومت تبدیل کرتے ہیں تاکہ ہر شخص کو موقع مل سکے اور ری پبلک کے معنی ہر خاص و عام پر واضح ہو جائیں۔ ہماری کرنسی کی کوئی قدر نہیں۔ پاؤنڈ کے بیس پچیس لیرے ہوا کرتے تھے۔ اب سترہ سو ہیں۔ بجائے بٹوے کے لوگ کلپ میں نوٹوں کو دبا کر رکھتے ہیں۔"

لیروں کے ذکر پر مجھے کچھ تحفے یاد آ گئے جنہیں خریدنا چاہتا تھا لیکن اپنے دوست کے سامنے خریدتے ہچکچاہٹ ہوتی تھی کیونکہ وہ قیمت ادا کرنے پر اصرار کیا کرتا۔

بہانہ کر کے میں دکان میں گھس گیا۔ باہر نکلتے وقت شاید دوسری گلی میں چلا گیا اور راستہ بھول گیا۔ کچھ دیر سڑک پر چلا پھر کمولا کی آواز سنائی دی۔

"تم نے اتنی دور سے مجھے کیسے ڈھونڈ لیا؟"

"اطالویوں کے ہجوم میں تمہارا چہرہ اور کندھے دور سے نظر آ جاتے ہیں۔ تم سوچتے تو ہو گے کہ یہ خوش باش اور آرام طلب قوم عظیم رومنز کی اولاد کیونکر ہو سکتی ہے۔ وہ رومن جو کبھی دنیا کے مالک تھے۔ مسولینی کو وہم تھا یا خوش فہمی، وہ ہمیں پرانے رومن سمجھتا تھا۔ تاریخ گواہ ہے کہ ایک انسان چند لوگوں کو تھوڑے عرصے کے لیے بیوقوف بنا سکتا ہے لیکن سب کو زیادہ دیر تک نہیں۔ اب ہمارا مقولہ ہے "ڈولچی فی آرے نی اَنتے" — (کچھ نہ کرنا کس قدر خوشگوار ہے) اور مجھے ایک مصرعہ یاد آ گیا۔

ع جو لوگ کچھ نہیں کرتے کمال کرتے ہیں — شاید ہم بھی اسی سنہرے اصول پر

کاربند ہیں۔

"یہ تم بیٹھے بٹھائے فلاسفر کیوں بن گئے؟" میں نے کہا "آؤ حسن یار کی باتیں کریں۔"

پامپی آئی حضرت عیسیٰؑ کی پیدائش سے پہلے سمندر کے کنارے آباد تھا۔ ایک رات وسووئیس پھٹا۔ یہ شہر اور ہرکولینئم دونوں لاوے میں دب گئے۔ پہیہ اور سپرنگ جو دورِ جدید کے دو سب سے اہم آلے سمجھے گئے ہیں' پامپی آئی میں استعمال ہوتے تھے۔ آج کل سردی گرمی کے بچاؤ کے لیے دوہری دیواروں کے مکان بنائے جاتے ہیں۔ پامپی آئی اور ہرکولینئم کی بھی دیواریں دوہری ہیں۔ ان میں پائپ لگے ہوئے ہیں او رسائفن بھی۔

پتھر کی سڑکوں پر رتھ کے پہیوں کے نشان ہیں— (ریل کی لائنوں کا عرض ان نشانوں کی چوڑائی سے لیا گیا ہے)۔ چونکہ اس شہر کو لاوے نے تباہ کیا تھا انسان نے نہیں' اس لیے کھدائی میں سب کچھ جوں کا توں ملا۔ دیواروں پر الیکشن کے اشتہار ہیں— "فلاں کو ووٹ دیجیے۔"

اس فقرے کو مخالف پارٹی نے کاٹ کر نیچے لکھا دیا ہے— 'نہیں! فلاں صاحب کو ووٹ دیجیے۔ اگر کہیں اول الذکر کامیاب ہو گیا تو سب کو خوار کرے گا'— مکانوں پر 'خوش آمدید'— 'کتے سے خبردار رہیے'— 'یہاں پارک کرنا منع ہے' اور دیگر نوٹس ہیں۔ ہسپتال کے قریب کی سڑکیں رتھوں کے لیے بند ہیں۔

شیشے کے برتن' سونے کے زیورات' جراحی کے نازک آلے— ڈھائی ہزار سال میں حالات کچھ زیادہ نہیں بدلے۔

رات کی ضیافت نائٹ کلب میں ہوتی ہے۔ کمولا مہمانوں کا استقبال کر رہا تھا۔ یکایک ایک شعلہ سا لپکا اور نگاہیں خیرہ ہو گئیں۔ ع

اور اس کے بعد چراغوں میں روشنی نہ رہی

کمولا اسے لینے گیا لیکن وہ مڑی اور دوسرے گروہ میں شامل ہو گئی جہاں کسی اور کی پارٹی ہو رہی تھی۔

یہ گراتسی آلدہ تھی —— یعنی فیاض اور مہربان۔

غیض و غضب سے کمولا کانپنے لگا۔ اطالوی بڑے جذباتی ہوتے ہیں۔

"میری زبردست توہین ہوئی ہے۔ اسے میں نے بلایا تھا لیکن مخالف فریق نے ہتھیالیا۔ ان میں میرا پرانا دشمن بیٹھا ہے جس نے دانستہ طور پر مجھے زک پہنچائی ہے۔"

"نہیں آئی تو نہ سہی۔ لعنت بھیجو پرانے دشمنوں اور اس کی پارٹی پر۔"

"نہیں! وہ مردود اس لڑکی پر عاشق ہے۔ اٹلی کا ہر مالدار شخص اس کے پیچھے لگا ہوا ہے۔ میرے عزیز دوست ایک کام کرو۔ کسی طرح اس لڑکی کو یہاں لے آؤ۔"

میں نے سوچا کہ ہماری تاریخ میں کئی مرتبہ ایسا ہوا ہے کہ بھرے سوئمبر سے کوئی سورما لڑکی کو بھگا لے گیا اور لوگ منہ دیکھتے رہ گئے۔ بعد میں تو لڑکیوں اور سورماؤں کو عادت سی پڑ گئی تھی۔ اگر کوئی سوئمبر خیریت سے تمام ہوتا تو لڑکی اسے اپنی ذاتی توہین سمجھتی۔

کمولا اصرار کرنے لگا۔ میں ہال عبور کر کے دوسرے گروہ میں پہنچا اور گراتسی آلدہ کو رقص کے لیے کہا۔ وہ مسکرا کر اٹھی۔ رقص کے اختتام پر میں اسے چھوڑ آیا۔ دوسری دفعہ بھی یہی ہوا۔ تیسری دفعہ بھی اسی کے ساتھ ناچا۔ وہ لوگ بھی مجھے دیکھ دیکھ کر عادی سے ہو گئے۔ پھر ایک مرتبہ جب رقص ختم ہوا تو میں نے اس کا بازو تھام لیا۔

"چلیے کمولا منتظر ہے۔"

"لیکن وہ ——؟" گراتسی آلدہ نے ایک پلے ہوئے آدمی کی طرف اشارہ کیا۔

"وہ جائے جہنم میں آپ ہماری مہمان ہیں۔"

اس کے آتشیں ہونٹ کھلے کے کھلے رہ گئے۔ وہ حیرت سے مجھے دیکھ رہی تھی۔ تڑپتی مچلتی حسینہ سوچ رہی تھی کہ اب کیا ہوگا۔ اتنے میں ایک چھوٹا سا فربہ آدمی تیزی سے ہماری طرف آیا اور گراتسی آلدہ سے کچھ کہنے لگا۔

"آپ مجھ سے گفتگو کیجیے۔ خاتون میرے ساتھ ہیں۔" میں نے لڑکی کو اپنی طرف کھینچ لیا۔

مکمل خاموشی چھا گئی۔ ہجوم کی نگاہیں ہم تینوں پر تھیں۔

وہ بڑی تیزی سے بولنے لگا۔ اس نے لڑکی کی طرف ہاتھ بڑھایا جسے میں نے جھٹک دیا۔

"آپ مجھ سے بات کیجیے۔" میں آگے بڑھا اور اس کا راستہ روک کر کھڑا ہو گیا۔ اس نے سر اوپر اٹھا کر قہر بھری نگاہوں سے میری طرف دیکھا۔ کچھ دیر سوچ کر واپس چلا گیا۔

"میرے دوست! تم نے آج میری آبرو رکھ لی۔" کمولا مجھ سے لپٹ گیا۔ "سارے نیپلز کے سامنے میں نے اسے شکست فاش دی ہے۔"

اغیار کے سینوں پر مونگ دلنے کے سلسلے میں میں نے بار بار گراتسی آلدہ کے ساتھ رقص کیا۔

کھانے کے بعد کمولے نے میرے کان میں سرگوشی کی۔ "یہ تمہارے ساتھ SORRENTO کی سیر کرنا چاہتی ہے۔"

"کب؟"

"اسی وقت۔"

"دوست تم مجھے مخمصوں میں پھنساتے ہو۔ ابھی اس آدمی سے لڑائی ہوتے ہوتے بچی ہے۔ کون تھا وہ؟"

"یہ FIAT کمپنی کا اہم کارکن ہے۔"

وطن میں تین برس تک میں نے دو سیٹوں والی چھوٹی FIAT کار چلائی تھی۔ مجھے افسوس ہوا کہ ابھی اپنی کار کے صنّاع سے لڑنے لگا تھا۔

"مگر میں یہاں تم سے ملنے آیا ہوں نہ کہ لڑکیوں کی ایک پلٹن سے۔"

"ضد نہ کرو۔ یہ رہی کار کی چابی۔"

بل کھاتی ہوئی سڑک پر ہم ساحل کے ساتھ ساتھ جا رہے تھے۔ نیلے سمندر میں زرد، سرخ، سبز، گلابی روشنیوں کے عکس اتنے اچھے معلوم ہو رہے تھے کہ کچھ دیر کے لیے میں ساتھ بیٹھی ہوئی گراتسی آلدہ کو بھول گیا۔ میرے ذہن میں وہ

کہانیاں پھر رہی تھیں جو سورنتو RAVELLO, AMALFI سے وابستہ ہیں۔ کار ٹھہرا کر ہم ایک اونچی سی چٹان پر بیٹھ گئے۔

"تم خوب جانتی ہو کہ بے حد حسین ہو۔ پھر یہ عشوے اور غمزے کس لیے ہیں؟"

"مجھے مضبوط اور پُر وقار مرد پسند ہیں۔ تمہاری جرأت پہلے تو بری لگی، پھر میں نے اسے سراہا۔ اپنے اوپر تمہیں کس قدر بھروسہ ہے۔ لیکن تمہارے دوست کو اتنی ہمت کیوں نہ ہوئی؟"

"اپنے دوست کے خلاف میں ایک لفظ سننا نہیں چاہتا۔"

اس نے بازو اٹھا کر انگڑائی لی۔ سیاہ زلفوں کی ایک لٹ ماتھے پر آن پڑی۔ دو ساحر آنکھیں مجھے دیکھ رہی تھیں۔

"میں نے سنا ہے کہ تمہارے حسن میں ایسا جادو ہے کہ لوگ دم تھام کر رہ جاتے ہیں، لیکن تم کسی کو قریب نہیں آنے دیتیں۔ سب کو ترساتی ہو۔"

"نہ جانے کیوں مجھے اس میں لطف آتا ہے۔ جس مرد کو چاہو غلام بنالو۔ یہ کیسا مخمور کن خیال ہے۔ ذرا سی مسکراہٹ، پیار بھرا بول، معمولی سی ادا سے مرد یوں شل ہو کر رہ جاتے ہیں جیسے ان پر بجلی آن گری ہو۔ کتنی خود اعتمادی محسوس ہوتی ہے کہ جیسے ان کی قسمت کا فیصلہ میرے ہاتھ میں ہو۔ بس اشاروں پر ناچنے لگتے ہیں۔ شکار کو گھیر کر شکاری بھی تو یہی محسوس کرتا ہے۔"

"تو مجھے کل ہی یہاں سے روانہ ہو جانا چاہیے۔"

"لیکن مجھے یقین ہے کہ تم ان مردوں میں سے نہیں ہو جن کے دل میں عورت کی کوئی وقعت نہیں ہوتی۔"

"مگر وقعت ہونی چاہیے۔ عورت ایک بے بس، ناسمجھ بچے پر اپنی زندگی ضائع کر کے اسے مرد بناتی ہے۔ کنبے کی پرورش میں عورت کا کردار نہایت اہم ہے۔ تخلیق و تربیت میں اس کے فرائض بڑے کٹھن ہیں۔ مرد کی حیثیت ایک آنریری ممبر کی سی ہے۔ چنانچہ یہ مرد ہی ہے جو جنگیں فتح کرتا ہے۔ نئے افق تلاش کرتا ہے۔ اونچے پہاڑوں پر چڑھتا ہے۔ نئی نئی ایجادات، نت نئے کارنامے، ادب، شاعری، سیاست، یہ

سب مرد کے ہیں۔ اس لیے کہ وہ آزاد ہے اور اس کے پاس زیادہ وقت ہے۔"

"سنا ہے تمہارے ملک میں پردے کا رواج ہے۔"

"ہاں۔"

"مجھے پردہ بہت پسند ہے۔ اس کے لیے سب سے بڑی دلیل یہ ہے کہ خدا اپنے بندوں سے پردہ کرتا ہے۔ مغرب میں عورت اپنا وقار کھو چکی ہے۔ اسے معاشی آزادی میسر ہے۔ وہ فیکٹریوں' دفتروں اور دکانوں میں کام کرتی ہے' لیکن اب اس کا گھر نہیں ہے۔ اٹلی کو مذہب لے کر بیٹھ گیا ہے۔ یہ مذہب طلاق کی اجازت نہیں دیتا۔ چنانچہ جس کا جو جی چاہے کرتا ہے۔ کوئی باز پرس کرے تو اسے بھی ترغیب دیتے ہیں کہ تم بھی اسی طرح کرو۔ ان دنوں میرے پیچھے بے شمار شادی شدہ مرد لگے ہوئے ہیں۔ ایک دن تمہارا دوست۔"

"میرے دوست کو بیچ میں مت لاؤ اور یہ بتاؤ کہ سحر طرازی کا یہ پروگرام کب تک جاری رہے گا؟"

"میں پچیس برس کی ہوں۔ شاید پندرہ برس اور حسین رہوں۔ پھر بڑی بوڑھیوں کی طرح رہا کروں گی۔"

"اچھا تو میں سولہ برس کے بعد تم سے ملوں گا۔ تب تک خطرہ دور ہو چکا ہو گا۔"

"اگر اگلے سال میں تاجپوشی دیکھنے لندن آئی تو تم ملو گے؟"

"ملوں گا۔ لیکن یہ سمجھ لو کہ میں مزدور آدمی ہوں۔ اب چھٹی ہے تب کام ہو گا۔"

اس نے پھر انگڑائی لی اور اُف کہہ کر کلائی تھام لی۔

"کیا ہوا؟"

"چوڑی ٹوٹ گئی۔ خون نکل آیا۔"

برساتی پر خون کے دو قطرے گر گئے جنہیں رومال سے پونچھا مگر نشان نہ گیا۔ اس نے برساتی پر وہ حروف نہ جانے کیسے پڑھ لیے، مچل گئی۔ "یہ اُس ڈائن روزالبا نے لکھا ہے۔" وہ پتھر سے حروف کھرچنے لگی۔

شہنشاہ ناٹیبریس نے دنیا پر حکومت کرنے کے لیے کیپری کو صدر مقام چنا تھا۔ اس کا انتخاب غلط نہ تھا۔ کیپری دنیا کا سب سے خوشنما جزیرہ ہے۔ ایک نیلی سی دھند یہاں ہر وقت چھائی رہتی ہے۔ کوئی رنگ ایسا نہیں جو یہاں نہ ہو۔ سمندر کا رنگ' پہاڑوں کا رنگ' آسمان کا رنگ' باغ' عمارتیں' پھول' لباس—— ہر چیز رنگین ہے۔

سب سے حسین بلیو گراتو (نیلا غار) ہے جس کا واحد راستہ سمندر سے ہے اور اتنا تنگ ہے کہ کشتی میں لیٹ کر داخل ہوتے ہیں۔ غار کے منہ سے روشنی اندر آتی ہے جو نیلے پانی سے گزرتے ہوئے رنگی جاتی ہے۔ اندھیرے میں یوں معلوم ہوتا ہے جیسے ایک بہت بڑا نیلم جھلمل جھلمل کر رہا ہے۔ لوگ مبہوت رہ جاتے ہیں۔ کشتیاں بار بار ٹکراتی ہیں۔ باہر نکلنے کو جی نہیں چاہتا۔ ملاح کھینچ کھینچ کر باہر لاتے ہیں۔

ہم واپس سٹیمر کی طرف جا رہے تھے کہ ایک شخص بھاگا بھاگا آیا۔ ''ٹھہرو!'' اس نے بالکل اس طرح نعرہ لگایا جیسے ہماری فلموں میں ایک آدمی ہمیشہ پکارتا ہے ''ٹھہرو! یہ شادی نہیں ہو سکتی۔''

اس کے ہاتھ میں کوئی سبز چیز تھی—— میری برساتی——

اچھی جگہوں پر یہ خود بخود رہ جاتی ہے۔ یا تو شرارتی ہو گئی ہے یا اسے سکاٹ لینڈ کی آب و ہوا پسند نہیں۔

رات کی محفل میں گانا بجانا خوب زوروں پر تھا کہ ایک ادھیڑ عمر کا شخص اپنے سیاہ لباس پر امتیازی نشان لگائے آیا اور میرے سامنے کھڑا ہو گیا۔

''معاف کیجیے۔ سینورا آپ سے گفتگو کرنا چاہتی ہے۔''

میں اب اس قسم کی باتوں کا عادی ہو چکا تھا۔

''چلیے۔'' میں اٹھ کر ساتھ ساتھ ہو لیا۔

سامنے ایک نو عمر لڑکی ہیرے جواہرات پہنے مسکرا رہی تھی۔

میں نے اپنا تعارف کرایا۔ پیچھے مڑ کر دیکھتا ہوں تو خاوند غائب تھا۔

میں اور وہ اکیلے رہ گئے۔ وہ سسلی سے آئی تھی اور انگریزی نہیں جانتی تھی۔ چنانچہ چھوٹے موٹے الفاظ کے علاوہ دونوں کی سمجھ میں کچھ نہ آسکا۔

وہ بے حد خوبصورت تھی۔ رخسار پر ننھا سا تل تھا اور چہرے پر بلا کی معصومیت۔ کانوں میں ہیرے کے آویزے' گلے میں بیش قیمت ہار' سر پر جڑاؤ TIARA۔ بار بار وہ کچھ کہنے کی کوشش کرتی لیکن شُدھ اطالوی زبان میں۔ ویسے جب اطالوی باتیں کرتے ہیں تو ان کے چہرے کے اظہار اور ہاتھوں کی جنبش سے بہت کچھ اندازہ ہو سکتا ہے۔ لیکن یہ حسین لڑکی نہ جانے کیا کہنا چاہتی تھی ـــــ میں صرف اتنا سمجھ سکا۔ آج رات گیارہ بجے۔ پامپی آئی کی سڑک۔

کمولا مہمانوں سے باتیں کر رہا تھا۔ مجھے اچھی طرح علم تھا کہ وہ کیا رائے دے گا۔

اس کا خاوند کافی دیر کے بعد آیا۔ چلتے وقت اس نے ایسی نگاہوں سے دیکھا گویا کہہ رہی ہو ـــــ بھولنا مت۔ ضرور آنا۔

پونے گیارہ بجے میں نے برساتی اوڑھی۔ کمولا کی کار لے کر پامپی آئی کی طرف چل دیا۔ لیکن سوچ رہا تھا' جاؤں یا نہ جاؤں۔ برساتی کی طرف دیکھا۔ اس کے کالر لٹک رہے تھے۔ سلوٹیں سی پڑی ہوئی تھیں۔ یوں لگا جیسے برساتی خوش نہیں ہے بلکہ کہہ رہی ہے کہ میاں تم سیاح ہو ان الجھنوں میں مت پڑو۔ سب کچھ دور دور سے دیکھو اور اپنا راستہ لو۔

اچھا نہیں جاتا ـــــ میں واپس لوٹ آیا۔

نیپلز سے روانگی کے وقت کمولا کہنے لگا۔ "اگلی مرتبہ زیادہ چھٹی لے کر آنا۔ ہم دونوں سسلی چلیں گے۔" گاڑی کی گھنٹی بجی۔ اس کی آنکھوں میں آنسو آ گئے۔ مجھ سے بغل گیر ہو گیا۔

"امی کو ـــــ پھر ضرور آنا۔"

سوئٹزر لینڈ کو یورپ کی تفریح گاہ کہتے وقت یہ سوچنا پڑتا ہے کہ کون سی تفریح؟

یہاں برف سے ڈھکے ہوئے پہاڑ ہیں۔ رنگ برنگے پھول ہیں۔ وسیع سرسبز وادیاں، نیلی جھیلیں' سب کچھ ہے مگر یہ نظارے اپنے آپ کو اس باقاعدگی سے دہراتے

ہیں کہ سوئٹزرلینڈ کے تیس چالیس میل دیکھ لینا سارا ملک دیکھ لینے کے مترادف ہے۔

یہاں اصلی سوِس بہت کم پائے جاتے ہیں۔ ملک کے تین حصے ہیں۔ جنوبی حصے میں یہ معلوم ہوتا ہے گویا ابھی تک اٹلی ہی میں قیام ہے۔ شمالی حصے میں جرمنی اور مغربی حصے میں فرانس یاد آتے ہیں۔ (مشرقی حصے میں کچھ یاد نہیں آتا)۔ یہاں ایک چیز سے جی بھر جاتا ہے۔ ایک دکان میں بلی دیدے مٹکا رہی ہے' یہ گھڑی ہے۔ ایک جگہ چوہا ناچ رہا ہے' یہ بھی گھڑی ہے۔ وہ چیز جو قلم دان معلوم ہوتی ہے' دراصل گھڑی ہے۔ ہر جگہ گھڑیاں ہی گھڑیاں ہیں — لمبوتری' مخروطی' مستطیل' مربع' گول' تکونی — اپنی گھڑی سے نفرت ہو جاتی ہے۔

اونچے ایلپس گھٹاؤں کو اندر نہیں آنے دیتے۔ وادیوں میں دھوپ رہتی ہے لیکن گھٹا اندر آجائے تو یہ پہاڑ باہر نہیں نکلنے دیتے۔ چنانچہ پھر ہفتوں بارش ہوتی ہے۔

کسی زمانے میں ان فلک بوس پہاڑوں کو ہینی بال نے ایک کثیر فوج اور سینتیس ہاتھیوں سمیت عبور کیا تھا۔ اٹلی پہنچ کر اس نے فوج گنی تو معلوم ہوا کہ دشوار گزار راستوں میں ہزاروں سپاہی ہلاک ہو چکے تھے لیکن ہاتھی پورے سینتیس کے سینتیس موجود تھے۔ جسے اللہ رکھے اسے کون چکھے۔ ہینی بال بذاتِ خود ہاتھی پر سوار تھا' لہٰذا ہاتھیوں کے طفیل سے بچ گیا۔

لوسرن سے جھیل عبور کر کے پہاڑی ریل کے ذریعے رِگی پہاڑ کی چوٹی پر پہنچا۔ دیر تک تصویریں اتارتا رہا۔ ہوٹل پہنچ کر معلوم ہوا کہ برساتی پھر غائب ہے۔ مجھے کچھ اپنے اوپر غصہ آرہا تھا' کچھ برساتی پر۔ اب اسے یہیں چھوڑ جاؤں گا۔

اگن بوٹ والوں سے ملا۔ انہوں نے پہاڑی ریل کے چھوٹے سے سٹیشن کو فون کیا کہ پہاڑ کی چوٹی پر جو اونچا سا درخت ہے اس کے نیچے ایک برساتی پڑی ہو گی۔ جواب آیا — برساتی بالکل وہیں رکھی ہے' تہہ کی ہوئی۔

ٹرین چلنے سے دس منٹ پہلے ایک آدمی برساتی لے کر سٹیشن پر پہنچا۔ "جناب بہت اچھا ہوا یہ مل گئی ورنہ آپ یہی سمجھتے کہ سوئٹزرلینڈ والوں نے چرالی۔"

لندن پہنچا۔ اگلے روز ملکہ کی گارڈن پارٹی پر مدعو تھا۔ ایک پرانے کمانڈنگ افسر نے ملکہ اور ڈیوک سے ملایا جنہوں نے وطن اور عزیزوں کے متعلق باتیں کیں۔

جب میں جُولیا کو روم کے گرجوں کی باتیں سنارہا تھا تو وہ بار بار پوچھتی —— ''مگر ملکہ نے اور کیا کیا سوال کیے؟ شہزادی مارگریٹ کا لباس کیسا تھا؟ ڈیوک کیسے معلوم ہو رہے تھے؟''

اڈنبرا میں لڑکے لڑکیوں نے اس قدر جوش و خروش کا اظہار کیا کہ وہ مختصر سی گفتگو جو شاہی خاندان کے افراد سے ہوئی تھی مجھے مہینوں دہرانی پڑی۔ لیکن جُولیا کو میں نے روم کی ایسی ایسی باتیں بتائیں کہ اس کے عقیدے ڈگمگانے لگے اور آخر اس نے مذہب تبدیل کر لیا —— وہ رومن کیتھولک سے پروٹسٹنٹ بن گئی۔

میں چونکا۔ گھڑی دیکھی —— اُفوہ کتنی دیر ہو گئی ہے۔ ابھی بہت سفر باقی ہے۔ دن چھوٹے ہو گئے ہیں، چھ بجے ہی اندھیرا ہو جائے گا۔ اب اٹھیے —— اٹھیے بس اب کہ لذتِ خوابِ سحر گئی۔ جاگتے میں خواب دیکھنا بہت بری عادت ہے۔ قصہ سوتے جاگتے کا تو آپ پڑھ ہی چکے ہیں۔ کل نو بجے لندن میں آپ کا پہلا لیکچر ہے۔ پانچ بجے تک کلاسیں ہوا کریں گی۔ رات کو آموختہ یاد کیجیے گا اور پانچ چھ گھنٹے سو کر

رات گزری نور کا تڑکا ہوا ہوشیار اسکول کا لڑکا ہوا!!

میں برساتی لے کر اٹھا اور کار میں بیٹھ گیا۔

دس پندرہ میل گیا ہوں گا کہ ایک شخص نے ہاتھ کا اشارہ کیا۔ میں رک گیا۔

''کہاں چلو گے؟''

''جہاں لے چلو۔''

''لندن؟''

''ہاں۔''

میں نے اسے بٹھا لیا۔ وہ میرا ہم عمر تھا۔ عقابی آنکھیں، ورزشی جسم، مسکراتا چہرہ۔ اس کے پاس صرف ایک چمڑے کا صندوق تھا۔

''یہ صندوق سامان کے ساتھ رکھ دیں؟'' میں نے پوچھا۔

"نہیں اسے میں اپنی گود میں رکھ لوں گا۔"

صندوق پر بیشمار لیبل رکھے ہوئے تھے — وی آنا' زیورچ' برلن' کوپن ہیگن' فرینکفرٹ۔ اس نے بتایا کہ اس کا نام جیرلڈ ہے۔ کینیڈا کا رہنے والا ہے۔ پچھلی جنگ میں ہواباز تھا۔ قریب ہی ایک کیمپ میں ایک ماہ کے لیے ہوابازی کی ٹریننگ کے واسطے آیا تھا۔ اب ملازمت کی تلاش میں لندن جارہا ہے۔

"کینیڈا میں آٹھ برس سے نہیں گیا۔ وہاں تھوڑی سی زمین ہے۔ اس کی آمدنی پر گزارا ہے۔"

"زر' زن' زمین میں سے تمہارے پاس ایک چیز موجود ہے۔"

میں نے کہاوت کا ترجمہ کیا تو وہ ہنسنے لگا۔ "یوں تو زن بھی تھوڑی سی ہے۔ ایک لڑکی مجھے پسند ہے اور تم؟"

"میں ان تینوں سے مبرّا ہوں۔"

میں اس کے صندوق کے لیبلوں کو پھر دیکھنے لگا — پیرس' لوزاں' وینس' ایتھنز۔ میں نے بھی تو یہی سفر کیا تھا — پیرس' لوزاں' وینس' ایتھنز۔ وہ سب جگہیں نگاہوں کے سامنے پھرنے لگیں۔ میں بھول گیا کہ موٹر چلا رہا ہوں' میرے ساتھ کوئی بیٹھا ہے اور ہم لندن جارہے ہیں۔ وہ سارے نظارے ذہن میں ابھرنے لگے۔

میں پھر رودبارِ انگلستان عبور کررہا ہوں۔ سمندر خلافِ معمول پُرسکون ہے اور توقع کے خلاف دھوپ نکلی ہوئی ہے۔ میں عرشے پر کھڑا نقشہ دیکھ رہا ہوں۔

پھر پیرس' لوزاں' وینس ہوتا ہوا ترئیست **TRIESTE** پہنچتا ہوں۔ اس پُراسرار قسم کے شہر کی فضا ایسی ہے جیسے ابھی کچھ ہونے والا ہے۔ یہاں ہر شخص ہر دوسرے شخص کو شک و شبہ کی نظر سے دیکھتا ہے۔ جاسوسی قصوں کے شائقین کے لیے یہ بہترین جگہ ہے۔

ابھی پہنچے دیر نہیں ہوئی تھی کہ مجھے یوں لگا جیسے کوئی میرا تعاقب کررہا ہے۔ پہلے تو یونہی خیال سا تھا لیکن پھر دیکھا کہ سمندر کے کنارے پرانے کھنڈرات میں' پہاڑیوں کی طرف — جہاں کہیں میں جاتا یہ شخص بھی پہنچ جاتا۔ میں نے اسے

نظر انداز کیا، گھورا، قریب جا کھڑا ہوا، لیکن اس پر کوئی اثر نہ ہوا۔ کافی دیر تک آنکھ مچولی ہوئی۔ آخر میں جھنجلا اٹھا۔ کباڑی بازار میں جب وہ سیڑھیاں اتر رہا تھا، میں نے اسے جا پکڑا۔

"میرے پاس صرف دو دن تھے۔ ایک تو تم نے ضائع کرا دیا، اب اگر کل بھی تم نے میرا تعاقب کیا تو میں تمہارا اُبھرکس نکال دوں گا۔"

اس کی گھگھی بندھ گئی۔ "میں آپ کا تعاقب تو نہیں کر رہا۔ میں تو خود سیاح ہوں۔ اور دن بھر ڈرتا رہا ہوں کہ آپ میرے پیچھے لگے ہوئے ہیں۔"

اس سے معافی مانگ کر تھوڑی دور گیا ہوں گا کہ ایک عورت آگے آگے چلنے لگی۔ جس طرف میں مڑتا وہ بھی پھرتی سے مڑ جاتی۔ یہ کیا تماشا ہے؟ شاید یہ سوچتی ہوگی کہ تعاقب کرانا تعاقب کرنے سے کہیں بہتر ہے۔ میں نے رفتار تیز کر دی حتیٰ کہ اس کا سانس پھولنے لگا۔ یہ دوڑ جیت کر میں برابر سے نکل گیا۔ ہوٹل میں کھانا کھاتے وقت دیکھتا ہوں کہ وہی عورت کونے میں بیٹھی ہے۔ منیجر سے پوچھا، معلوم ہوا کہ وہ بھی سیاحت کے سلسلے میں یہاں ٹھہری ہوئی ہے۔ لاحول پڑھی اور سو گیا۔

سٹیشن پر گیا۔ کسی نے بتایا کہ آج شام کو ORIENT EXPRESS بلگراڈ جا رہی ہے۔۔۔ مشہور نیلی ٹرین جو کبھی پیرس سے وی آنا، بوڈاپسٹ، بخارسٹ، صوفیہ ہوتی ہوئی استنبول پہنچتی تھی اور وہاں سے سیدھی بغداد۔ ریاستہائے بلقان کے دنگے فساد تو ہمیشہ سے مشہور ہیں۔ عجیب عجیب لوگ اس ٹرین سے سفر کیا کرتے۔۔۔ بادشاہ، جاسوس، سیاستدان، چور۔۔۔ جواہرات پر ڈاکہ، اغوا، قیمتی کاغذات کی چوری، دنیا بھر کے جرائم اس سے منسوب ہیں۔

اب یہ ان ملکوں سے نہیں گزرتی۔ بلگراڈ سے نِش، وہاں سے ایک شاخ صوفیہ ہوتی ہوئی استنبول پہنچتی ہے۔ دوسری سلونیکا ہو کر ایتھنز۔

شام کو میں اس ٹرین میں تھا۔ ڈبے کے لمبے راستے میں کھڑا کھڑکی سے سبز پہاڑیاں دیکھ رہا تھا کہ ایک لڑکی ساتھ آ کھڑی ہوئی۔ وہ اگاتھا کرسٹی کے ہیبت ناک قصوں سے متاثر ہو کر خاص طور پر اس ٹرین سے سفر کر رہی تھی۔

''میں لندن سے آ رہی ہوں۔ مجھے سخت مایوسی ہوئی ہے۔ ابھی میں نے اس ٹرین کے متعلق ایک ناول ختم کیا تھا ـــــ اول تو یہ ایکسپریس کہاں ہے؟ اتنی آہستہ چل رہی ہے۔ پھر وہ ماحول ہی ندارد ہے۔ سب لوگ آرام سے بیٹھے ہیں ـــــ اب تک کچھ بھی نہیں ہوا۔''

رات کے دس بجے نسوانی چیخ سنائی دی۔ میں جلدی سے باہر نکلا۔ یہ وہی لڑکی تھی ـــــ اسے کھڑکی میں کسی کا سر نظر آیا تھا۔ دراصل کھڑکی کے شیشے میں اس نے خود اپنے سر کا عکس دیکھا تھا۔ کچھ دیر بعد پھر چیخ سنائی دی۔ اس مرتبہ اسے کھڑکی میں تلوار نظر آئی جو درحقیقت شیشہ اوپر نیچے کرنے کا ہینڈل تھا۔

رات بھر اس نے تنگ کیا۔ اسے بندوق، پستول، خنجر، چھریاں، چاقو ـــــ سب باری باری دکھائی دیئے ـــــ سوائے توپ کے جو بہت بڑی ہوتی ہے۔

ناشتے پر وہ غائب تھی۔ معلوم ہوا کہ علی الصبح کسی سٹیشن پر اتر گئی۔ ایک انگریز انجینئر کچھ مشینوں کی مرمت کرنے بلگراڈ جا رہا تھا۔ وہ بھی کچھ ڈرا سا ہوا تھا۔ پوچھا کہ دن میں کیوں ڈرتے ہو؟ کہنے لگا ''مشرق سے میں بہت گھبراتا ہوں۔ یہ لوگ بے حد جوشیلے ہوتے ہیں، جو جی میں آجائے کر گزرتے ہیں۔''

بلگراڈ پہنچ کر دیکھا تو واقعی مشرق شروع ہو چکا تھا۔ جھونپڑیاں اور فلک بوس عمارتیں ساتھ ساتھ تھیں۔ بڑی بڑی کاروں کے ساتھ بیل گاڑیاں چل رہی تھیں۔ تیز ہوا چلتی تو گرد اڑتی۔ مکھیاں تھیں، بے شمار کتے تھے۔ میں نے ایک پاؤنڈ کے دینار (مقامی کرنسی) لیے اور فوراً حلوہ خریدا جو گڑ کی طرح تھا۔

یوگوسلاویہ کے لوگ غریب ہیں۔ لیو بیرک ملا جو زاغرب سے مجھے ملنے آیا تھا۔ میں اس کے دوست سے لندن میں مل چکا تھا۔ لیو کو لندن میں تعلیم حاصل کرنے کا بے حد شوق تھا، بلکہ جنون تھا۔ اس کے دوست کو برٹش کونسل والے وظیفہ دے کر ساتھ لے گئے اور یہ ہاتھ ملتا رہ گیا۔ دن بھر وہ لندن کی باتیں پوچھتا رہا۔

''لندن کی ایک اعزازی ڈگری تو تم آج ہی اپنے نام کے ساتھ لگا سکتے ہو۔''

''سچ مچ؟'' اس کی آنکھیں چمکنے لگیں۔

میں نے ایک نقلی ڈاکٹر کا قصہ سنایا جو اپنا نام یوں لکھا کرتا——

ڈاکٹر—— اے۔ جے۔ کے (لندن)

ایک دن بھید کھل گیا۔ عدالت میں باز پرس ہوئی تو اس نے جواب دیا کہ ڈاکٹر تو مجھے گھر والے پیار سے کہا کرتے تھے۔ اس لیے بچپن سے یہ لفظ نام کے ساتھ شامل ہے۔

"اور یہ A.J.K (LONDON) کیا ہے؟"

"آرزو جانے کی لندن۔" اس نے جواب دیا۔

لیو پر کوئی اثر نہ ہوا' وہ بدستور لندن کے گن گاتا رہا۔ چلتے وقت اس نے مجھے اپنے عزیزوں کا پتہ دیا جو مقدونیہ کے ایک گاؤں میں رہتے تھے۔

بلگراڈ سے روانہ ہوا تو دلچسپ ہم سفر ملا۔ حسام الدین——وہ شام کا رہنے والا تھا۔ سرخ و سفید رنگ' بحث و مباحثے کا شوقین۔ فرانس سے واپس دمشق جا رہا تھا۔ عرب ممالک کا ذکر چھڑتے ہی اس نے بکریوں کو برا بھلا کہنا شروع کر دیا۔ "بکری ایک ایسی لعنت ہے جو ہم سب کو لے کر بیٹھ گئی۔ رومن شمالی افریقہ میں زیتون اور نارنگیاں اگاتے تھے۔ بحیرۂ روم کا ساحل ہرا بھرا تھا۔ جہاں عرب گئے بکری ساتھ گئی۔ بھیڑ صرف کونپلیں کھاتی ہے لیکن بکری جڑوں تک کو نہیں چھوڑتی۔ جب پودے اور درخت ختم ہوئے تو یہ علاقے اجاڑ ہو کر صحرا بن گئے۔ بکری کے دودھ سے لمبا بخار بھی چڑھتا ہے۔ پھر ہم میں یہ عیب ہے کہ ہم فالتو بحث بہت کرتے ہیں۔ جب ہلاکو خان بغداد کو تباہ کرنے آ رہا تھا تو دارالخلافے میں لگاتار خبریں پہنچ رہی تھیں لیکن بغداد کے علماء ایک اہم مباحثے میں مشغول تھے۔ بحث کا موضوع تھا کہ الّو حلال یا حرام۔"

"زوال کی اور بھی تو کئی وجوہات ہیں۔" میں نے کہا۔

"مغرب ہمارے زوال کی وجہ ہمارا مذہب اور سست کر دینے والی آب و ہوا بتاتا ہے۔ لیکن جب ہم نے ملک پر ملک فتح کیے تب بھی یہی مذہب تھا اور یہی آب و ہوا۔ دراصل مغرب نے ہمیں صلیبی جنگیں جیتنے پر اب تک معاف نہیں کیا' لیکن لطف تو یہ ہے کہ ہم سے لڑنے وہ لوگ آئے جن کا مذہب سکھاتا ہے کہ کوئی ایک گال

پر تھپڑ مارے تو دوسرا بھی سامنے کر دو۔ جب رچرڈ لڑنے آیا تو آتے ہی فرمائشوں کی بارش کر دی—ذرا انگور تو بھجوائیے۔ گرمی ہے کچھ برف اور شربت ارسال فرمائیے۔ طبیعت ناساز ہے کسی حکیم سے کہیے کہ دیکھ جائے۔ آج طبیعت اچھی ہے' مرغ کھانے کو جی چاہتا ہے۔ آپ کی موسیقی کی تعریف سنی تھی' کبھی کچھ سنوائیے۔ صلاح الدین نے سب فرمائشیں پوری کیں۔ ایک مرتبہ بھی نہ کہا کہ میاں لڑنے آئے ہو یا ناز برداریاں کرانے۔ ہم نے یورپ کو شولری سکھائی' عورتوں کی عزت' معاہدوں کا احترام۔"

"مگر صلاح الدین تو مغرب کے ہیرو ہیں۔"

"ہم کہاں کہاں پہنچ چکے تھے۔ پیرس سے تین منزل ادھر ہم نے جنگ لڑی۔ وی آنا کا بار بار محاصرہ کیا۔ یونان اور بلقان کی ریاستوں پر چار سو سال حکومت کی۔ ہسپانیہ میں سات سو برس رہے۔ ہم نے اٹلی پر چھاپے مارے۔ روم کی دیواریں گرائیں۔ سوئٹزرلینڈ میں ہماری نشانیاں اب تک موجود ہیں۔ لیکن اب ہم سے سب کچھ چھن چکا ہے۔ شام اور افریقہ کے تپتے ہوئے صحراؤں میں ہمارے شہروں کے کھنڈر ہڈیوں کی طرح چمکتے ہیں۔"

میں نے اسے بتایا کہ دنیا کی تقریباً ہر قوم کو یہی شکایت ہے کہ وہ تنزل پر ہے۔ سب اپنی پرانی تاریخ کو یاد کر کے آنسو بہاتے ہیں۔ پتہ نہیں یہ بین الاقوامی بیزاری کیوں ہے۔

ہم مقدونیہ میں داخل ہوئے۔ سکندرِ اعظم کا وطن۔ سرسبز پہاڑیاں' چشمے اور خودرو پھول۔

جب میں لیو کے کنبے سے ملنے چھوٹے سے سٹیشن پر اترا تو وہاں اذان ہو رہی تھی۔

یہ بے حد پرخلوص اور سیدھے سادے لوگ تھے۔ انہوں نے بڑی خاطر کی۔ مجھے ان کی زبان بالکل نہیں آتی تھی۔ پھر بھی ہم دوست بن گئے۔ دن بھر میں نے ان کے ساتھ کھیتوں میں کام کیا۔ چھوٹے سے باغ میں پودوں کو تراشنے میں مدد دی۔ شام کو تاروں بھرے آسمان تلے ان کی موسیقی سنی۔

خلوص کی کوئی خاص زبان نہیں ہوتی۔ یہ دل میں محسوس ہوتا ہے اور آنکھوں سے جھلکتا ہے۔

مقدونیہ کا ایک منظر ہمیشہ میری آنکھوں میں پھر تا رہتا ہے۔ بار ہا ایسا ہوا کہ میں اداس تھا اور اس یاد نے مجھے مسرور کر دیا۔ کئی مرتبہ یوں محسوس ہوا جیسے یہ نظارہ میں نے کبھی دیکھا ہی نہیں' نرا واہمہ ہے۔

صبح صبح سورج کی شعاعیں پہاڑیوں سے پھوٹ رہی ہیں۔ آسمان کے مشرقی حصے میں چند بدلیاں ہیں جو بالکل سرخ ہیں اور تا حد نگاہ پھول کھلے ہوئے ہیں۔ ہوا کے جھونکوں سے گلابی پھول جھوم رہے ہیں—— ہزاروں' لاکھوں' کروڑوں پھول۔ اتنے پھول میں نے کبھی نہیں دیکھے۔ یوں معلوم ہوتا ہے جیسے دنیا ابھی تخلیق ہوئی ہے اور ہر جگہ پھول ہی پھول ہیں۔ دنیا میں ہر طرف سچائی ہے' مسرت ہے' شادمانی ہے۔

یونان کی سرحد عبور کی اور سلونیکا ٹھہرا۔ لیکن مجھے ماؤنٹ اولمپس دیکھنے کی جلدی تھی۔

جب پہاڑ نظر آیا تو دیر تک دیوتاؤں کے اس مسکن کے سامنے خاموش کھڑا رہا۔ چاروں طرف دھوپ پھیلی ہوئی تھی۔ آسمان صاف تھا لیکن پہاڑ کی چوٹیاں بادل اور دھند سے چھپی ہوئی تھیں۔ ان چوٹیوں پر یا دھند رہتی ہے یا بادل۔ ممکن ہے کہ یہاں اب بھی دیوتا رہتے ہوں۔ بجلی کی کڑک اور بادلوں کی گرج میں ضیافتیں ہوتی ہیں۔

ایتھنز جاتے وقت جو علاقہ آتا ہے وہ بالکل جہلم اور راولپنڈی کے علاقے جیسا ہے۔ شاید اسی لیے یونانی ٹیکسلا میں آباد ہو گئے تھے۔ یونان سے جہلم تک جانی پہچانی پہاڑیاں نظر آتی رہیں تو خوش رہے مگر جب آگے میدان ہی میدان دیکھے تو گھر یاد آیا اور واپس لوٹ گئے۔

ایتھنز پہنچا تو شام ہو چکی تھی۔ جی چاہتا تھا کہ ابھی دوڑ کر ACROPOLIS دیکھ لوں۔ ہوٹل میں سامان رکھتے ہی بھاگا۔ شہر کے پرانے حصے سے گزرتا ہوا اس پہاڑی کے نیچے پہنچا جہاں پر ایکروپلس ڈھائی ہزار سال پہلے بنایا گیا تھا۔ بل کھاتی ہوئی سڑک

آئی پھر چڑھائی، پھر چاندنی میں چمکتی ہوئی وہ عمارت جسے دیکھ کر سب کچھ فراموش ہو جاتا ہے۔ بیتی ہوئی صدیاں، وقت کے تباہ کن حملے، حیات و ممات کا لامتناہی سلسلہ — کچھ بھی تو یاد نہیں رہتا۔

حیرت ہوتی ہے کہ اس اداس دنیا میں ایسی شگفتہ چیزیں بھی موجود ہیں جن پر خزاں نہیں آتی، جو غیر فانی ہیں، جنہیں دیکھ کر محسوس ہوتا ہے کہ ابھی سب کچھ تباہ نہیں ہوا۔ ابھی امید کی کرن باقی ہے۔ یہ منروا کا مندر ہے۔ یہ ہرکولیز کا معبد ہے۔ یہ قدیم دنیا کا عجوبہ پارتھینون جسے فن کار فڈیاس نے تعمیر کیا۔ یہ اس زمانے کی یادگار ہے جب ایتھنز ساری مہذب دنیا کا قلب تھا۔

آہستہ آہستہ قدم رکھتا ہوا میں اس صنم کدے میں داخل ہوا جہاں کبھی نہایت عظیم انسانوں کی آوازیں گونجی ہوں گی۔ افلاطون، سقراط، اقلیدس، ڈیمو ستھینز، فیثاغورث، ہیروڈوٹس، پیری کلیز۔

علی الصبح میں نے ایکروپلس سے طلوع آفتاب دیکھا۔ نیچے اولمپیا کے دیوتا زیوس کا مندر ہے۔ سامنے پہاڑی پر قید خانے کی کوٹھڑیاں ہیں جہاں سقراط کو زہر دیا گیا۔ ایک طرف ڈیونی سس کا تھیٹر جہاں اسکائی لس، یوری پڈیز اور سفوکلیز کے ڈرامے کھیلے گئے۔ اس کے ساتھ موسیقی کا مندر — اوڈین اور دور نیلا سمندر۔

نیلا آسمان، نیلا سمندر، رنگین پھول۔ حسین ستون — متناسب، نفیس، نستعلیق جیسے کسی دلکش نظم کے اشعار۔

بتائے ہوئے پتے پر فون کیا۔ ملتوس ہارالامبز ملنے آیا۔ اکٹھے کھانا کھایا۔ پلاؤ، دہی، کباب، کوفتے اور حلوہ۔ ریڈیو پر ریکارڈ بج رہے تھے۔ غالباً فوجی بھائیوں کا پروگرام ہو رہا تھا۔ دھنیں مشرقی تھیں۔ اس نے بتایا کہ حکیم فیثاغورث کو موسیقی کا بھی شوق تھا۔ اسی سلسلے میں وہ ہندوستان گیا تو یونانی موسیقی کو بیس نئے ٹھاٹھ ملے جو صدیوں تک رائج رہے۔

بل ادا کر کے میں نے بیرے کو دو سو درہم کا نوٹ دیا۔ وہ اس قدر خفا ہوا کہ دیر تک بڑبڑاتا رہا۔ حساب لگانے سے معلوم ہوا کہ صرف دو سو درہم دے کر نہ صرف

میں نے اس کی توہین کی تھی بلکہ اس کا کیریئر تباہ کر دیا تھا۔

یونان میں کرنسی کی قیمت ابھی ابھی گری تھی۔ پہلے پاؤنڈ کے عوض بیالیس ہزار درہم ملتے تھے' اب چوراسی ہزار درہم ہو گئے۔ جیسے پنسلین کے معمولی سے ٹیکے میں کئی لاکھ یونٹ ہوتے ہیں۔

دس پاؤنڈ کا سفری چیک دیا تو آٹھ لاکھ چالیس ہزار درہم ملے جنہیں اٹھانا مشکل ہو گیا۔ زندگی میں پہلی اور آخری مرتبہ لکھ پتی بننے کا موقع نصیب ہوا۔

یونان میں موسم بہار تھا۔ ساحل کے ساتھ ساتھ بے شمار خودرو پھول کھلے ہوئے تھے۔ سمندر' آسمان اور جزیرے — ان سب میں ایسی ہم آہنگی ہے کہ یہ رنگ آپس میں مدغم ہو کر رہ جاتے ہیں۔

سنگِ مرمر کے حسین ستون' رنگین پھول' نیلے سمندر میں خوشنما جزیرے — یہ سب یونان ہی میں یکجا ملتے ہیں۔

"موسم بہار میں یونانی تنہا نکلنا گناہ سمجھتے ہیں۔" ملتوس ہارالامبیز بولا۔

"بھئی تمہارا نام بہت لمبا ہے۔ یاد نہیں رہتا۔"

"مجھے ٹونی کہا کرو۔"

رات کو ہمارے ساتھ ٹونی کی منگیتر تھی اور اس کی دو سہیلیاں۔ ایک تو بالکل سانچے میں ڈھلی ہوئی تھی' جیسے ایک ایک عضو پر خالق نے وقت صرف کیا ہو۔ آنکھوں کی ساخت' ہونٹوں کی بناوٹ' پیشانی' گردن — ہر چیز تراشیدہ معلوم ہوتی تھی۔ یہ مجسمہ کسی بت تراش کا خواب تھا۔

"کون ہے یہ؟" میں نے پوچھا۔

"ڈیفنی۔"

"نہیں۔ یہ دیوی ایتھینا ہے۔"

"تم لندن وندن چھوڑو اور آج ہی سے بت تراشی شروع کر دو۔ یونان کا موسم بہار بڑا تیز ہوتا ہے۔"

"تمہارے ہاں ہر چیز میں حسن ہے — پانی' مٹی' پتھر' انسان' سب حسین ہیں۔ تبھی یونانیوں نے شعر کہے' نغمے گائے اور بت تراشے۔"

"وہ قدیم یونانی تھے — اب ہم نکمّے ہیں قلاش ہیں۔"

"لیکن تم بہت سے ملکوں سے اچھے ہو جو مفلس بھی ہیں اور حسن سے بھی محروم ہیں۔"

ڈیفنی ہماری طرف دیکھ کر مسکرا رہی تھی۔

"تم اسے گھر چھوڑ آنا۔"

"میں راستہ بھول جاؤں گا۔"

"یہ بتادے گی۔ یہ انگریزی جانتی ہے اور اس نے ہماری باتیں سمجھ لی ہیں۔"

محفل ختم ہوئی۔ ٹونی کار چھوڑ گیا۔ ڈیفنی کو میں ایکروپلس لے گیا۔ ستونوں سے چاندنی چھن چھن کر آ رہی تھی۔ یہ حسین کھنڈر ایک شکستہ رباب معلوم ہو رہا تھا۔

میں نے اسے اس جگہ کھڑا کر دیا جہاں کبھی ایتھینا کا سونے اور ہاتھی دانت کا بنا ہوا مجسمہ تھا۔

"مجھے چھوڑ کر کہاں جا رہے ہو؟"

"فڈیاس نے اپنی ساری صنّاعی صَرف کر کے ایتھینا کا بت بنایا۔ صدیاں گزریں۔ یہ مجسمہ کھو گیا۔ اتنے دنوں کے بعد آج ملا ہے۔ میں ایتھنز والوں کو بتانے جا رہا ہوں کہ تمہاری دیوی واپس لوٹ آئی ہے۔"

وہ مسکرانے لگی۔ "تمہیں ہمارے ملک کے ماضی کی ساری باتیں معلوم ہیں۔"

"لیکن ایتھینا! یونان تمہارا ہی نہیں، میرا بھی ہے۔ مجھے بھی حسین چیزوں سے الفت ہے۔"

اگلا دن ہم نے کورنتھ میں گزارا۔ سمندر میں نہارے تھے۔ بہت سی نگاہیں ہم پر تھیں۔

"یہ شاید تمہیں دیکھ رہے ہیں۔" وہ بولی

"نہیں۔ یونانیوں کو وہ نظارہ یاد آ رہا ہے جب سمندر کی لہروں سے ایک بہت بڑی سیپی کھلی اور اس میں سے دیوی وینس شرماتی لجاتی باہر نکل آئی۔"

"میں پہلے ہی بہت مغرور ہوں، تم مجھے اور بگاڑ دو گے۔"

"زیوس کے بیٹے اپولو اور ڈیفنی کی کہانی مجھے یاد ہے۔ دیویاں تو ہمیشہ مغرور ہوا کرتی ہیں۔"

"مگر میں تو آرٹ کی ایک معمولی سی طالب علم ہوں۔"

"آرٹ کے مجسّموں کو آرٹ پڑھنا نہیں پڑھانا چاہیے۔"

لیکن اگلے دن میں ٹونی سے کہہ رہا تھا — "دوست میرے پاس صرف پانچ دن اور ہیں اور ابھی سارا یونان دیکھنا ہے۔"

"ڈیفنی سارا یونان ہے۔" وہ بولا۔

"نہیں —" "میں کچھ دیر کے لیے بھول گیا تھا کہ میں سیاح ہوں۔"

ہم مراتھون گئے۔ وہ میدان دیکھا جہاں ایک زبردست جنگ ہوئی تھی۔ مشرق اور مغرب کا پہلا مقابلہ — اس شکست کے بعد مشرق ہمیشہ دبا دبا سا رہا۔ یونانیوں نے ایرانیوں کو شکست فاش دی۔ خوشخبری لے کر ایک سپاہی پورے بائیس میل بھاگا آیا۔ اہل ایتھنز کو یہ خبر سناتے ہی مر گیا۔ اس کی یادگار میں مراتھون دوڑ ہوتی ہے۔

ٹونی کہنے لگا۔ "پتہ نہیں چار میل کا اضافہ کس سلسلے میں کیا گیا ہے۔ اب لوگ چھبیس میل دوڑتے ہیں۔ کوئی خوشخبری نہیں لاتے اور زندہ رہتے ہیں۔"

ٹونی یا تو بے حد ذہین تھا یا بالکل نیم انٹلکچوئل — لیکن اس کی باتیں بہت دلچسپ تھیں۔

"سکندر تمہارے ملک میں گیا تھا۔ کچھ عرصہ یونانی بھی وہاں رہے ہیں۔" ٹونی بولا۔

"ہاں — اب بھی ہمارے ہاں سکندر خاں، سکندر علی اور سکندر بخت ہوتے ہیں۔ یونانی دواخانے اس ملک میں نہ ہوں، لیکن ہمارے ہر قصبے میں موجود ہیں۔ حکیم جالینوس کو ہم نہیں جانتے لیکن نمک جالینوس اور جوارش جالینوس ہر روز کے استعمال کی چیزیں ہیں۔ ہر شہر میں اوڈین نام کا سینما ہال ہوتا ہے جہاں ہونق قسم کی فلمیں دکھائی

جاتی ہیں۔ ہم ایک دوسرے سے اکثر یہ کہتے ہیں کہ وہم کی دوا تو لقمان کے پاس بھی نہیں تھی۔"

ٹونی یہ سن کر بہت خوش ہوا۔

"لیکن سکندر ہمارا ہم وطن نہ تھا۔ وہ مقدونیہ کا باشندہ تھا۔ مگر وہ اپنے آپ کو انسان نہیں سمجھتا تھا۔ اسے یقین تھا کہ وہ کسی قسم کا دیوتا ہے۔ مصری دیوتا بننے کے لیے اس نے مصر کا طویل سفر کیا۔ مصریوں نے ڈر کر فوراً دیوتا مان لیا۔ لوگ بڑے آدمیوں کی ہر بات کا یقین کر لیتے ہیں۔ جنگ میں پہلی مرتبہ زخم لگا تو اسے تعجب ہوا کہ معمولی آدمیوں کی طرح خون کیوں بہہ رہا ہے۔"

"مگر وہ جینئس تھا۔" میں نے سکندرِ اعظم کی طرفداری کرتے ہوئے کہا۔

"یہ جینئس بھی خوب ہوتے ہیں۔ ہمارے دیوجانس کلبی کو فطرت کے ہر نپے تلے قانون سے نفرت تھی۔ اس نے بغاوت کی۔ یہ کیا ضروری ہے کہ زندہ رہنے کے لیے انسان سانس لے۔ اس نے سانس لینے سے انکار کر دیا۔ نتیجہ یہ نکلا کہ دیوجانس اللہ کو پیارا ہوا۔ آخری دنوں میں دیوجانس نے ٹب میں رہنا شروع کر دیا تھا۔ جب سکندر اس سے ملنے گیا تو پوچھا "میں تمہارے لیے کیا کر سکتا ہوں۔" دیوجانس نے جمائی لی اور کہا "ذرا دھوپ چھوڑ کر کھڑے ہو جائیے۔" ایک جینئس کی بات دوسرا جینئس ہی سمجھ سکتا ہے۔" سکندر اس جواب سے اس قدر خوش ہوا کہ بولا —— "اگر میں سکندر نہ ہوتا تو دیوجانس بننا پسند کرتا۔"

غسل کرتے کرتے ارشمیدس کو ایک مسئلے کا حل سوجھ گیا۔ اسی حالت میں یوریکا یوریکا چلّاتا باہر بازار میں نکل گیا۔ بھلا آدمی کم از کم تولیہ ہی باندھ جاتا۔ پھر لائی کرگس کو سپارٹا والوں نے اصلاحات رائج کرنے کے لیے بلایا تو اس نے آتے ہی یہ قانون نافذ کیا کہ کوئی شخص اپنے گھر میں کھانا نہ کھائے۔ اس طرح فضول خرچی ہوتی ہے۔ چنانچہ سپارٹا بھر میں لوگ سڑکوں پر بیٹھ کر اکٹھے کھانا کھاتے تھے۔ کچھ دیر تو ایسا ہوا پھر سب ایک دوسرے کو بار بار دیکھ کر تنگ آنے لگے۔ فسادات شروع ہو گئے اور لائی کرگس کو بھاگنا پڑا۔ صرف پیری کلیز کے دنوں میں یونانی اپنے جینئس حضرات سے کچھ عرصہ خوش رہے۔ اس کے مرتے ہی انہوں نے غریب انکساغورا کو سمندر پار

بھجوادیا۔ فڈیاس کو قید کر کے ہلاک کر دیا۔ سقراط کو زہر دے دیا۔ افراتفری مچ گئی۔ کچھ اورلوگوں نے کچھ اور لوگوں کو مارا' چنانچہ یونانیوں نے دو تین مہینے کے اندر اندر اپنے سارے جینئس ٹھکانے لگادیئے۔"

"مگر تمہارا عہد زریں خوب تھا۔ بقراط اب تک بابائے طب تسلیم کیا جاتا ہے۔ اب تک ڈاکٹر اس کی رائج کی ہوئی OATH سند ملنے پر دہراتے ہیں۔ سقراط کے شاگرد افلاطون نے استاد کی شہرت کو چار چاند لگائے۔ افلاطون کا شاگرد ارسطو بھی کم نہ تھا۔ ارسطو کا شاگرد سکندرِ اعظم۔"

"کیا تو وہ دن تھے کہ کسی اچھے استاد کے سامنے بیٹھ کر سبق یاد کر لیا اور بیڑا پار ہے۔ اب بیچارے استاد ایڑی چوٹی کا زور لگاتے ہیں لیکن طالب علم کورے کے کورے رہتے ہیں۔"

"ہر جگہ یہی شکایت ہے۔"

اولمپیا گئے۔ پرانا سٹیڈیم دیکھا جہاں سب سے پہلے اولمپک کھیل ہوئے تھے۔ پھر مائیسینیا' سپارٹا' پطرس — وہی نیلے جزیرے' خودرو پھول' متناسب ستون اور حسین مجسّمے۔

"نصف سے زیادہ یونان تو برٹش میوزیم میں بند ہے۔ لارڈ ایلگن بہت کچھ لے گئے تھے۔ اب تو جگہ جگہ یہ لکھا ہے۔ یہاں فلاں بت نصب تھا۔ یہاں فلاں چیز ہوا کرتی تھی۔ اس جگہ دیوی ہائی جیا کا بت تھا جس کے نام پر ہائی جین ہے۔ بقیہ یونان تم لندن پہنچ کر دیکھنا۔"

رات کو رقص پر ٹونی کی منگیتر اور ڈیفنی سے ملاقات ہوئی۔ مجھے کچھ سوچتا دیکھ کر ٹونی نے قہقہہ لگایا۔

"تم پر سفوکلیز کا اثر ہو گیا ہے۔ اس نے ہمیشہ دنیا کو تج دینے اور — "بھج نام ہری کا رے — "گانے کی تلقین کی۔"

قیام ختم ہوا۔ میں سمندری راستے سے استنبول جا رہا تھا۔ ٹونی بندرگاہ پر چھوڑنے آیا۔

"تم کچھ ڈھونڈ رہے ہو۔ اگر برساتی کی تلاش ہے تو وہ تمہارے کیبن میں

رکھی ہے۔ یہ سمجھ میں نہیں آیا کہ یہاں ہر روز دھوپ نکلتی تھی لیکن برساتی ہر وقت تمہارے ساتھ رہتی تھی۔"

"اس سے کچھ دوستی سی ہو گئی ہے۔"

"جب برساتیاں رفیق بننے لگیں تو ایک خطرناک ذہنی دور شروع ہوتا ہے۔ اچھا اب اگلی مرتبہ آؤ تو ارستوفینز کی طربیہ تحریریں پڑھ کر آنا۔"

آئیونین سمندر میں جزیرے نگینوں کی طرح جڑے ہوئے ہیں۔ جگہ جگہ یونانی مندروں کے کھنڈر دکھائی دیتے ہیں۔ یہیں کہیں حضرات ہیلن کو لے اڑے تھے۔

سمندر کا رنگ بدلتا جارہا ہے۔ سیاہی مائل ہو گیا ہے۔ جہاز اطالوی کمپنی کا ہے۔ اس لیے لذیذ غذا ملتی ہے۔ دن بھر موسیقی کا پروگرام ہوتا ہے اور رات کو محفل رقص و سرود گرم ہوتی ہے جس میں جرمن حصہ نہیں لیتے۔ جرمن ہمیشہ الگ تھلگ رہتے ہیں۔ نطشے کا فوق الانسان انہیں اب تک نہیں بھولا۔

کچھ امریکن لڑکیاں بھی ہیں جو زینت محفل بنتی ہیں۔ ایک سنہرے بالوں، چنچل آنکھوں والی لمبی لڑکی سب کی نگاہوں کا مرکز ہے۔ اس کا نام مارگرٹ ہے۔ لیکن اس کی سہیلیاں اسے سینڈی SANDY کہتی ہیں۔ جہاز کا کپتان CAPITANO پچاس برس سے زیادہ کا ہے۔ پستہ قد ہے، گنجا ہے، لیکن صبح سے سینڈی کے گرد طواف کررہا ہے۔ جہاز کوئی اور صاحب چلا رہے ہیں۔

ڈیک ٹینس میں کپی تانو اور ایک لڑکی کو میں اور سینڈی بڑی آسانی سے ہرا دیتے ہیں کیونکہ وہ ٹکٹکی باندھے اس شوخ و شنگ حسینہ کو دیکھ رہا ہے۔

شام کو وہ کہتی ہے "کپی تانو ہم سے جہاز چلوائے گا۔ آج رات ہم چار لڑکیوں کو اوپر بلایا ہے۔"

"مبارک ہو۔"

"مگر یہ آدمی مشتبہ سا ہے، مجھے ڈر لگ رہا ہے۔ تم ہمارے ساتھ چلو۔"

"اور بے چارہ کپی تانو؟"

"نہیں، تم ہمارے ساتھ ضرور چلو گے۔"

رات کے دس بجے چار لڑکیاں اور میں —— سیڑھیاں چڑھ کر اوپر پہنچے۔ کیپی تانو کا چہرہ دمک رہا تھا' مجھے دیکھ کر اوس سی پڑ گئی۔ کچھ سوچ کر اس نے ملازم کو بتایا ”شراب کی بوتلیں اٹھالاؤ اور چاء لاؤ۔“ دو لڑکیوں کو نقشے کے سامنے بٹھا دیا گیا۔ تیسری کو ان کی مدد کرنے کے لیے۔ مجھے وہ مشین دی گئی جس سے جہاز کا رخ بدلتے ہیں۔ ”اوپر چلو دوربین سے ستارے دیکھیں گے۔“ اس نے سینڈی سے کہا۔ چلتے ہوئے وہ ایک لڑکی کو ساتھ لے گئی' چنانچہ فوراً یہ تینوں واپس آ گئے۔

لڑکیوں کی ڈیوٹی بدلی گئی اور مختلف جگہوں پر انہیں بٹھا دیا گیا۔

”چلو لہریں دیکھتے ہیں۔“

سینڈی پھر ایک لڑکی کو ہمراہ لے گئی۔

آخر تینوں لڑکیوں کو اوپر بھیج دیا گیا۔ سینڈی اور وہ کیبن میں تھے۔ میں جہاز کا رخ دیکھ رہا تھا۔ یکایک سینڈی نے مجھے آواز دی اور میں سب کچھ چھوڑ چھاڑ کر اندر چلا گیا۔ کیپی تانو ہڑبڑا کر باہر نکلا اور وہ مشین تھام لی۔ آدھ گھنٹے تک یہ آنکھ مچولی ہوئی۔ لیکن نتیجہ کچھ نہ نکلا۔

کیپی تانو لگاتار مجھے گھورتا رہا۔ وہ بے حد خفا تھا۔

نیچے آئے تو تینوں لڑکیاں شب بخیر کہہ کر سونے چلی گئیں۔ سینڈی اور میں اکیلے رہ گئے۔

اس نے بتایا کہ وہ کالج میں پڑھتی ہے۔ سہیلیوں کے ساتھ یورپ کی سیر کو آئی ہے۔ اس کے والد کروڑ پتی ہیں۔ ان کے ہاں خدا کا دیا سب کچھ ہے۔

”لیکن میں بے حد اداس ہوں۔ اپنی روح کی تنہائی سے مجھے وحشت ہوتی ہے۔“

”ہم سب اداس ہیں —— اور تنہا ہیں۔“

”مگر کیوں؟“

”اس کا جواب تو بڑے بڑے مفکر نہ دے سکے۔“

”لیکن تم تو خوش رہتے ہو۔“

”میں خوش ہوں —— اس لیے کہ میں غمگین ہوں۔“

”یہ کیسے؟“

"میں مفکر ہوتا تو شاید بتا سکتا۔"

"ہائے کتنی دلچسپ گفتگو ہو رہی ہے۔"

"ہائے یہ لہریں کتنی پیاری ہیں۔ آؤ انہیں گنیں۔ ایک' دو' تین' چار۔"

صبح کپتی تانو نہایت بے چین تھا جیسے تپتی ہوئی اینٹوں پر بلّی۔ ملاحوں کو ڈانٹتا' ملازمین کو برا بھلا کہتا۔ سر پر جو آٹھ دس بال تھے' وہ بھی پریشان تھے۔ انہیں وہ بار بار نوچنے کی کوشش کرتا۔ اس نے مجھ سے آنکھیں نہیں ملائیں۔

اب جہاز پر اطالوی جھنڈے کے ساتھ ترکی کا سرخ جھنڈا لہرا رہا تھا۔ ہلال اور تارہ— میں سینڈی کو بتا رہا تھا کہ چاند تارے کا نشان پہلے بازنطینیوں کا تھا۔ ایک جنگ جیت کر ترکوں نے ہتھیا لیا۔ اب یہ ہمارا ہے۔"

"سب کچھ جیت کر لینا چاہیے۔" اس نے جواب دیا۔

ہم درۂ دانیال سے گزر رہے تھے۔ سمندر یہاں چھوٹا سا دریا معلوم ہوتا ہے۔ ایک طرف یورپ ہے' دوسری طرف ایشیا۔ یہ پرانا ہیلیز پونٹ ہے۔ یہاں قدیم ٹرائے آباد تھا۔ سکندر اسے عبور کر کے ایشیا گیا۔ ایرانی بادشاہ XERXES نے یورپ پر حملہ کرتے وقت یہاں کشتیوں کا پل بنوایا۔ یہ پل جسے ٹھیکیداروں نے بنایا تھا' تیز ہوا سے تباہ ہو گیا۔ بادشاہ نے فوج کے سامنے ان ٹھیکیدار حضرات کا انتقال کروایا اور والنٹیئر مانگے۔ اس مرتبہ ایسا مضبوط پل بنا جسے غالباً بادشاہ نے یورپ سے بھاگتے وقت بھی استعمال کیا۔

یہاں سمندر کو بائرن نے بھی تیر کر عبور کیا تھا۔ لیکن محض تفریحاً۔ بائرن ایسی حرکتیں اکثر کیا کرتا تھا۔ آخر دور مسجدوں کے گنبد اور مینار دکھائی دیئے۔ یہ استنبول تھا۔

سینٹ صوفیہ— سینٹ صوفیہ۔

سب دوربینوں سے ڈیڑھ ہزار سال پرانے گرجے کو دیکھ رہے تھے جو اب مسجد اور میوزیم ہے۔

جہاز آہستہ آہستہ چل رہا تھا۔ یکایک ساتھ کھڑی ہوئی دو لڑکیوں نے بھوں بھوں کر کے رونا شروع کر دیا۔ سامنے ساحل پر کچھ خواتین بھی اسی سٹائل میں رو رہی

تھیں۔ مجھے شبہ ہوا کہ شاید ان کی غیر حاضری میں کوئی عزیز چل بسا ہوگا۔

"مجھے بہت افسوس ہے 'کیا عمر تھی مرحوم کی؟"

انہوں نے بتایا کہ وہ فرطِ انبساط سے رو رہی ہیں۔ ان کے ہاں یہ رواج ہے۔ اگر فرائڈ آج زندہ ہوتا تو اس کی وجہ بتاتا۔ یہ سب شاید اس لیے رو رہی ہیں کہ اب پھر اکٹھے رہنا پڑے گا۔ غالباً جدا ہوتے وقت یہ ہنستے ہوں گے۔ یہ لڑکیاں پڑوس کے ملک ہنگری کی تھیں۔ اچھا ہوا میں ہنگری نہیں گیا۔

"اگر یہاں ملاقات نہ ہو سکی تو پھر میں لندن میں ملوں گی۔" سینڈی نے چلتے وقت کہا۔

ترک خوبصورت ہیں۔ تندرست و توانا۔ ہنس مکھ۔ گورے چٹے۔ مغربی لباس۔ السلام علیکم کی جگہ مرحبا کہتے ہیں اور وعلیکم السلام کی جگہ بھی مرحبا۔ کرنسی دیکھ کر گھر یاد آ گیا۔ روپے پر چاند تارا بنا ہوا ہے اور پیسوں میں سوراخ ہے مگر ماشاء اللہ' سبحان اللہ' زراعت' تجارت' تقسیم' مرکز' جمہوریت کے علاوہ اور کچھ سمجھ میں نہیں آتا۔

خطوط پر ٹکٹ لگانے ڈاکخانے گیا۔ کلرک نے ملک کا نام پڑھ کر وہیں سے ہاتھ بڑھا کر مصافحہ کیا اور مجھے پوسٹ ماسٹر کے کمرے میں لے گیا۔ وہ بڑے تپاک سے ملا — انگریزی میں باتیں ہونے لگیں۔ "آپ کے ملک سے ہمیں بے حد دلچسپی ہے مگر وہاں سے بہت کم لوگ یہاں آتے ہیں۔"

"آپ بھی تو ہماری طرف نہیں آتے۔" میں نے شکایت کی۔

ان کے گھر شام کو چاء پر ایک نہایت نفیس بوڑھے سے ملاقات ہوئی۔ قاسم بے۔ طویل قامت' پانچ زبانوں کا ماہر — جنگ آزادی میں کمال اتاترک کے دوش بدوش لڑ چکا تھا۔

"برخوردار میں تمہیں استنبول دکھاؤں گا۔"

ہم دونوں غلاتا پُل پر کھڑے تھے۔ گولڈن ہارن کا دلکش نظارہ۔ دور تک پانی میں روشنیاں جھلملا رہی تھیں۔ جیسے لاتعداد جگنو چمک رہے ہوں۔ مسجدوں کے گنبد

اور مینار تیز روشنی سے بقعۂ نور بنے ہوئے تھے۔ اسے دنیا کے بہترین نظاروں میں شمار کیا جاتا ہے۔

یہ بازنطینیوں کا قسطنطنیہ ہے جسے روم کی طرح سات پہاڑیوں پر بسایا گیا—— اور عثمانیوں کا استنبول۔ آج سے پورے پانچ سو سال پہلے سلطان محمد فاتح نے اس پر حملہ کیا۔ بازنطینیوں نے سمندر میں لوہے کی زنجیریں ڈال دیں۔ سلطان نے دشمن کو OUTFLANK کر کے دور پہاڑی کے ایک حصے کو ہموار کرایا' تختے بچھوائے۔ انہیں چکنا کیا اور راتوں رات اپنے بہتّر جہاز خشکی سے تختوں کے اوپر سے کھینچ کر دوسری طرف گولڈن ہارن میں اتار دیئے۔ تب سے اب تک یہ شہر ترکوں کے قبضے میں ہے۔ سلطان کا یہ کارنامہ دنیا کی عسکری تاریخ میں لکھا جاتا ہے۔

صبح صبح قاسم بے مجھے ساتھ لے گیا۔

یہ سراغلیو کے قدیم محلات ہیں۔ یہ مقام اس وسیع سلطنت کا مرکز تھا جو سلیمان کے زمانے میں وی آنا تک پہنچ چکی تھی۔ بحیرۂ روم کے تقریباً سب ملک ترکوں کے قبضے میں تھے اور یہ وسیع سمندر ترکوں کی جھیل کہلاتا تھا۔ یہ ترک سلطانوں کا حرم ہے جس میں جگہ جگہ ویٹنگ روم بنے ہوئے ہیں۔ یہ میوزیم کی سب سے قیمتی چیز ہے۔ سکندر کا تابوت جس میں سکندر نہیں ہے۔ سنگ مرمر کا بنا ہوا آرٹ کا نادر نمونہ جسے برٹش میوزیم والے بہت بڑی قیمت پر خریدنا چاہتے ہیں۔ پرانے زمانے میں رواج تھا کہ فن کار مشہور ہستیوں کے تابوت ان کی زندگی میں بنا دیتے تھے تاکہ بعد میں دقت نہ ہو۔ بڑے آدمی خوش ہو کر سند دیا کرتے ہوں گے کہ "میں اس عزت افزائی کے لیے بے حد مشکور ہوں۔ اس تابوت کی ساخت' کوالٹی اور سائز سے میں مطمئن ہوں۔ امید ہے کہ اس کے استعمال کا موقع مجھے عنقریب ملے گا۔" یہ وہ منبر ہے جس سے حضرت صالح وعظ کیا کرتے تھے۔ یہ اپولو اور زیورس کے بت ہیں—— یہ کسی ممی کا صندوق ہے۔ اس پر لکھی ہوئی عبارت کا مطلب یہ ہے—— "بھائیو! میرے پاس کچھ نہیں ہے مجھے تنگ مت کرو——" مصر میں ممی کے ساتھ زادِ راہ کے طور پر دولت بھی دفن کی جاتی تھی جسے لوٹنے کے لیے چور بڑی بے صبری سے انتظار کیا کرتے۔ اس شخص کو بھی یہی ڈر ہو گا' چنانچہ اس نے اپنی کم مائیگی کا اعتراف کر لیا۔ لیکن چور غالباً ان

پڑھ تھے ـــــ صرف خالی صندوق مل سکا۔ ممی نہیں ملی۔ نہ جانے کیوں مصری قبر کے اوپر اتنے بڑے بڑے اہرام کھڑے کر دیتے تھے کہ جنہیں بیس بائیس میل سے بھی دیکھ کر کسی ریٹائرڈ چور کا جی للچا اٹھے۔

یہ اس رحمدل اور خداترس خاتون فلارنس نائیٹنگیل کا ہسپتال ہے۔ یہ ہپوڈروم کا چوک ہے جہاں سے بازنطینی شہنشاہ کھیل کود ملاحظہ کیا کرتا ـــــ سمندر کا یہ حصہ باسفورس کہلاتا ہے۔ ہم یورپ میں کھڑے ہیں اور ایشیا دوسرے کنارے پر ہے۔ ایشیا اور یورپ میں صرف چند سو گز کا فاصلہ ہے لیکن مشرق اور مغرب کے درمیان فاصلہ بہت زیادہ ہے۔

ہم دوپہر کا کھانا کھاتے ہیں۔ دہی کی لسی مفت ملتی ہے۔ کھانے میں کئی قسم کے کباب ہیں۔ کوفتے' نان' دہی اور آخر میں سویاں بھی۔

اتنے دنوں کے بعد سویاں چکھ کر میں بہت خوش ہوتا ہوں اور قاسم بے کو بتاتا ہوں کہ سویاں ہمارے ہاں بھی ہوتی ہیں۔

"لیکن ہمارے ہاں صرف خاص موقعوں پر استعمال ہوتی ہیں جیسے اب رمضان کا مہینہ ہے 'اس میں۔"

ہم نہایت خوشنما مسجدیں دیکھتے ہیں۔ سنگ سرخ' سنگ خارا' سنگ مرمر کی بنی ہوئی ـــــ باہر پھول کھلے ہوئے ہیں۔ اندر بجلی کی روشنی ہے۔ بڑی رونق ہے۔ یہ مسجدیں سانس لیتی ہوئی لگتی ہیں۔ یہاں عبادت گاہیں زندہ ہیں۔

"برخوردار ہمارے ملک میں سب سے اہم چیز کام ہے۔ ہمیں زیادہ فرصت نہیں ہے۔ تم نے دیکھا ہوگا کہ ہم نماز بہت جلد پڑھتے ہیں۔ بہت سے لوگ تو صرف عید کی نماز پڑھتے ہیں۔ لیکن جب تک باشندے ان فرائض سے کوتاہی نہیں کرتے جو ان پر ملک اور سوسائٹی نے عائد کیے ہیں' وہ سب سماج کے مفید رکن ہیں اور ان کے مذہبی عقیدوں اور ذاتی زندگی کے متعلق کوئی بازپرس نہیں کرتا۔ لیکن اگر وہ بیکار رہنے لگیں یا قانون کی خلاف ورزی کرنے لگیں تو خواہ دن رات عبادت کیا کریں' سوسائٹی انہیں معاف نہیں کرتی۔ ملک کے لیے ان کا وجود نہ ہونے کے برابر ہے۔ میں خدا سے ڈرتا ہوں۔ کوئی قابل اعتراض حرکت نہیں کرتا۔ روزی کمانے کے لیے

محنت کرتا ہوں، لیکن میرے حقوق بھی تو ہیں۔"

ہم ٹرکش کافی پیتے ہیں۔ چھوٹی سی پیالی میں میٹھی اور گاڑھی چیز — دو گھونٹ پی کر چودہ طبق روشن ہو جاتے ہیں۔

"یہاں ترکی ٹوپی نظر نہیں آتی۔"

"سکاٹ لینڈ میں سکاچ وہسکی کہاں ملتی ہے؟ ساری ایکسپورٹ ہوتی ہے؟" قاسم بے پوچھتا ہے۔

GRAND BAZAR بازنطینیوں نے سطح زمین کے نیچے بنایا تھا۔ یہاں ہر وقت بھیڑ لگی رہتی ہے۔

جوہری کی دکان پر قاسم بے نے ہیٹ اتار کر دو عورتوں کو سلام کیا۔ وہ مسکرائیں۔ ایک دوسرے کی خیریت پوچھی۔ میر اتعارف ہوا۔

معمر خاتون قاسم بے کے دوست کی بیوی تھی۔ اس کے ساتھ اس کی لڑکی تھی — شکیلہ! — جو سچ مچ شکیلہ تھی۔ مسکراتی تو گالوں میں دو ننھے منے گڑھے پڑ جاتے۔

سہ پہر تک ہم ساتھ رہے۔ قاسم بے کو دفتر پہنچنا تھا' چنانچہ میں ان دونوں کو چھوڑنے گیا۔ انہوں نے مجھے رات کے کھانے کے لیے ٹھہرالیا۔

شکیلہ لگاتار سوال پوچھ رہی تھی۔ "تمہارے ہاں لڑکیوں کی سماجی حیثیت کیا ہے؟ معاشی حالت کیسی ہے؟ کتنی لڑکیاں شادی کرتی ہیں اور کتنی ذرا ٹھہر کے شادی کرتی ہیں؟ شادی کس طرح ہوتی ہے؟"

"آپ یونیورسٹی میں پڑھتی ہوں گی؟"

میرا اندازہ صحیح نکلا۔

"میں اس سلسلے میں آپ کو زیادہ نہیں بتا سکتا۔ لیکن محبت' شادی اور بچّے — ان کی سماجی' معاشی' ذہنی اور سیاسی حالت وہی ہے جو صدیوں سے چلی آئی ہے۔ لڑکے لڑکیاں پہلے شادی کو برا بھلا کہتے ہیں پھر شادی کر لیتے ہیں اور اپنے بچوں کو دنیا بھر کے بچوں سے حسین' عقل مند اور انوکھا سمجھتے ہیں۔ یہ بچے بڑے ہو کر والدین کو بے وقوف تصور کرتے ہیں۔ لیکن شادی کر لیتے ہیں۔ ان کے بچے بڑے ہو کر سب کو خبطی

سمجھتے ہیں۔ اسی طرح یہ سلسلہ جاری رہتا ہے۔"

وہ ہنسی، اور گالوں میں پھر ننھے ننھے گڑھے پڑ گئے۔

"ہاں ایک بات میں بھول گیا۔ جب لڑکے لڑکیوں کو آپس میں محبت ہوتی ہے تو انہیں یقین ہو جاتا ہے کہ ایسی محبت نہ کسی نے آج تک کی ہے نہ کوئی آئندہ کر سکتا ہے۔ یہ لیلیٰ مجنوں، رومیو جولیٹ، شیریں فرہاد محض اپنا وقت ضائع کرتے رہے ہیں۔ لیکن کچھ عرصے کے بعد وہ یہ دوہا پڑھنے لگتے ہیں—

دِھیاں جنوائی لے گئے اور بہُواں لے گئے پُوت
کہو منوہر جانگلی تم رہے اُوت کے اُوت

(اس کا ترجمہ سلیس انگریزی میں کر کے سنایا)

"آپ نے فلسفہ پڑھا ہو گا؟"

"نہیں۔ میں فلسفیوں کا مطالعہ کیا کرتا ہوں۔"

"میں خبردار رہوں گی، میں نے فلسفہ لے رکھا ہے۔"

اگلے دن میں اور شکیلہ باسفورس عبور کر کے حیدر پاشا پہنچے۔ استنبول اور اس کے مضافات باغوں سے پٹے پڑے ہیں۔ سبزہ، سرو کے درخت، پھول اور نفیس و نازک مینار۔

ہم بنچ پر بیٹھے تھے۔ میں رنگین کارڈوں پر دوستوں کے پتے لکھ رہا تھا۔

"تم نے ابھی آہ بھری تھی؟ خیریت ہے؟" اس نے پوچھا۔

"یہ آہ نہ تھی۔ سانس لیا تھا۔ لمبے سانس لینا صحت کے لیے مفید ہے۔ ویسے آہ بھرے تقریباً آٹھ برس گزر چکے ہیں۔"

"تمہیں اپنے عزیز یاد آ رہے ہوں گے۔"

"یہ میرا برا عظم ہے— میں صبح یورپ میں تھا۔ اب اپنے وطن ایشیا میں ہوں۔"

اگن بوٹ کی سیٹی سن کر ہم دونوں بھاگے۔ دوسرے کنارے پر پہنچ کر مجھے پناہیٹ یاد آیا جو حیدر پاشا میں رہ گیا تھا۔

"چلو ابھی جا کر لے آتے ہیں۔" وہ بولی

"برساتی کھوئی جاتی تو ضرور تلاش کرتے لیکن ایک ہیٹ کے لیے یورپ سے ایشیا کا سفر کرنا زیادتی ہے۔ غالباً یہ ہیٹ میری برساتی کو پسند نہیں تھا۔ اس لیے خود تو چلی آئی اسے وہیں چھوڑ آئی۔"

بوندا باندی ہونے لگی۔ میں نے اسے برساتی اڑھا دی۔ ہم ایک درخت کے نیچے کھڑے تھے۔

"تھک گئی ہو گی۔ بنچ پر بیٹھ جاؤ۔"

"اس کا روغن گیلا ہے۔" وہ ایک دم اٹھی۔ برساتی پر رنگ کا نشان پڑ گیا۔ گھر جاتے وقت برساتی لوٹانا اسے یاد نہ رہا۔

ہم نے بحیرۂ مرمرہ کے جزیرے دیکھے۔ رومیلی حصار گئے۔ ایک جگہ چند لمحوں کے لیے سینڈی سے ملاقات ہوئی۔

"اس لڑکی کا اندازِ گفتگو مجھے پسند نہیں آیا۔ یہ تمہیں اس طرح کیوں دیکھ رہی ہے؟" شکیلہ کچھ خفا ہو گئی۔

"مغربی لڑکیاں اسی طرح دیکھا کرتی ہیں۔"

"بالکل نہیں —— ہم لوگ تو۔"

"تم مشرقی ہو۔ مغربی آداب ‘لباس ‘اور طرزِ معاشرت کے باوجود تمہاری ایک ایک بات مشرقی ہے۔ یہ بتاؤ تمہیں گھر کب پہنچنا ہے؟"

"مغرب سے پہلے۔"

جاتے وقت وہ پھر برساتی لے گئی۔

ہم کشتی میں بحیرۂ اسود کی طرف جا رہے تھے۔

"تم نے آندرے موروا کی وہ کہانی پڑھی ہے —— برساتی؟" اس نے پوچھا۔

"نہیں۔"

شکیلہ نے مجھے کتاب دی۔ "اس میں ہے لیکن جب میں گھر چلی جاؤں تب پڑھنا۔"

رات کو میں نے کہانی پڑھی۔ ایک آرٹسٹ اپنے دوست کو بتا رہا ہے کہ کس

طرح ایک معمولی سی بھورے رنگ کی برساتی سے اس کی زندگی میں اتنی تبدیلیاں آ گئیں۔ مختلف موقعوں پر اس نے برساتی مختلف لوگوں کو دی لیکن ہر مرتبہ نتائج مختلف نکلے۔ ایک دوست خواہ مخواہ دشمن بن گیا۔ ایک روٹھے ہوئے سے صلح ہو گئی۔ ایک دو کو غلط فہمیاں ہو گئیں۔ اگرچہ ان واقعات سے برساتی کا براہِ راست کوئی تعلق نہ تھا لیکن ایک پُراسرار وابستگی ضرور تھی۔ ایک شام کو اس کی محبوبہ ملنے آئی جو بڑی سنگدل اور مغرور تھی اور شاید خدا حافظ کہنے آئی تھی۔ چلتے وقت بارش ہونے لگی۔ اس کا جی چاہا کہ اسے برساتی پہنا دے۔ ایسی حقیر چیز دیتے ہوئے آرٹسٹ کو جھجک محسوس ہوئی کیونکہ وہ غریب تھا۔ آخر اس نے برساتی پہنا دی۔

''پھر کیا ہوا؟'' سننے والا پوچھتا ہے۔ اتنے میں ایک خوبصورت عورت کمرے میں داخل ہوتی ہے۔

''ان سے ملیے —— یہ میری بیوی ہیں۔'' آرٹسٹ کہتا ہے۔

سننے والے نے دیکھا کہ عورت نے وہی بھورے رنگ کی برساتی پہن رکھی تھی۔

میں نے شکیلہ کو کتاب واپس دی تو وہ خاموش سی تھی۔ دن بھر اس نے بہت کم باتیں کیں۔

اگلے روز مجھے ازمیر جانا تھا۔

''تم پھر آؤ گے؟''

''ہاں کسی دن ضرور آؤں گا۔''

''لیکن جب تم آؤ گے تو مدبر اور سنجیدہ بن چکے ہو گے۔ تب تم میں یہ بچپنا ہو گا نہ شوخی۔ میری شادی ہو چکی ہو گی۔ تب دھوپ میں تمازت ہو گی نہ چاندنی میں ملاحت —— یہ آسمان اور سمندر بھی بوڑھے ہو چکے ہوں گے۔''

ازمیر میں دو دن رہا۔ اب واپسی تھی۔ جہاز کا کپتان مجھے بتا رہا تھا۔ یہ ہومر اور اپولو کا وطن ہے۔ مردِ آہن ہرکولیز آس پاس ہی کہیں لڑا تھا۔ وہ جزیرہ دور نہیں جہاں بقراط طب پڑھاتا تھا۔ یہاں ڈائینا کا مندر دنیا کے سات قدیم عجائب میں سے ایک ——

یہاں سکندر آیا۔ ہنی بال، بروٹس، انطنی — سب باری باری آئے۔ اسی جگہ کمال اتاترک نے یونانیوں کو سمندر میں دھکیلا تھا — پھر آئیونین سمندر — الحئین سمندر — ایڈریاٹک سمندر — اٹلی — فرانس — رودبارِ انگلستان — لیکچر — کتابیں اور امتحان۔

کار سے عجیب سی آواز آنے لگی۔ رفتار مدھم ہوتی جارہی تھی۔ میں نے اور جیرلڈ نے ایک دوسرے کی طرف دیکھا اور موٹر روک لی۔ باہر نکلے تو تیز بارش ہو رہی تھی۔

"یہ برساتی اوڑھ لو۔" میں نے اسے کہا۔

"اور تم جو بھیگ رہے ہو۔"

"نہیں، میں اسے اوڑھنا نہیں چاہتا۔"

موٹر کو ایک درخت کے نیچے لے گئے۔ انجن کھولا، پہیے دیکھے، سب کچھ ٹھیک تھا۔ آخر کافی دیر کی جستجو کے بعد جیرلڈ نے موٹر کے نیچے سے ایک بڑی ساری ٹہنی کھینچی جو پھنسی ہوئی تھی۔ اب کار خوب تیز چل رہی تھی۔ ہم باتیں کرنے لگے۔ اس نے بتایا کہ اسے سیر وسیاحت کا خبط ہے۔

"اگر میں کینیڈا میں رہنے لگوں تو وہ چند کھیت گزارے کے لیے کافی ہیں۔ لیکن میرے پاؤں میں چکر ہے۔ ایک دو سال ملازمت کرتا ہوں۔ پھر اپنا صندوق پکڑ کر نکل جاتا ہوں۔ بعض اوقات تو بے حد معمولی کام کرنے پڑتے ہیں۔ پچھلے سال میں بیس بیس گھنٹے فائلوں پر مغز مارا کرتا تھا۔ اس سے پہلے ایک چھوٹی سی دکان میں خزانچی تھا — سیر سپاٹا میرے خون میں ہے، مجھے کوئی چار دیواری میں بند نہیں کر سکتا — معلوم ہوتا ہے کہ یہ شوق تمہیں بھی ہے۔"

میں نے اسے اپنی سیروں کے قصے سنائے۔ بچپن کی سیریں، لڑکپن کی سیاحتیں، جنگ کے دنوں کے سفر، ذرا سی دیر میں ہم دوست بن گئے۔

"جہاں بھی گیا ہر جگہ مہربان اور پُرشفقت لوگ ملے۔ میں کسی کے لیے کچھ نہ کرسکا۔ لیکن دوسروں سے مجھے ہمیشہ ہمدردی ملی، خلوص ملا۔ ہر جگہ میں نے وہ عظیم

انسانی برادری دیکھی جس کی وسعت کا کوئی ٹھکانہ نہیں، جو جغرافیائی حدود سے بالاتر ہے۔" وہ بتا رہا تھا۔

میں اس کے صندوق کو بار بار دیکھ رہا تھا۔

"یہ تمہیں اپنی برساتی سے نفرت کیوں ہو گئی؟"

"پرسوں تک یہ اچھی بھلی تھی۔ پھر کسی نے بغیر پوچھے اسے دھلوادیا۔ اب یہ بالکل نئی اور اجنبی معلوم ہوتی ہے۔"

"میں سمجھ گیا—" وہ ہنسنے لگا۔ "میرے صندوق اکثر کھوئے جاتے ہیں۔ نیا خریدتے ہوئے مجھے بھی بڑا افسوس ہوتا ہے۔ لیکن صندوقوں اور برساتیوں سے سیاحت کا کیا تعلق؟ یہ جذبہ یہاں ہوتا ہے۔" اس نے سینے پر ہاتھ رکھا۔

بڑی تیز بارش ہو رہی تھی۔ دھند چھا گئی۔ اندھیر ہو چلا تھا۔

ایک موڑ پر بادل پھٹ گئے۔ سورج نکل آیا۔ تیز شعاعوں سے سب کچھ جگمگانے لگا۔ فضا نکھری ہوئی تھی۔ ایسے خوشنما نظارے آئے کہ موٹر چلانا مشکل ہو گیا۔

کچھ اور آگے جا کر دھند سی چھانے لگی۔ اتنی تیزی سے بارش ہونے لگی کہ معلوم ہوتا تھا کہ لندن تک ہوتی رہے گی۔

جیرلڈ بولا "سیاح اکثر تنہا رہتے ہیں۔ بہت کم لوگ انہیں سمجھتے ہیں۔ لیکن سیاحوں کو ایسے ایسے تجربے ہوتے ہیں جو دوسروں کے ذہن تک میں نہیں آسکتے۔ ایسے لمحے آتے ہیں جب یہ ساری دنیا ان کی ہوتی ہے— یہ پُراسرار رنگین دنیا جو اتنی دلفریب ہے، جو سدا جوان رہتی ہے— پھر سفر ختم ہو جاتا ہے اور ایسا وقفہ آتا ہے جس میں تاریکیاں عود کر آتی ہیں، سب کچھ ساکن ہو جاتا ہے۔ ایک دلدوز تنہائی روح میں اترتی چلی جاتی ہے۔ یوں لگتا ہے جیسے قدم بوجھل ہو چکے ہیں اور تمام راستے بند ہیں— لیکن ایک سہانی صبح کو کرنیں پھوٹتی ہیں اور دل ایک جانی پہچانی مسرت سے آشنا ہوتا ہے— ایک نیا سفر شروع ہوتا ہے اور وہ جمود یاد تک نہیں رہتا۔ یہ جگمگاتی شعاعیں اور یہ تاریک گھٹا جہاں ایک دوسرے کا تعاقب کرتی ہیں، وہاں ایک دوسرے کو نمایاں بھی کر دیتی ہیں۔"

دفعتہً بادل چھٹ گئے۔ سورج نکلا۔ بل کھاتی ہوئی سڑک یوں چمکنے لگی کہ نگاہیں خیرہ ہوگئیں۔ آسمان پر ایک رنگین قوسِ قزح چھاگئی۔

وہ کہہ رہا تھا "ہم جہاں گردوں کو کوئی چار دیواری میں بند نہیں کر سکتا۔ ناآشنا راہیں ہماری منتظر ہیں۔ موقع پاتے ہی ہم پھر چل کھڑے ہوں گے۔ میرے دوست تمہاری برساتی پر نئے نئے نشان ہوں گے جن سے نئی یادیں وابستہ ہوں گی— دلآویز اور سہانی یادیں— یہ ایک تاریک اور جامد وقفہ ہے۔ لیکن یہ عارضی ہے۔"

وہ اپنی روانی میں بلا تکلّف ننھی مُنی پُھلجھڑیاں چھوڑتے چلے جاتے ہیں۔ وہ ان کمیاب لوگوں میں سے ہیں جن کی خوش طبعی اپنے اُوپر بلا تکلّف ہنس سکتی ہے۔

(حجاب امتیاز علی)

شفیق الرّحمٰن کے افسانے پڑھ کر شوخ رنگوں کی یاد تازہ ہو جاتی ہے سرخا سرخ، نارنجی، یاقوتی اور زعفرانی۔

(کرشن چندر)

سارے نئے ادب میں لے دے کر ایک شفیق الرّحمٰن صاحب ہیں جنھوں نے تفریحی ادب کی طرف توجہّ کی ہے۔ یہ شگفتگی، یہ لا اُبالی پن، یہ مچلتی ہوئی جگمگاہٹ، بس انہی کا حِصّہ ہے۔

(محمد حسن عسکری)

شفیق الرّحمٰن کے مضامین ملک کے موجودہ ذوق کو آسودہ کرنے والے ہیں۔ ان کا مزاح محض مذاق کی حیثیت نہیں رکھتا، بلکہ ہماری زندگی کے مختلف پہلوؤں پر اچھی خاصی رائے زنی پائی جاتی ہے اور ندرت وجدّت بھی۔

(نیاز فتحپوری)

شفیق الرّحمٰن محض مزاح نگار ہی نہیں، وہ زندگی کی پُرسوزی سے اتنے ہی قریب ہیں جتنے اس کے طربیہ پہلو سے۔ فرق یہ ہے کہ زندگی کے جانگداز غم نے ان کے بلند تخلیقی جذبات کو مضمحل نہیں کیا بلکہ ان کی رومانی کہانیوں کو مزاح کی سنہری لہر نے عظیم تر بنا دیا ہے۔

(سیّد احتشام حسین)

شفیق الرّحمٰن کے پلاٹ اور کردار زندگی کے واقعی حالات سے زیادہ قریب ہیں اور افسانے بلند پائے کے ہیں جو مغرب کے اُونچے درجے کے افسانوں کے ہم پلّہ کہے جا سکتے ہیں

(ماہنامہ اُردو)

شفیق الرّحمٰن کی تحریر میں بڑی شوخی، چلبلا پن اور تازگی ہے، وہ بڑی پیاری زبان لکھتے ہیں اور ان کے الفاظ کا چناؤ بڑا ہی دلکش ہوتا ہے۔

(کتاب)

شفیق الرّحمٰن ان چند مزاح نگاروں میں شامل ہیں جنھوں نے بھرتی کی ایک چیز بھی نہیں لکھی۔

(اودھ پنچ)

شفیق الرّحمٰن موجودہ دَور میں صحت مند ادب کا بانی ہے۔

(ادبِ لطیف)

شفیق الرّحمٰن کو کون نہیں جانتا۔ شاید وہ نہ جانتے ہوں جو ہنسنا نہیں جانتے۔

(اُردو ڈائجسٹ)